KB198156

스포츠
영화의
윤리적
이 해

스포츠
영화의
윤리적
이 해

· 이기천 지음 ·

인간사랑

차례

서문 7

이 저서는 2009년 정부(교육부)의 재원으로 한국연구재단의 지원을 받아 수행된
연구임(NRF-2009-812-B00094)

서문

얼마 전 국내에서도 〈국가대표〉, 〈퍼펙트 게임〉 등 스포츠 영화들
이 속속 개봉되면서 영화 애호가들의 관심을 끌었다. 인터넷을 통하여
조사된 바로는 그동안 출시된 스포츠 관련 영화는 무려 300여 편 이상
이나 된다. 이중 국내에서 제작된 영화만 약 40여 편이며 나머지 영화
들의 대부분은 미국을 비롯한 해외에서 제작된 작품이다. 이러한 현상
의 원인은 스포츠와 영화가 주는 독특한 매력이 결합하여, 사람들에게
관심과 흥미를 배가시켰기 때문이다. 일반적으로 영화는 사람들에게
대리만족 효과를 준다. 즉 관객들의 호기심과 상상력을 자극함으로써
개인적 욕구와 성취감을 충족시키는 역할을 한다. 또한, 사람들은 영화
를 통해 삶의 위안을 얻거나 자기발전을 도모하기도 한다. 역시 스포츠
는 인간에게 삶의 윤활유 역할을 하는 측면이 있다. 사람들은 역동적
이며 박진감 넘치는 경기 모습에 열광하면서 스포츠의 매력에 흠뻑 빠
져들게 된다. 또한, 인간의 한계를 뛰어넘는 고도의 전문기술이 수반된
역동적인 동작을 지켜보면서 인간의 무한한 가능성과 잠재력을 발견하
기도 한다. 이처럼 현대인들의 삶에 있어서 영화와 스포츠 양쪽 모두는
중요한 위치를 차지하고 있다. 따라서 스포츠 영화는 우리의 삶을 활기
차고 건강하게 변화시키는 에너지원의 역할을 하며, 더 나아가 인간의

가치를 재발견하는 기회를 제공하고 있다.

영화의 역사는 장구한 인류의 역사에 비해 극히 짧은 기간에 불과하지만, 현대사회에 들면서 영화 산업은 과학기술 및 사회의 모든 전문분야의 발전과 병행하여 비약적인 성장을 보였다. 높은 제작비가 투입되어 흥행에 성공한 영화 한 편이 차지하는 매출은 가히 천문학적 액수를 자랑한다. 이처럼 영화가 사회에 미치는 경제적 파급효과는 대단하다. 이와 마찬가지로 영화가 인류의 문화와 행동양식에 미치는 파장효과도 무시할 수 없다. 영화가 시대를 대변함과 동시에 하나의 시대적 산물로써 자리 잡고 있기 때문이다. 결국, 영화는 포괄적 의미에서 문화를 대변한다. 그래서 영화 속의 내용은 특정한 문화와 그 시대의 참모습을 이해하는데 도움을 준다. 이런 의미에서 영화는 우리 사회의 모습을 명시·묵시적으로 드러내며, 우리가 직면하는 많은 문제점을 상징적으로 잘 보여준다고 할 수 있다.

뛰어난 작품성을 인정받은 불후의 명작들은 몇 번씩 감상해도 싫증이 나거나 지루하지 않으며, 다시 볼 때마다 그 의미가 새롭게 느껴진다. 이런 면에서 스포츠 영화도 예외가 아니다. 그동안 나온 스포츠 영화의 유형은 크게 두 가지로 구분할 수 있다. 첫 번째는 스포츠의 고유한 외재적 특성인 스포츠 기능의 전문적 측면을 강조해서 제작된 작품이다. 이러한 영화의 특징은 영화제작에 고도의 과학적 기술이나 기법을 도입하여 특정 스포츠 동작을 현란하고 웅장하게 표현한다. 관객들은 대형화면을 통해 직접 경기장에서 스포츠를 관람하는 것 이상으로 스포츠 경기를 이해하며 즐길 수 있다. 통상적으로 이런 부류의 영화는 단순한 플롯과 내용 구성으로 이야기가 전개되기에, 단편적이며 오락적이고 유희적인 효과를 기대할 수 있다. 그러나 이런 영화에서 높은 예술적 가치나 작품성을 기대하기는 어렵다. 두 번째는 스포츠 현장에서 발생할 수 있는 특정 소재를 토대로 탄탄하고 짜임새 있는 내용·구성과 전개를 통해 수준 높은 작품성을 인정받은 영화들이다. 이 영화들은 스포츠의 사실적 표현이나 외형적이며 기능적인 측면보다는 스포츠의 내면적 특성을 강조한다. 즉 영화의 내용과 줄거리를 통한 깊이 있는 의미전달에 그 목적이 있다. 따라서 관객들은 영화가 내포하고 있는 중요한 메시지를 이해하고 해석하는데 역점을 둔다. 이 영화들을 보고 나면 문학이나 예술작품 이상으로 그 가치가 소중하게 느껴진다.

위에서 언급한 것처럼 영화가 제시하는 사회적 기능의 효과는 지대하다. 일반적으로 현대사회의 대중들은 언어나 문헌보다는 영상매체를 통해서 손쉽게 메시지를 전달받을 수 있기 때문이다. 영상문화는 직·간접적으로 사람들의 의식이나 무의식에 영향을 미치게 된다. 높은 작품성을 인정받은 스포츠 영화들의 특징을 살펴보면 다양한 스포츠 종목과 주제를 소재로 하여 관객들에게 명확한 메시지를 전달하고자 주력한다. 단순히 관객들이 영화를 감상하면서 편하게 웃고 즐기기보다는 내용들이 감동적이면서 가슴이 뭉클한 장면들이 많다. 영화를 감상하는 동안 관객들은 잠시나마 영화 속의 주인공과 하나가 되어 희로애락을 함께하면서 자연스럽게 영화의 내용을 이해하고, 무의식중에 영화의 메시지를 전달받는다. 대부분의 스포츠 영화가 전달하려는 메시지는 그 속성상 스포츠 현장에서 발생하는 다양한 현상이다. 이런 현상은 사회와 밀접한 관련이 있어 스포츠 영화를 통해서 스포츠 현상은 물론 사회적 현상까지도 이해할 수 있게 된다. 이러한 메시지는 일반적으로 윤리적, 교훈적이며 교육적 차원의 가치들을 포함하고 있다. 결과적으로 이와 같은 측면들을 통해 스포츠 현상에 대한 폭넓은 이해와 대두되는 문제점들을 깊이 인식해서, 나아가 그 해결 방안까지 모색함으로써 개인의 삶이나 사회와 제도의 변화까지 기대할 수 있다.

　　스포츠는 사회라는 큰 틀 속에서 성장하며 발전을 계속해 왔다. 또한, 스포츠는 현대사회에서 순기능과 역기능을 동시에 수행하고 있다. 스포츠 사회학 이론에서는 스포츠의 사회적 현상을 규명하기 위하여 구조-기능론을 주로 사용한다. 구조-기능론이란, 스포츠가 사회 내의 제반제도의 한 일원으로 어떻게 역할과 기능을 수행하고 있는지를 조사하고 규명하는 이론을 말한다. 구조-기능론의 관점은 사회체계의 지속적이고 원활한 운영과 유지를 원한다. 따라서 사회적 균형을 유지하기 위해서는 스포츠 활동을 더 확산, 발전시켜야 한다는 관점을 견지한다. 또한, 순기능적 측면이 장려되고 역기능적 측면이 보완되거나 개선되어야 한다. 그러기 위해서는 스포츠 현상에 대한 올바른 이해가 선결조건이다. 그러나 스포츠가 내포하고 있는 양면성의 올바른 이해는 결코 쉬운 일이 아니다. 이러한 현상에 대해 스포츠 영화는 자연스럽게 관객들을 이해시킬 수 있다는 장점이 있다. 예컨대 스포츠 영화는 치밀하고 탄탄하게 구성된 플롯과 이야기로 일반인들이 이해하기 쉽도록 그 의미를 명확하게 전달해 준다. 구체적으로는 스포츠 현장에서 발생할 수 있는 다양한 사회적 현상들이 스포츠 영화들의 주요 소재가 되고, 특정 선수나 감독을 주인공으로 하여 비유적으로 이야기가 전개되기도 한다. 주로 실화를 바탕으로 제작된 영화들이 주를 이루며, 이때 등장하는 주인공들은 당대 최고의 인물이거나 우리 주변에 있는 아주 평범한 사람일 수도 있다. 스포츠 영화에 등장하는 소재들은 축구나 미식축구, 그리고 아이스하키처럼 팀 경기가 주를 이루고 있으며, 간혹

댄스나 골프처럼 개인 경기를 소재로 삼는 경우도 있다. 또한, 유명 선수들의 일대기를 그린 영화들도 찾아볼 수 있다. 스포츠 영화 속에서 나타나는 윤리적 성향으로는 아마추어리즘이나 페어플레이, 도전정신 같이 스포츠의 숭고한 이념과 가치를 강조하는 영화가 있는 반면에, 선수들의 학업결손, 약물중독이나 도핑, 경기장 폭력과 같은 비신사적 행위, 그리고 성차별이나 인종차별, 상업주의 같은 스포츠의 부정적 측면을 소재로 제작된 영화들도 있다. 따라서 이러한 영화들을 통해서 우리는 스포츠 세계의 이면에 얼마나 많은 문제점이 산재해 있으며, 나아가 그동안 어떠한 사회적 이데올로기와 고정관념에 사로잡혀 있었는지 알게 된다.

이 책을 집필하게 된 동기는 학부 학생들에게 '스포츠 윤리'라는 과목을 가르치면서부터였다. 이 과목은 교양과목이기에 대부분의 수강생은 체육 전공자들이 아니었다. 이들에게 스포츠와 관련된 윤리적 이론들은 자칫하면 내용이 딱딱하거나 건조해지기 십상이다. 이런 이유로 스포츠 윤리에 관한 이론적 내용을 더 재미있고 효과적으로 전달할 방법을 모색하다 보니, 스포츠 영화에 대하여 깊은 관심을 갖게 되었다. 위에서 말했듯이 그동안 나온 스포츠 영화를 통해서 스포츠 현장에서 발생할 수 있는 윤리적 쟁점들을 다각도로 관찰할 수 있었다. 이러한 요소들은 교훈적, 교육적인 내용들을 동시에 포함하고 있다. 강의를 시작하고 몇 년 동안 수업시간에 수십 편의 스포츠 영화들을 감상하였다. 어떤 영화들은 매학기 강의마다 빠지지 않고 감상했던 경우도 있었다. 그만큼 영화의 작품성이 우수했기 때문이다. 이처럼 장기간 영화를 감상하다 보니 작품성이 높은 영화와 그렇지 않은 영화를 자연스럽게 선별할 수 있었다. 게다가 한 편의 영화를 다시 감상할 때마다 과거에 지나쳤던 새로운 의미들을 계속해서 발견할 수 있었다. 매 학기 학생들은 영화 감상 후 영화의 내용을 토대로 제시된 주제에 관하여 서로의 의견을 개진하고 토론하였다. 그리고 각자의 의견들을 자유롭고 논리적으로 서술하도록 해서 학생들의 다양한 의견을 종합할 수 있었다. 그리하여 영화마다 좀 더 철저하고 상세한 분석이 가능할 수 있었다.

이 책에서는 그동안 '스포츠 윤리' 과목 수업시간에 감상했던 스포츠 영화 중에서 작품성이 우수하다고 판단되는 15편을 선정하여 분석하였으며, 분석방법으로는 영화별로 '줄거리 요약', '영화 속 이야기', '해석적 이해', '심층적 탐구', '스포츠의 이해'라는 다섯 단계로 구분해 내용을 기술하였다. 첫 번째, '줄거리 요약'에서는 독자들이 영화의 성격과 특성, 전반적인 내용을 쉽게 파악할 수 있도록 영화의 특징 및 줄거리를 요약하였다. 두 번째, '영화 속 이야기'에서는 영화의 내용과 줄거리를 세밀하고 상세히 기술함으로써 영화를 시청하지 않은 독자들도 내용을 쉽고 자세하게 파악할 수 있게 했다. 세 번째, '해석적 이해'에서는 영화 내용을 통해 드러나는 윤리적 현상들을 객관적으로 분석해 윤리적 측면에서 접근하려고 했다. 네 번째, '심층적 탐구'에서는 영화 속의 장면들을 자세히 이해하고 진정한 의미를 파악하기 위한 질문으로서, 불충분하게 제시된 영화의 줄거리를 보완하면서 영화 내용을 다시 한 번 상기시켰다. 그리하여 주제와 관련해 영화가 전달하고자 하는 중요한 의미나 메시지를 쉽게 파악할 수 있게 했다. 나아가 독자의 이해도를 높이려고 질문에 대한 답변도 추가했다. 마지막으로 '스포츠의 이해'를 통해서는 영화에서 제시되는 스포츠에 관한 전문지식이나 주요 정보들을 간략히 설명함으로써 영화에 대한 전반적 이해도를 높이고자 하였다.

이 책은 총 4부로 구성되었다. 1부에서는 '스포츠와 가치'라는 주제로 '스포츠의 순수성'과 '아마추어리즘' 등을 다루면서 〈바람의 전설〉, 〈YMCA 야구단〉, 〈쿨 러닝〉, 〈불의 전차〉 등의 영화를 분석했다. 2부에서는 '스포츠와 차별'이라는 주제로 '장애인 스포츠', '성차별', '인종차별'을 소개하면서 〈말아톤〉, 〈포레스트 검프〉, 〈빌리 엘리어트〉, 〈리멤버 더 타이탄〉 등의 영화를 분석했다. 3부에서는 '스포츠와 일탈'이라는 주제로 '스포츠 폭력', '학업결손', '약물오용' 등의 내용을 언급했고, 〈킹콩을 들다〉, 〈코치 카터〉, 〈애니 기븐 선데이〉 등의 영화를 분석했다. 마지막으로 4부에서는 '스포츠와 도전정신'이라는 주제로 '리더십', '도전정신', '자아탐구' 등의 내용을 다루었고, 〈주먹이 운다〉, 〈슈퍼스타 감사용〉, 〈루디〉, 〈베가 번스의 전설〉 등의 영화를 분석했다. 그리고 앞으로 나올 영화와 이 책에서 미처 다루지 못한 수준 높은 영화들은 2권에서 다룰 예정이다. 이 책이 학교 수업 교재로 활용됨은 물론, 일반 독자들을 위한 교양서 역할을 충실히 해주길 기대한다.

제1장 스포츠와 가치

이번 장에는 '스포츠와 가치'라는 주제로 스포츠의 순수성과 아마추어리즘 등을 소개한다. 여기서 언급할 영화들은 〈바람의 전설〉, 〈YMCA 야구단〉, 〈쿨 러닝〉, 〈불의 전차〉 등이다. 4편의 영화에서 이러한 특성들이 어떻게 나타나는지 그 의미를 분석하고 해석한다.

1. 바람의 전설
– 플로어에서 행복 찾기

1) 줄거리 요약

TV에서 인기리에 방영되는 《댄싱 위드 더 스타》처럼, 최근 댄스스
포츠에 대한 사회적 관심이 높아지고 있다. 그동안 우리나라에서는 '춤
(댄스)'에 대해 부정적 인식이 짙어서 많은 사람이 춤을 스포츠나 예술
의 영역이 아닌 퇴폐적이고 선정적인 행위로 생각해왔다. 이 영화는 사
교댄스, 즉 댄스스포츠에 몰입한 남자의 열정을 통해 춤이 퇴폐적인 행
위가 아닌 예술이나 순수한 스포츠로 인식해야 하는 필요성을 전달하
고 있다.

평범한 사원으로 살아온 '박풍식'은 처음에는 댄스스포츠를 퇴폐적
이고 불륜의 행위로 여기나 차츰 춤의 예술적 가치를 느끼게 되면서 사
회적 인식과 개인적 갈등 사이에서 고민하며, 그의 변화를 현재와 과거
회상을 통해 그려내고 있다.

처음에 그를 이해하지 못했던 주변 인물인 '송연화'가 풍식이 생각
하는 댄스의 순수한 본연의 가치를 이해하고 공감하면서, 영화의 제목
에 등장하는 바람은 '불륜의 바람'이 아닌 춤을 열정적으로 추고 싶다는
'희망의 바람'이라는 의미를 전해준다. 영화 속 풍식의 관점에서 댄스스
포츠의 재미와 감동을 느껴보면 좋을 것이다.

2) 영화 속 이야기

형사인 송연화는 가정이 있는 여성들을 유혹하여 금품을 갈취한
박풍식을 조사하여 체포하라는 명령을 받는다. 풍식은 전설적인 제비
이자 소문난 춤꾼으로 그가 입원한 병원에 연화는 교통사고환자로 위

장해 잠입한다. 연화는 말썽만 피워대는 큰오빠의 사고소식에 휴대폰을 집어던져 버린다. 이때 어떤 남자가 휴대폰을 주워 연화에게 건네며 우연히 인연을 맺는데, 그가 바로 박풍식이다.

이후 연화는 풍식의 병실로 초대받는다. 그는 자신을 예술가라고 소개하며 사교댄스, 즉 댄스스포츠를 설명하며 과거를 회상한다. 풍식은 처남이 경영하는 총판대리점에서 일하는 평범한 사원으로 무의미한 일상을 사는 소시민이었다. 그러던 어느 날, 풍식은 포장마차에서 고등학교 동창인 만수와 우연히 재회한다. 만수는 사교댄스를 가르치기 위해 풍식에게 사무실의 한 공간을 빌려달라고 하나, 풍식은 강하게 반대한다. 풍식은 사교댄스를 돈 많은 사모님을 유혹하기 위해 제비가 배우는 것으로 생각했기 때문이다. 그러나 풍식은 결국 사무실도 빌려주고 일손이 부족하다는 만수의 말에 춤까지 배우게 된다.

🐜 만수에게 사교댄스를 배우는 풍식

첫 스텝을 밟는 순간, 강한 바람이 풍식을 감싼다. 풍식은 왜 진작 춤을 배우지 않았는지 후회하며 춤 없이 보낸 지난날을 보상받으려는 듯 춤에 심취한다. 어느 날 춤바람 난 아줌마의 남편 때문에 사무실은 풍비박산이 난다. 그러나 풍식은 이 일을 겪고도 춤이 예술이라며 열정을 불태우고, 예술적 가치가 있는 진정한 춤을 배우기 위해 전국을 돌아다닌다.

처음 만난 스승은 커피 잔조차 제대로 못 잡는 힘없는 노인. 하지만 풍식은 노인과 그의 손녀의 춤을 보고서는 그 집에 기거하며 춤을 배운다. 그러나 춤을 미처 다 배우기도 전에 노인은 폐렴으로 세상을 떠난다. 이에 풍식도 다시 길을 나선다.

두 번째 만난 스승은 노숙자. 풍식은 그와 함께 생활하며 왈츠를 배운다. 하지만 얼마 가지 않아 술에 취한 두 번째 스승도 바다에 빠져 목숨을 잃는다. 그 후로도 풍식은 전국을 떠돌며 춤을 배운다. 아이러니

🎞 전국을 돌아다니며 춤을 배우는 풍식

하게 훌륭한 솜씨를 가지고 있는 춤 선생들은 모두 풍족하게 살지 못했고, 이렇게 5년간의 배움의 대장정은 끝난다.

풍식과 연하는 같이 술을 마시게 된다. 인생이 즐거우냐는 연화의 물음에, 풍식은 춤이 있어서 즐겁다고 대답한다. 이 말을 들은 연화는 자신도 춤을 배우겠다고 한다. 처음에는 풍식이 말한 그런 바람이 느껴지지 않는다고 시큰둥하던 연화도 어느새 춤의 세계에 빠져든다. 급속도로 가까워진 둘은 이런저런 이야기를 하다 풍식의 이혼 이야기가 나오자 풍식은 자신의 과거를 다시 회상한다.

춤을 배우러 다닌 지 5년, 집에 돌아온 풍식은 단조로운 생활에 적응하지 못하고 춤출 곳이 없어 힘들어 한다. 결국, 풍식이 선택한 곳은 카바레. 자신의 격에 맞는 파트너를 물색하던 풍식은 한 여자를 만나 춤을 추게 되나 자연스럽게 불륜의 길로 빠져든다.

어느 순간, 이런 행동이 옳지 않다는 사실을 깨달은 풍식은 관계를 정리하려 하지만, 여자가 집요하게 매달린다. 풍식은 사업이 망했다는 거짓말로 그녀를 피하지만 오히려 삼천만 원이라는 거금을 받게 된다. 결국, 제비 짓은 반복되고 항상 두둑한 돈 봉투가 손에 쥐어진다.

이미 풍식은 제비들 사이에서 거물 혹은 전설이 되어 있었다. 그러나 정작 본인은 제비가 아닌 예술가라고 부인한다. 그러던 어느 날, 자신과 바람났던 여자의 남편과 아들에게 구타를 당함으로써 아내에게 부정을 들키게 된 풍식은 무시와 경멸을 받는다. 풍식은 아들의 학예회에서 자신에게 돈을 주던 여자와 재회하는데, 그녀는 단 한 번만 다시 춤을 춰달라고 부탁한다. 원생들이 연주하는 에델바이스에 맞춰 춤을 추는 풍식은 아무런 대가 없는 행복한 춤의 본질을 깨닫는다. 그러나 풍식의 춤추는 모습을 싫어하던 아내에게 이를 들키고 이혼 당한다. 이런 일을 겪고도 풍식은 춤은 예술이며, 자신을 예술가라고 굳게 믿는다. 그러나 연화는 풍식을 제비라는 시선으로만 바라보며 그를 떠난다. 풍식은 춤으로만 평가해달라고 하지만 연화에게 무시당한다.

연화는 수사에서 손을 떼지만 무의식중에 스텝을 밟고 춤을 추는 풍식을 떠올리는 자신을 발견한다. 다시 찾아간 병원에서 풍식은 이미 퇴원하고 없었다. 풍식의 소식을 궁금했던 연화는 만수를 찾는데, 그에게 풍식이 병원에 입원한 이유가 꽃뱀 때문이었다는 것을 알게 된다. 요컨대 이혼 후 카바레에 갔다가 어떤 여자를 만났는데, 춤출 때 인상이 확 바뀌던 그녀의 매력에 반한 풍식은 꽃뱀인 그녀의 작전과 눈물에 속아 돈을 뜯겼고 여자의 오빠라는 사람에게 구타당해 병원에 입원한 것이었다.

퇴원 후에도 풍식은 꽃뱀이라는 사실을 모른 채 그녀를 기다리다가 만수에게 진실과 그녀의 근황을 듣게 된다. 풍식은 그녀를 찾아내

🦋 풍식과 연화의 마지막 춤

지만 꺼지라는 말만 듣는다. 분을 이기지 못한 풍식은 폭력을 가하려는 순간, 연화가 카바레에 들어온다. 연화는 풍식에게 다가가 춤을 권한다. 그들이 춤을 추려는 찰나, 경찰들이 들이닥치며 풍식을 체포한다. 연화는 풍식에게 죄가 없고 춤을 좋아한 것이 무슨 죄냐며 항변하지만, 풍식은 반항 없이 순순히 경찰에게 끌려간다.

그 일이 있고 나서 연화는 형사 일을 그만두고 댄스스포츠 강사가 되어 사람들을 가르친다. 어느 날, 형사시절에 상사였던 반장이 연화를 찾아와 풍식의 소식을 가르쳐준다. 연화는 아무런 망설임 없이 풍식을 찾아 나선다. 풍식을 재회한 연화, 마지막으로 풍식에게 춤을 권한다. 카스테레오에서 음악이 흘러나오고 두 사람은 춤을 춘다. 세상에서 가장 아름다운 춤을.

3) 해석적 이해

우선 인물의 측면에서 우리는 풍식의 행동에 대해 박수를 보낼지, 화를 내고 한심하게 여길지 생각해 볼 수 있다. 대부분의 사람들은 지루한 일상의 일탈을 꿈꾸지만 막상 벗어나지 못한 채 꿈만 꾼다. 그러나 풍식은 자신이 진정으로 좋아하는 일을 시작했고, 누가 뭐라던 '춤'을 수단이 아닌 인생의 목적으로 생각했다.

일반적으로 사람들은 '동조' 때문에 타인의 생각과 비슷하게 맞추려는 경향이 강하다. 영화 속에서도, 춤을 예술이라고 생각하지만 '제비'라는 편견에 무너지거나 이에 묶여버린 사람들도 있었으리라. 그러나 풍식은 마지막까지 자신의 신념을 굽히지 않는다. 비록 도덕적으로 칭찬받지 못해도 풍식은 나름대로 자신이 만족하는 삶을 살았다.

그러나 춤에 미쳐서 가정과 사회적 윤리를 생각하지 않은 행동은 비난받아 마땅하다. 아무리 타인과의 동조를 부정해도 인간은 사회적 동물이기 때문이다. 남의 부인은 위하면서 정작 자기 부인에게 소홀했던 풍식의 행동 자체도 모순이다. 네 주위를 먼저 사랑하는 것이 아가페의 시작이라는 말처럼, 자신이 챙겨야 하고 언제나 아껴줘야 할 사람을 행복하게 하는 것이 최우선이다.

4) 심층적 탐구

(1) 주인공 풍식이 댄스스포츠의 '마력'에 빠져드는 이유는 무엇인가?

풍식은 댄스스포츠를 배우기 전까지 무의미한 삶을 살고 있었다. 그는 집안의 가장이고, 처남의 총판대리점에서 일하는, 특별할 것이 없는 사람이었다. 이런 그에게 춤이란 행복한 인생을 살게 해주는 매개체이다. 왜냐하면, 춤을 추는 동안은 모든 시름을 잊어버린 채 세상에서 가장 행복한 사람이 되기 때문이다.

비록 대부분의 사람들이 추구하는 물질적인 안정이나 부유함과는 거리가 멀었지만 풍식은 춤을 배우러 다니면서 자신만의 참된 인생을 즐긴다. 사교댄스에는 사람과 사람의 만남을 따뜻하고 포근하게 이어주는 철학이 있었다. 풍식은 이러한 철학을 머리가 아닌 가슴으로 이해했다. 즉 새롭게 만난 사람과 춤을 통해 호흡을 맞추고 어색했던 사이가 부드럽고 친밀하게 변하면서 즐거움을 느꼈다.

이런 새롭고 신비스런 만남은 무의미한 풍식의 삶에 활력을 불어 넣어 준다. 게다가 풍식은 물질만능주의 사회에서 어떠한 물질적 대가 없이 춤을 통해서 행복해지고 즐거울 수 있다는 사실을 몸소 체험했다. 물질적으로는 풍요로웠지만, 정신적으로는 피폐했던 사람이 정신적 풍요로움으로 인해 바뀌는 것을 보며 풍식은 댄스스포츠의 마력에 빠져든다.

(2) 이 영화에 나오는 춤에 대한 '긍정적', '부정적'인 측면은 각각 무엇인가?

긍정적 측면은 행복해 질 가능성이다. 풍식도 춤을 추면서 행복을 찾았고 많은 여자들이 춤으로써 그에게 빠져들었다는 사실은 춤이 준 행복감을 나타낸다. 또한, 재회한 여자는 오직 그와 춤을 추고 싶다고 말한다. 친밀한 포옹도, 사랑의 말도 아닌 춤을 요구했다는 사실은 그녀에게 그와의 춤이 가장 행복한 순간이었다는 사실을 암시한다. 이에 부정적인 시각을 갖고 있던 잠입수사 형사 연화도 풍식에게 춤을 배우며 인생의 행복을 찾는다.

반면에 부정적인 측면도 있다. 아직까지 춤에 편견이 있는 사람들에게 문화라고 당당하게 말하기 곤란할 정도로 여전히 춤은 유혹의 수단으로만 사용된다. 실력 좋은 댄서들이 춤을 생업으로 삼지 못하고 재야에 묻혀 사는 모습이나, 풍식이 춤을 추기 위해 카바레로 향하는 모습이 바로 이런 부정적인 측면을 단적으로 나타내고 있다.

(3) 풍식은 '춤바람 난 제비'인가, 아니면 '진정한 예술가'인가?

풍식의 행동은 제비가 아니라고 단언하기 어렵다. 본의는 아니었지만, 그는 돈을 받았고 돌려주지 않았다. 대신 집을 사고, 부유한 생활을 하는데 사용한다. 진짜로 춤을 추고, 남에게 춤의 진정한 의미를 가르쳐주고 싶었다면 댄스 교습소를 차리는 게 옳은 선택이었을 것이다.

하지만 이는 사회적 도덕에 의한 관점일 뿐, 춤에 대한 열정만 보면 풍식은 예술가이다. 만약 예술가가 아니라면 전국을 다니며 춤을 배우러 다니지 않았을 것이다. 카바레에서는 높은 수준의 춤 실력을 요구하지 않기 때문이다. 또한, 풍식은 자신을 포함한 많은 사람에게 춤을 행복의 매개체가 되도록 해주었다. 남편에게 무시당하고 홀로 쓸쓸해하던 많은 중년 여인들이 그와 춤을 추면서 행복을 찾았고, 연화도 춤을 추기 위해 형사 직업을 포기하고 댄스스포츠 강사가 된다.

영화의 마지막에 노숙자로 살아가는 풍식의 모습은, 그가 예술가라는 사실을 대변한다. 만약에 풍식이 춤을 목적으로 생각하는 단순한 제비였다면 감옥에서 나오자마자 춤을 수단으로서 돈을 벌었을 것이다. 이런 의미에서 풍식은 비자발적인 상황에서 만들어진 제비였지만, 춤을 사랑하고 춤에서 인생의 행복과 의미를 찾아내고자 노력했던 진정한 예술가라고 할 수 있다.

(4) 풍식과 연화가 댄스를 추는 마지막 장면에서 '진정한 행복'은 무엇이라 생각되는가?

진정한 행복은 누군가가 찾아주는 것도, 어떠한 결과물도 아니다. 행복은 스스로 깨닫고 찾아가는 과정이며, 그 끝에서 얻을 수 있는 깨달음이다. 연화는 노숙자인 풍식과 초라한 등대 앞에서 관객도 없지만, 카스테레오에서 흘러나오는 음악에 맞춰서 춤을 춘다. 하지만 이렇게 춤을 끝냈을 때, 풍식은 지금껏 느끼지 못했던 최고의 행복을 느낀다.

그러면서 연화에게 한 곡을 더 신청하고 비엔나 왈츠를 추는데, 이
때 두 사람은 상하이의 멋진 무대에서 라이브 음악에 맞춰 멋진 복장으
로 춤을 추는 상상을 한다. 이는 행복이 멀리 존재하는 것이 아니라는
점을 말한다. 장소, 옷차림, 그리고 어떤 상황이든 자신이 행복하다고
느끼는 곳이 행복이 있는 곳이고, 행복하다고 느끼면 행복한 것이다.
하지만 더 나아가 인생의 의미와 행복을 찾는데 만족하지 않고, 타인의
행복과 즐거움을 찾도록 도와주며, 그가 행복해하는 모습을 보는 것이
현대사회를 살아가면서 필요한 진정한 행복이다.

(5) 영화 감상 후 댄스스포츠에 대해 '생각의 변화'가 있었나?

가장 큰 변화는 댄스스포츠를 배우고 싶다는 것이었다. 오래전 TV
채널을 돌리다가 우연히 MBC《무한도전》댄스스포츠 편을 보게 되었
다. 당시에는 댄스스포츠가 이상한 춤이 아니라 엄청난 노력과 음악적
감각, 재능이 필요하다는 사실만 느꼈을 뿐이었다. 하지만 이 영화를
보고 난 후에는 왜 사람들이 땀을 흘려가며 댄스를 배우고, 대회에 나
가고, 좋은 성과를 내지 못해도 환하게 웃을 수 있는지 이유를 알 수 있
었다.

춤을 꼭 잘 춰야 하는 것이 아니다. 음악에 맞춰 춤을 추고, 상대방
을 배려하고, 행복을 스스로 찾는 과정이 더 중요하다. 구체적 변화로
모던댄스보다 라틴댄스가 더 좋아졌다. 전에는 모던댄스가 훨씬 우아
하고 아름다운 춤이라고만 생각했다. 다시 말해 라틴댄스를 무시하는
경향이 있었다. 물론 모던댄스가 아름답지 않다고 생각이 바뀐 것은 아

니다. 하지만 모던댄스는 우아함과 아름다움이, 라틴댄스는 그 나름대로 정열과 아름다움이 잘 조화되었다고 생각한다. 그래서 어떤 종류의 춤이 더 나은지 비교할 수 없다는 사실을 깨달았다.

(6) 영화 제목인 〈바람의 전설〉의 의미는 무엇인가?

이 영화에서 바람은 이중적 의미로 사용되었다. 바람기의 바람과 춤바람의 바람. 타인이 바라보는 풍식의 바람은 불륜이라고 생각한다. 누구나 풍식의 행동을 다 알 정도이며, 어떤 초보 제비는 밤마다 자신도 풍식처럼 돈을 벌게 해달라고 기도한다는 친구 만수의 말에서 그 점이 잘 드러난다.

하지만 풍식이 느꼈던 바람은 신명나서 추는 춤바람의 바람이다. 춤에 미쳐서 전국 방방곡곡을 돌아다니며 춤을 배울 정도의 열정과 춤으로 사람을 행복하게 해주겠다는 사명감으로 카바레를 전전하는 모습은 이를 잘 알 수 있는 대목이다.

물론 풍식도 여느 선배들과 마찬가지로 실패와 좌절이 있었지만 연화의 도움으로 이를 극복할 수 있었다. 훌륭한 실력에도 좌절하고 무릎을 꿇는 사람은 전설이 될 수 없다. 이런 의미에서 춤바람이 난 사람들에게 그는 진정한 전설로 통하는 것이다.

(7) 이 영화는 다른 댄스스포츠 영화들(〈쉘 위 댄스〉, 〈더티 댄스〉)과 무엇이 다른가?

〈쉘 위 댄스〉는 평범한 중년남성이 댄스스포츠에 입문하면서 인생의 행복을 찾아가는 과정을 그리고 있다. 춤에서 행복을 찾는다는 점은

〈바람의 전설〉과 비슷하지만, 그는 댄스스포츠를 전문적인 강사에게 배우며, 카바레 같은 유흥업소가 아니라 댄스스포츠 경연대회에 나간다. 거기서 그는 인생의 목적과 행복을 찾는다.

〈더티 댄스〉라는 제목은 젊은 세대가 기성세대에서 찾아볼 수 없는 음란한 동작의 춤을 춘다는 의미이다. 그러나 영화 어디에도 불륜과 바람기를 찾아볼 수 없다. 이런 영화들에서 춤은 스포츠나 구애 방식, 직업으로 나온다. 다시 말해 춤에 대한 긍정적 시각이 주를 이루고 있다. 하지만 이 영화는 다르다. 이 영화는 선수가 아닌 일반인들, 즉 춤이 좋거나 다른 이유로 춤을 추는 사람들의 모습을 다뤘다. 또한, 한국 사회에 팽배한 부정적인 모습과 춤이 갖는 순수성을 대비해서 긍정적인 모습을 볼 수 있었다.

(8) 현재 댄스스포츠 종목이 아시안 게임 정식 종목으로 채택되는 등, 사회적으로 '대중화'되는 현실에 대한 의견은?

개인적으로 댄스스포츠의 대중화에는 찬성한다. 댄스스포츠가 퇴폐적이라는 오명을 쓴 이유에는 사람들의 무관심과 무지가 큰 몫을 했기 때문이다. 요즘 젊은이들에게 댄스스포츠가 카바레에서만 추는 것이라고 말을 하면 비웃음을 산다. 그들은 댄스스포츠가 건전하게 즐길 수 있는 스포츠란 사실을 매스컴과 미디어를 통해서 잘 알고 있다. 지금은 댄스스포츠가 대중화되어 그것을 즐기고, 배울 기회는 얼마든지 있다.

하지만 미디어와 거리가 멀고 댄스를 배울 기회가 상대적으로 적은 기성세대는 아직도 옛날의 편견을 그대로 고수하고 있다. 스포츠 댄스가 점차 대중화되고 젊은 층을 중심으로 사람들이 부담 없이 댄스스포츠를 즐기게 된다면 기성세대의 색안경도 서서히 옅어질 것이다. 그리고 어릴 적부터 댄스를 자연스럽게 배운다면 더는 이런 편견이 생기지 않을 것이다. 더 나아가 결국 우리나라도 외국처럼 건전하게 댄스를 즐기는 사회가 분명히 올 것이다.

(9) 가장 인상에 남는 장면이나 대사는 무엇인가?

가장 인상에 남는 장면을 꼽으라면, 에델바이스가 흘러나오는 가운데 풍식과 한 여성이 유치원 운동장에서 춤을 추는 장면이다. 마지막 장면에서 절망한 풍식을 구하는 연화와 다시 희망을 찾는 풍식의 모습도 분명히 인상적이다. 그러나 개인적으로 남편의 무관심과 지루한 일상을 벗어나 행복을 찾았던 한 여성이 다시 한 번 그 행복을 느끼고 싶어서 그에게 마지막으로 춤을 춰 달라고 부탁하는 모습이 색다르고 강렬했다.

변변한 음악도 없고 춤을 추기 편한 복장도 아닌 상태지만, 그녀는 자신의 치마를 찢으면서 춤을 췄다. 그렇게 춤을 추던 모습, 그리고 춤을 추면서 다시 한 번 돈을 주고도 사지 못할 행복감과 만족감을 느끼는 모습에서, 어쩌면 내가 그 여성으로 빙의해서 춤을 추고 있었던 것인지도 모른다.

그 댄스가 끝나면 두 사람은 다시 만날 수 없지만, 풍식과의 춤은 그녀의 삶의 버팀목이 되리라는 점도 매력적이다. 분명 힘들고 어려운 일이 다시 닥치겠지만, 그녀에게는 풍식과의 추억을 생각하며 인생을 버틸 수 있을 것으로 생각한다.

5) 스포츠의 이해 : 댄스스포츠

(1) 댄스스포츠의 개요

댄스스포츠란 한 쌍의 남녀가 함께 춤추는 것으로 음악에 맞추어 신체활동을 해서 얻는 정신적 즐거움과, 그에 따른 육체적 건강, 사교활동을 통한 예의범절을 익히는 건전한 스포츠이다. 또한, 개인의 행복과 삶의 질을 높일 수 있는 여가활동이다. 무도회에서 추는 춤이라는 의미의 볼룸 댄스를 말하며, 세계 여러 나라는 나라마다 민속무용이 있으나 댄스스포츠는 전 세계적으로 공통된 도법으로 즐길 수 있도록 만들어진 춤으로 예술의 미적 가치를 창조하는 스포츠라고 정의할 수 있다. 댄스스포츠 국제선수권대회의 경기종목은 모던댄스 5개 종목과 라틴댄스 5개 종목이다.

(2) 댄스스포츠의 특징

댄스스포츠는 누구나 쉽게 배울 수 있고 건강에 좋은 스포츠이며, 레크리에이션으로 즐길 수 있다는 점이 가장 큰 장점이다. 반면에 점점 숙달되어 초보 수준에서 상급 수준에 이르게 될수록 체력과 고도의 기술 그리고 파트너와의 조화를 요구하는 특징이 있다. 댄스스포츠는 스포츠와 댄스의 특성을 공유하고 있다. 예술성이 풍부한 실내 스포츠인 동시에 생활체육의 한 분야로 정의되는 댄스스포츠의 본질은 전통에 의한 예의와 질서로 이루어진 도덕적 가치관을 지닌 인격표현의 선진적 윤리문화라고 한다.

댄스스포츠의 특성은 크게 두 가지로 분류할 수 있는데, 여가 · 문화적 특성과 운동생리학적 특성이 바로 그것이다. 댄스스포츠는 매우 훌륭한 신체활동이며, 현대사회에서 오는 정신적 긴장과 스트레스를 해소시키며 정서적 안정을 준다. 특히 이성간의 건전한 만남과 사교를 위한 활동으로 매우 적합하며, 음악의 리듬과 일치감을 느끼면서 운동의 즐거움을 만끽할 수 있게 하는 레크리에이션의 특성을 지니고 있다. 반면에 운동생리학적 특성으로는 워킹(Walking)으로 인한 전진과 후진, 회전 동작들로 근력과 지구력을 발달시킨다. 동시에 빠른 워킹으로 리듬감을 유지하므로 심폐기능을 향상시킨다.

(3) 댄스스포츠의 종류

① 모던댄스
  a. 왈츠(Waltz)

   왈츠는 라이즈와 폴을 실시하면서 추는 전형적인 무빙 댄스로서 시작부터 마칠 때까지 부드러운 움직임이 계속 연결된다는 특징이 있다. 왈츠 음악은 3/4박자로 3보, 6보, 9보를 기준으로 구성되고 악센트는 리듬에 맞추어 추는 것이 절대 조건이며, 첫 박에 있다. 기초 리듬은 1, 2, 3이고 템포는 1분간 28~30소절이다.

  b. 탱고(Tango)

   탱고는 스탠더드 댄스 중에서 유일하게 무빙 댄스가 아닌 개성이 뚜렷한 매혹적이고 날카로운 춤으로 기존의 다른 댄스와는 달리 라이즈와 폴이 없이 일정한 자세를 유지하며 진행되는 댄스이다. 음악은 2/4박자로 각 박자에 악센트가 있고, 템포는 1분간에 30~34소절 연주되는 속도이다.

c. 퀵스텝(Quick step)

퀵스텝은 댄스스포츠 중 캐슬 웨크의 영향을 가장 많이 받은 경쾌한 댄스로 음악은 4/4박자이며 첫째와 셋째 박자에 악센트가 있고, 템포는 1분간에 48~52소절 연주되는 속도이다. S(슬로)는 2박자이며 Q(퀵)는 1박자이다.

d. 비엔나 왈츠(Viennese waltz)

비엔나 왈츠는 왈츠와 같으나 속도를 빠르게 하는 댄스로 3/4박자이고 3보, 6보, 9보를 기준으로 구성되며, 악센트는 첫 박자에 있고 템포는 1분에 56~60소절로 연주된다.

② 라틴댄스

a. 룸바(Rumba)

룸바 음악은 4/4박자로 특이한 악기들로 연주되며, 넷째 박자에 악센트가 있고 1분간에 대략 25~28소절의 템포로 이루어져 매우 환상적인 리듬과 동작으로 여성 댄서가 여성다운 춤사위를 표현할 수 있는 춤이다. 이 춤은 남녀 사랑의 갈등을 주로 나타내고 있다. 특히, 부드러운 힙의 악센트가 이 춤의 특징이다. 쿠바에서 시작된 룸바는 봉고, 콩가(양손으로 두들겨 연주하는 통이 좁고 긴 북), 기로스, 마라카스(리듬악기로서 야자의 일종인 마라카를 건조시켜 만든 남미 민속 악기) 등의 타악기를 사용하여 연주된다.

b. 차차차(Cha cha cha)

쿠바 혁명 후 룸바는 맘보와 차차차로 변화해서 맘보 붐을 일으키기도 했다. 차차차 음악은 4/4박자로 첫째 박자에 악센트가 있으며 1분에 28~32소절이 연주되고 봉고 드럼이나 마라카스를 두드리는 소리 자체가 차차차로 들려 흥을 돋우게 한다. 차차차의 특징은 밝고 시원하며, 정확한 리듬의 강한 비트 악센트로서 춤에 생기를 불어넣는다. 익살스럽고 요염한 표현이 이 춤의 장점이다.

c. 자이브(Jive)

자이브는 흑인의 춤에서 발생한 지르박(Jitterbug)의 원형으로 박자는 4/4이고 1분간 연주속도는 35~42소절이며, 악센트는 2와 4에 있다. 자이브 음악은 빠른 곡부터 로큰롤, 디스코까지 폭넓은 리듬에 모두 적용될 수 있다.

d. 삼바(Samba)

삼바는 강렬하고 독특한 율동을 지닌 생동감 넘치는 춤으로 '배꼽'이라는 뜻을 지녔다. 허리와 어깨운동이 격렬하며, 브라질에서 생겨난 소박하고 정열적인 리듬을 더욱 갈고 닦아서 세련되게 한 것이 현재의 삼바 음악이 되었다. 삼바음악은 2/4박자로 연주되며, 연주속도는 1분간에 48~54소절이고 악센트는 카운트의 끝, 즉 2와 4에 있다.

[참고문헌]

1. '댄스스포츠', 네이버 지식사전(스포츠 백과)
   http://terms.naver.com/entry.nhn?docId=384603
2. '댄스스포츠', 네이버 백과사전(두산백과)
   http://100.naver.com/100.nhn?docid=741551

2. YMCA 야구단
– 소리 없는 민중 운동

1) 줄거리 요약

이 영화는 일제 강점기를 배경으로 우리나라에 야구가 처음 도입되면서 발생하는 사건들을 통해 당시 시대상을 풍자적이고 해학적으로 그려낸 작품이다. 또한, 이른바 우리나라 근대시대의 실력양성·문명개화와 같은 사회상을 잘 표현하고 있다. 근대적인 민족이란 국제질서에서 경쟁력 있는 단위이다. 우리는 그 민족을 잘 만들고 배우고 힘씀으로써 근대 세계질서에 동참해야 했다.

여기서 여성의 역할은 핵심적이다. 그리고 예전의 소극적인 여성의 역할은 교육자의 모습으로 변화한다. 이 여성이 미국에서 공부하고 귀국한 신여성으로 YMCA 야구단을 운영하는 '민정임'이다. YMCA 야구단을 통해서 우리는 당시에도 여전한 반상 갈등 같은 전통시대의 가치관과 근대적 가치관이 충돌하는 모습을 엿볼 수 있다. 더불어 야구를 통해 조선인들이 민족으로 재탄생하는 과정은 감동을 준다.

2) 영화 속 이야기

1905년 황성, '이호창'과 친구 '류광태'는 무료한 나날을 보내고 있다. 허송세월하던 어느 날, 가지고 놀던 공을 찾으러 들어간 집에서 야구공을 발견한 호창은 선교사와 캐치볼을 한다. 이후 호창은 야구의 매력에 푹 빠진다. 핑계를 만들어서 그 집에 다시 들어간 호창은 우연히 정림과 마주치고 그녀의 주선으로 약식 야구에 도전한다. 호창에게 야구에 대한 재능이 보이자, 정림은 야구를 해보지 않겠느냐고 권유한다. 호창은 야구에 대한 호기심과 정림에 대해 관심을 갖지만, 그의 아버지는 귀향 의사를 밝히며 자신의 서당을 호창에게 넘겨주려고 한다. 한편 광태는 저잣거리에 붙은 'YMCA 베이스볼 팀 모집'이라는 방을 보고서 야구를 하려 한다.

시간이 흘러 YMCA 야구단 모집일, 사람들이 속속 모여든다. 공식적으로는 신분제도가 없어졌기에 과거 양반, 양민, 상민이 한데 섞여 있자 양반집 자제들은 불만스러운 반응을 보인다. 게다가 아녀자인 정림이 담당자라는 것도 못마땅해 하지만, 어쩔 수 없이 묵인한다. 처음에는 제대로 된 야구장비도 없어서 고생하지만, 그곳에 모인 사람들은 연습을 진행하며 스스로 글러브와 배트 대용품을 찾아내고, 야구 규칙을 점차 배워간다. 그리고 마침내 YMCA 야구단의 첫 친선경기(황성 YMCA 대 덕어학교, 대한제국 최초의 야구시합)가 성사된다.

아직 야구 규칙을 정확히 모르기에 미숙한 점이 많다. 신분차이를 고집하는 양반은 상놈의 공은 받지 않는다며 1루 주자를 아웃시키지 않는다. 다행히 경기는 YMCA 팀이 이기고 이후로도 계속 승승장구한다. 호창의 실력도 정림에 대한 호감도와 비례해 늘지만, 자신의 마음을 직

황성YMCA : 덕어학교
대한제국 최초의 야구시합

🏃 황성 YMCA의 첫 경기

접 전하지 못한다. 한편 을사늑약이 체결되며 대한제국은 자율적 외교권을 박탈당하기에 이른다. 이에 관심이 없는 호창은 그녀에게 연서를 써서 마음을 전하기로 결심한다. 그러나 그날은 시국을 한탄하며 자결한 시종 무관장이자 정림의 아버지인 민공의 초상이 치러지는 날이었다. 결국, 그는 분위기 탓에 연서를 전하지 못한다. 계절이 바뀌어 겨울이 되었지만, 아직 학 한 마리도 보지 못한 호창의 아버지는 변절한 선비들을 한탄하며 의병활동을 하는 호창의 형을 걱정한다.

다시 조용히 찾아온 봄. YMCA 야구단에는 훌륭한 투수 '오대현'이 합류하고, 처음으로 야구단의 밤을 개최하여 황성 시민들과 함께 즐거운 시간을 보낸다. 야구단의 상황과는 반대로 나라는 더욱 어지러워진다. 친일파인 광태 아버지는 이매탈의 습격을 받지만 가까스로 목숨을 건진다. 다음날 평소처럼 연습장에 온 YMCA. 그러나 을사늑약 체결로 그들의 연습장은 일본군의 주둔지가 되어 있었다. 주둔한 군인들을 무시하고 무작정 연습장으로 들어서려는 단원들과 그들을 막아서는 일본군 사이에 싸움이 벌어진다. 상황이 불리한 YMCA 야구단이 일방적으로 밀리는 찰나 일본군 장교가 나타난다. '히데오'라는 남자는 야구시합을 제안하지만 대현은 대꾸하지 않고 물러난다.

YMCA 야구단 훈련장 팻말이 망가진모습을 보며 상심하는 정림을 보자 투지에 불탄 야구단원들은 성남 구락부와 대결을 신청한다. 그러나 호창은 빨랫줄에 걸린 YMCA 야구복을 발견한 아버지가 구경을 오자 얼굴을 숨기기 위해 실력을 발휘 못하며, 대현은 경기 전날 친일파에 테러를 감행하다 입은 부상에 부진하다. 결국 처음으로 8-0의 완패를 당한 YMCA. 호창은 패배의 분을 삭이지 못해 늦은 밤까지 타격연습을 하고, 대현은 한 호흡 쉬고 공을 치라고 그에게 충고한다. 그러나 호창은 그의 충고를 들은 척도 하지 않고 묵묵히 연습다. 이에 정림은 호창에게 자신의 외삼촌이 사용했던 마패를 선물로 주고, 일본전에서 꼭 승리하기를 바란다는 정림에게 호창은 마패를 걸고 맹세한다.

그러나 꼬리가 길면 밟히는 법. 계속 야구만 하며 학문에 소홀하던 호창은 결국 아버지에게 들키고 만다. 야구를 한다는 사실에 못마땅한 아버지는 호창에게 역정을 내며 서당을 닫을 것이라 말한다. 그 시간, 우연히 자신의 집 장 밑에서 하모니카를 찾아낸 광태는 유일하게 하모니카를 불던 대현이 이매탈이 아닐까 의심한다. 이후 빽빽이(하모니카) 연주를 들려달라고 하지만 대현은 그것을 잃어버려 연주해 줄 수 없다고 난감해하고, 광태는 착잡함을 감추지 못한다. 대현은 광태가 심상치 않음을 눈치 채고 사라져버린다. 그 직후 대현을 찾으러 일본군이 몰려오지만 이미 대현은 도망간 후다. 결국, 대현과 정림은 일본군에 의해 지명수배범이 되고, 두 사람이 사라진 YMCA 야구단은 폐쇄된다.

이후 호창은 과거제도가 없어졌을 때처럼 다시 목표를 잃고 멍하게 있는 시간이 늘어간다. 이때 그는 형의 피가 묻은 두루마기와 갓이 들어있는 보따리를 받는다. 이제 아버지의 자식이 자기밖에 없음을 실감한 그는 흔들리던 마음을 잡고 학처럼 살 것이며, 아버지를 따라 낙향하겠다고 한다. 그리고 고향에서 그는 아버지의 뜻에 따라 서당 훈장이 된다.

일본군은 대현과 정림을 잡기 위해 계획을 세우고 광태는 옛 YMCA 야구단원들을 모으기 시작한다. 그러나 호창에게는 소식이 전해지지 않는다. 그는 서당 일을 하면서도 마음을 잡지 못하지만 아버지가 황성신문을 건네도 읽지 않을 만큼 애써 무시한다. 그러나 학당의 아이들에게 아버지가 아들이 야구를 잘했다고 자랑하고 다녔다는 사실을 듣고, 신문에서 YMCA 야구단이 다시 모여 성남 구락부와 재대결을 한다는 기사를 읽는다. 결국, 그는 급히 황성으로 향한다. 쉽지 않은 여

🏇 서당 훈장이 된 호창

정이지만 늦게라도 도착할 수 있다는 말에 자전거를 타고 달린다. 한편 체포를 각오하고 YMCA 야구단에 돌아온 정림과 대현. 단원들은 두 사람의 도착에 기뻐하지만, 그들을 둘러싼 군인들을 보고 실망한다. 애초에 시합이 목적이 아니라고 고백하는 광태. 이때 진검승부를 요청하는 대현과 히데오는 장군에게 부탁하고 허락받는다.

경기는 진지한 승부로 동점 상태였다. 9회 초 주자 1, 2루. YMCA는 절체절명의 위기이며 대현은 힘이 빠졌다. 일본의 4번 타자 히데오와 대현의 승부. 안타를 만들어내 4:2로 역전에 성공한 일본. 조선인들은 상심해 어쩔 줄 몰라 한다. 그리고 YMCA의 마지막 공격. 2사 주자는 없는 상황. 승리를 예감한 일본군은 이미 경기장을 빠져 나가고 관중들은 힘이 없다. 파울을 쳐서 방망이가 부러진 병환에게 자신이 손수 깎은 방망이를 건네는 머슴. 병환은 그 방망이를 사용해서 깨끗한 안타를 뽑아낸다. 타석에 선 무명의 4번 타자. 한 번도 안타를 치지 못했기에 착잡해하는 사람들. 이때 기적처럼 호창이 말을 타고 등장하고, 정림은 선수교체를 외친다. 히데오는 투수에게 다가가 변화구로 승부하라고 충고하고, 대현은 호창에게 한 호흡을 참았다가 휘는 공을 노리라고 한다. 초구는 변화구 스트라이크. 2구도 변화구 스트라이크. 투 스트라이크 노 볼의 상황에서 호창은 학의 모습을 생각하며 타격하고, 이는 홈런이 되어 극적으로 동점을 만든다.

🏇 홈런을 치기 직전의 호창

이에 환호하는 관중. YMCA 야구단과 달리 일본 야구단은 침울하다. 그리고 타석에 선 광태는 대현에게 작전지시를 핑계로 그에게 다가가 기습번트를 댈 것이며, 경기결과는 신경 쓰지 말고 도망치라고 한다. 그리고 아버지를 살려줘서 고맙단 말을 하며 타석에 들어간 광태. 호창도 정림에게 잘 가라는 눈인사를 한다. 그러나 광태의 극적인 세이프를 보며 홈으로 뛰어든 대현. 공은 포수의 글러브에서 빠졌고 대현의 희생으로 경기는 역전된다. 관중들은 승리에 환호하고 일본군은 정림과 대현을 체포하려 하지만, 선수와 관중은 이를 저지하고 그 사이에 정림과 대현은 도망간다. 말을 총으로 쏘려고 했던 순사들을 방해한 탓에 호창은 순사들에게 두들겨 맞고 다른 이들도 매질을 당한다. 말을 태워준 자는 암행어사 출두라고 소리를 지르며 마패를 번쩍 들어 올리고 난장판이 되어 있던 경기장은 일순간 조용해진다.

시간은 다시 현재. 상대팀의 득점 기회에서 떨지 말고 하라는 포수의 격려에 흐르는 땀을 닦는 투수. 꼬마의 눈에는 YMCA 선수들이 보인다. 그는 어려운 상황에서도 용기를 잃지 않고 경기에 임했고 경기장에는 이매탈을 쓴 자신의 할아버지가 포수로 있는 것처럼 보인다. 꼬마는 결국 포수인 할아버지에게 공을 던지면서 영화는 마무리된다.

3) 해석적 이해

영화 〈YMCA 야구단〉을 보면 일제강점기 시절, 야구를 통해 하나 되는 민족의 모습을 볼 수 있다. 비록 국가의 주권이 넘어가고 대패한 적도 있었지만 일본군과의 경기가 있는 날에는 많은 사람이 YMCA 야구단을 응원하러 온다. 함정이라는 사실을 알면서도 돌아오는 정림과 대현, 그리고 도망가는 대신 극적인 역전승을 이뤄내는 모습은 바로 일제의 탄압에도 불구하고 민중들의 꺾이지 않는 조국애와 자유에 대한 의지를 잘 표현했다고 볼 수 있다. 그러나 조국에 대한 사랑과 자유에 대한 열정을 표현한 영화는 많다. 그럼 왜 YMCA 야구단이 많은 사람에게 회자되는 것일까. 그 이유는 꿈과 정체성의 사이에서 갈등하던 호창이 결국 정체성을 찾기 때문이다. 그는 선비 가문의 차남이다. 이미 신분제도가 없어지고 사회적으로 선비라는 개념은 사라졌지만, 호창은 자부심과 선비의 정신을 지켜야 한다는 생각을 한다. 그러나 우연히 야구를 접한 그는 야구에 빠져든다. 그는 야구와 선비의 정체성 사이에서 갈등하지만, 결국 중요한 것은 겉모습이 아닌 마음임을 깨달으며 극복한다. 비록 선비와 야구라는 극단적 차이는 아니더라도 우리는 유사한 고민을 한다. 반드시 둘 중 하나를 선택해야 하는 상황도 있겠지만, 극단적인 선택이 아닌 둘 다 만족시키는 방향을 생각해 보는 것도 하나의 방법이라는 사실을 이 영화는 말해주고 있다. 끝으로 '스포츠'라는 이름으로 양반과 천민, 친일파의 자식과 독립투사가 같은 공간에서 웃고, 우는 모습을 보며 스포츠의 사회 통합적 기능에 대해서도 다시 한 번 생각해볼 필요가 있다.

4) 심층적 탐구

(1) 영화에서 '학'의 의미는 무엇인가?

YMCA 야구단에서 호창은 선비라는 사실에 자부심이 크지만 고고한 선비인 아버지의 그늘에서 벗어나 자유롭고 싶은 인물이다. 이는 민정림이 처음 야구를 권했을 때 "어찌 선비가"라고 하면서도 거부하지 않는 모습에서 드러난다. 이런 호창에게 '학'이란 선비를 상징한다. 야구가 좋아진 그는 '야구선수'와 '선비'라는 정체성 사이에서 갈등을 겪는다. 당시에는 이 두 정체성이 양립할 수 없었기 때문이다. 물론 이 갈등은 호창의 형의 사망소식을 접하면서 선비 쪽으로 일견 굳어가는 것처럼 보인다.

그러던 어느 날, 그는 선비의 상징인 학이 외다리로 서 있는 것을 보고 꼭 한 쪽을 선택할 필요가 없으며, 형식보다 마음이 더 중요하다는 사실을 깨닫는다. 그 순간 호창의 내적 갈등은 완벽하게 해소되고 자신의 신념에 따라 행동하기로 한다. 이와 별개로 학이 외다리로 서 있는 것은 타격 기술과도 관련이 깊다. 일본의 전설적인 타자 왕정치 선수가 외다리 타법을 구사했으며 호창이 번번이 헛스윙만 하던 변화구를 칠 수 있게 해주는 해법이기도 하다.

(2) 호창은 선비와 야구선수 사이에서 갈등을 한다. 그가 갈등을 하는 원인은 무엇이며, 만약 나라면 이 상황에서 어떻게 했을까?

선비로서 호창이 가졌던 꿈은 암행어사였다. 그러나 과거제도가 폐지되면서 꿈을 잃어버린 그는 공놀이로 허송세월한다. 이렇게 의미 없이 살던 호창은 '야구'를 접하면서 정림을 사랑하게 되고, 인생의 즐거움을 찾는다. 더불어 자신이 진정으로 원하는 것이 무엇인지 알게 된다. 그러나 그의 갈등은 '선비'로서 교육받고 살아왔던 고집과 고정관념이었다. 선비는 언제나 학문과 덕성을 키워야 한다는 사고 때문에 타격 연습과 체력 단련은 그저 먹고 노는 한량의 놀이라고 느꼈다. 또한, 엄격한 아버지의 반대와 집안의 자랑이었던 형의 전사 소식에 그의 갈등은 더욱 심화된다. 결국, 호창은 자신의 마음을 속이는 쪽으로 결론을 내린다.

만약 저자가 호창이라면 야구를 계속했을 것이다. 꿈 없이 사는 것보다는 하루를 살아도 자신의 꿈을 위해 땀 흘리고 노력하는 모습이 아름답기 때문이다. 비록 눈앞에서는 부모님에게 불효를 저지르는 듯 보이지만 장기적으로 보면 소신껏 원하는 일을 해서 당당히 성공하는 것도 부모님에게 효도하는 방법이다.

    (3) 호창은 야구 때문에 아버지와 갈등을 겪는다. 이 갈등은
        어떤 식으로 해결되며, 호창의 아버지는 왜 아들에게 그
        런 식으로 대했을까?

    처음에 아버지는 바둑알을 던지면서, 서당을 맡기지 않겠다고 화
낼 정도로 아들의 행동을 탐탁지 않게 본다. 독립투사로 일하는 큰아
들을 언급하며 그 갈등은 계속 심화된다. 그러나 호창의 아버지는 황성
YMCA 야구팀이 재결합해서 경기한다는 신문을 호창에게 은근히 보여
주며, 그가 야구를 해도 좋다는 사실을 암시한다. 그뿐만 아니라 호창
은 우연히 아버지가 자신을 자랑스럽게 생각하며 학동들에게 자랑했다
는 사실까지 알게 되면서 갈등은 자연스럽게 해소된다.

    호창의 아버지는 전형적인 선비였다. 아들이 자신의 분야를 찾아
서 일하는 것이 자랑스러웠지만 '선비'라는 틀에 얽매였기 때문에 그의
행동을 찬성하지 못했던 것이다. 그러나 어지러운 시국에 야구가 일본
에 대항할 수 있는 수단으로 사용된다는 것을 알게 되면서 아들의 신변
이 걱정스러웠던 아버지는 그에게 일부러 모질게 대했던 것이다. 하지
만 YMCA 야구팀의 재결합 소문을 듣자 아들의 신변보다 선비로서의
'의'를 지킬 수 있도록 기사가 담긴 신문을 아들에게 건넨다. 결국, 독립
군으로 타국에 나가 있는 큰아들뿐만 아니라 작은아들도 다른 방법으
로 독립운동을 하는 것이 걱정된 아버지는 하나 남은 아들을 어지러운
시국에서 지키고자 한 것이었다.

    (4) YMCA 야구단은 단원들끼리 크고 작은 갈등을 겪는다. 이

런 갈등에는 무엇이며, 그들은 어떤 방법으로 해결하는가?

YMCA 야구단이 겪었던 갈등은 크게 세 가지이다. 먼저 신분적 차이에서 오는 보편적 갈등, 그리고 사랑과 질투에서 비롯된 대현의 충고를 무시하는 호창의 갈등, 마지막으로 독립투사인 대현과 매국노의 아들인 광태의 갈등이다. 처음에 갈등은 신분의 차이에서 왔다. 이미 신분제는 사라졌지만, 그들은 상대방을 옛날 방식으로 대한다. 그러나 일본야구팀에게 8-0으로 패하는 수모를 겪고 난 후 야구단의 천민들은 양반들에게 무시당하던 불만을 터트린다. 그 후 대현과 정림이 지명수배를 당하고 야구단이 해체되어도 이 앙금은 계속 남을 것만 같았다. 그러나 다시 일본군과 경기를 펼치던 경기에서 위기의 순간에 천민은 자신이 만든 방망이를 양반에게 주고, 양반은 그 방망이를 받음으로써 두 사람은 극적인 화해를 하며 갈등을 해결한다.

그리고 대현과 호창의 갈등도 있다. 호창은 대현을 썩 좋아하지 않고, 선비는 속이는 공을 칠 수 없다며 변화구에 대처하는 방법을 가르쳐주는 대현의 충고를 귀담아듣지 않는다. 그러나 '학'을 보고 깨달았던 자세 그대로 변화구에 대처할 뿐만 아니라 정림과 대현이 도망갈 시간을 벌어주면서 그들도 갈등을 해결한다. 마지막으로 광태와 대현의 갈등에서, 대현은 광태의 아버지를 암살하려고 했다는 사실을 사과하지만 광태는 이런 대현을 용서하지 않을 것처럼 보인다. 그러나 마지막에 작전 지시를 핑계로 마운드에 올라가 대현에게 도망갈 기회를 주고, 마지막까지 그들을 지키면서 갈등은 해소된다.

(5) 일본군 장군은 아들인 히데오에게 YMCA 야구단에게 이겨서 그들의 기를 꺾어 놓으라고 말한다. 과연 야구 경기

에서의 '승리'는 우리 민족에게는 무슨 의미인가? 그리고
이에 대한 생각은?

마지막 야구 경기는 단순한 친선경기가 아니라 덫이었다. 그러나
민중들은 이 사실을 몰랐다. 다만 그들은 일본의 탄압에 대한 소리 없
는 반항과 국가를 빼앗긴 울분을 풀고 야구 승리를 통해 조국애를 느끼
기 위해 이 경기를 보러 온 것이다. 경기에서의 민족주의는 아직도 논
란이 된다. 과연 승패를 떠나 순수하게 스포츠를 즐기고 모든 선수에게
박수를 보내야 하나, 아니면 국가의 이미지를 경기 위에 덧씌워서 이기
면 기뻐하고 지면 울분을 토해내야 할까? 현대에도 후자의 개념은 건재
하지만, 사람들이 이런 사고가 어리석다는 사실을 인지하고 있다. 그러
나 일제 강점기라는 특수한 사정을 생각해보면 민중들의 이런 사고는
충분히 이해가 가는 부분이다. 뿐만 아니라 이런 대리만족을 통해서라
도 민족의 얼과 조국에 대한 사랑을 유지하려는 일종의 전략적인 행동
이라 볼 수 있다.

(6) 마지막에 대현은 도망치라는 광태의 말을 무시하고 홈으
로 슬라이딩을 해 극적인 역전을 이뤄낸다. 이런 그의 행
동에 대한 평가는?

대현은 독립운동가로 볼 수 있다. 엄밀히 말해 운동가보다 투사에
가깝다. 일제강점기 당시 국내·외로 수많은 독립운동가가 있었다. 영화
에서의 대현은 일본에서 야구를 배워왔지만, 조국에 대한 사랑이 큰 사
람이다. 그는 조국을 위해 매국노를 처단하고, 민중 교육에 힘쓴다. 결
국, 지명수배범으로 몰리고 민중들의 희망이라고 할 수 있는 야구 경기

를 위해서 잡힐 각오로 일본군과의 경기를 위해 돌아온 것이다. 이러한 결정은 결코 쉽지 않은 선택이다. 신지식인으로 충분히 현실에 입각해 편한 삶을 택할 수 있었지만, 정의와 조국을 위하여 헌신하는 자세는 본받을 만하다. 오늘날 우리가 주권을 가지고 안락한 생활환경에서 프로야구와 같은 스포츠를 즐길 수 있는 것도 대현과 같은 이들의 보이지 않는 노력과 희생이 있었기에 가능한 것이다. 결국, 실천 없이 증명 없고, 증명 없는 신용은 없으며, 신용이 있어야 존경받을 수 있는 것이다.

(7) YMCA 야구단과 유사한 사례가 국내외에 있었나?

동경유학생 야구단의 시범경기에 쏠린 사회의 관심은 지대했다. 그들은 도쿄에서 일본 학생과 청국(淸國) 유학생을 상대로 대승을 거둔 적이 있는 강팀이었다. '황성신문' 7월 25일 자는 '기호학회(畿湖學會)에서 오찬을 제공하고 사회 신사와 학생, 서양 남녀가 성대히 회집하여 오륙백 인에 달한지라 운동의 경기는 아국 학생이 19점이요 서양 선교사가 9점이라 승부에서 이긴 아국 학생들은 운동가를 제창하고 만세를 삼창했다.'고 보도했다. 군부(軍部)가 폐지되고, 사법권이 일본에 이양되는 등 온통 암울한 소식뿐이던 시기에 동경유학생 야구단의 승전보는 흔치 않게 신명나는 소식이었다. 동경유학생 야구단은 개성, 평양, 선천, 안악, 철산 등 서북지방을 순회하며 시범경기를 펼치고 일본으로 돌아갔다. 그 후 1910년 2월 26일 황성 YMCA와 한성학교의 경기가 벌어지는 등 야구 열기는 고조되었다.

동경유학생 야구단은 1937년까지 10차례 고국을 방문해 선진야구 기술을 전파했다. 동경제대 박석윤, 와세다대 서상국 등은 자교(自校) 야구부에서 에이스 투수로 활약할 정도로 능력이 출중했다. 선동열·임

창용 등이 일본에 진출하기 80여 년 전 이들은 일본 야구계를 주름잡았다. 1921년 제6차 동경유학생 야구단원 일부는 경기에 앞서 시국 강연을 하다가 일본 경찰에 체포돼 구류 처벌을 받기도 했다. 우리나라 야구의 시초는 또 다른 애국 운동 수단이었다.

(8) 일제강점기 시절 조선의 체육과 스포츠는 어떠하였나?

일제의 탄압에도 운동회와 학교 교련의 적극적 참가, 체육 단체 결성 등을 통하여 국권 갱생의 기반을 구축하고자 하였다. 학교 체육이 그 위치를 확립하였으며, 각종 스포츠 단체 결성과 아울러 조선체육회가 조직되었다. 일본은 1911년에 조선 교육령을 공포하여 한국인을 충량한 일본의 식민으로 육성하기 위한 교육 정책을 시행했다. 또한, 개방과 더불어 서구 문화가 유입되면서 전통 체육도 예외 없이 근대적 체육의 형태인 체조, 유희, 스포츠 등으로 탈바꿈했다. 구한말 문물을 받아들이기에는 사회 심리적 풍토와 물질적 조건이 충분치 못했기 때문에 당시에는 많은 혼돈과 충격을 주었다. 변환기의 체육은 갓을 쓰고 축구를 하는 식의 동양의 유교적 요소와 서양의 민주적 요소가 결합된 모습이 불가피했다. 1885년의 소학교령을 보면 체육 목표를 아동 건강의 유지, 증진과 발육 발달로 보고 이를 위해 체조를 추가했다. 외국인 학교에서는 체조 과목을 정식교과로 채택해 매일 1교시에 30분씩 행했다.

이런 일제 식민 치하에서 우리의 무예는 명맥이 끊어지고 대신 일본무예가 강제로 이식되기 시작하였다. 일본은 무예 이식을 문화·정치 차원에서 자행하였는데, 이 과정에서 유입된 무예가 검도, 유도, 가라테, 합기도로, 이들은 일제 치하에서 태동하여 해방을 거치면서 그대로 남아 한국 무예처럼 되었다. 이렇듯 식민지배에 의한 일본 무예의 한국 유입은 해방 이후 큰 문제를 야기했다. 일본 식민교육의 일환으로 행해진 체육교육은 일본의 군국주의 야욕과 맞물려 병식 체조, 형식 체조 중심으로 행해졌다. 이러한 체육은, 일군(日軍)은 물론 학교에서도 국방력 강화를 위해 행해졌다. 현재의 검도, 유도 등도 그 당시부터 행해졌는데 초기에 검도는 격검으로, 유도는 유술로 불렸다. 학교체조교수요목(學校體操敎授要目)의 제정(1914년)에는 격검 및 유술에 대하여 종래의 방식대로 행한다고 명시되어 있다. 체조 교수 시간 외에 해야 할 종목에서도 격검 및 유술 등의 종목을 필수로 명시하고 있다. 또한, 학교체조교수요목의 개정(1927년)에서도 검도 및 유도(격검과 유술에서 검도와 유도로 명칭 변경)를 적당한 방법으로 가르치라고 명시하고 있다. 1937년에 개정된 학교체조교수요목에서도 '검도 및 유도에 대해서 적당한 기회에 강화(講話)를 하여 실제의 수련과 상부(相扶)하여 그 효과를 힘씀'이라고 하여 지속해서 무도 교육을 할 것을 명시하고 있다.

일제 치하에서의 무예는, 일본의 식민지 교육의 일환으로 자신들의 군국주의 야욕과 함께 우리 민족의식을 일본 무도를 통해 지배하려는 의도로 시행되었다. 1904년 육군연성학교에서 검술(격검)이 행해졌고, 1916년 사립 오성학교 등에서 검도를 지도하였으며, 1921년에는 조선무도관이라는 사설도장에서 검도를 가르쳤다. 체육 통제기에는 심상소학교를 국민학교라고 개칭했고, 1943년 10월 4차로 개정된 교육령에 따라 교육체제를 전쟁수행을 위한 군사목적에 부합되도록 개편했다. 이 포고령은 교육에 관한 전시비상조치령으로 국민학교를 대륙침략에 이용하는 병사 준비와 관련해서 의무교육제의 준비를 실시하고, 중학교는 일본에 준해서 조치하고, 제국대학 예과는 문과 정원을 최소한으로 감소시켰다.

5) 스포츠의 이해 : YMCA 및 YMCA 야구단

(1) YMCA

 YMCA는 세계 에큐메니컬 운동의 총본산으로서 지도적 역할을 수행해왔으며, 세계 120여 개국에 1만 여의 조직을 가진 최대의 기독교 민간단체로서 새로운 시대적 사명을 감당하기 위해 노력하고 있다. 개화기에 들어온 한국 YMCA는 백 년 가까운 역사 속에서 한국 근대화에 많은 공헌을 했다. 또한, 민족 독립운동의 중심지 역할을 하였으며, 새로운 교육과 문화 활동을 소개하는 한편 농촌사업 등을 통해 민중의 복지향상을 위해 노력해왔다. 한국 YMCA는 일제 말기의 수난기와 해방 직후의 혼란기를 거쳐 운동을 재건, 자립체제를 구축하고 1976년에는 '한국 YMCA 목적문'을 제정하여 운동의 이념을 새롭게 정립하였다. 또한, 급격한 산업화로 사회문제들이 점차 심각해짐에 따라 시민사회의 주요 관심사에 대한 올바른 여론을 형성하고, 이를 정책화시키기 위하여 전국규모로 시민자구운동을 전개하였다. 90년대부터 한국 YMCA는 시민운동, 환경운동, 시민권익 보호운동, 청소년운동 등을 펼쳐왔으며, 현재 전국 61개 도시에서 10만여 회원과 함께 인간다운 따사로움이 넘치는 참여, 정의, 평화의 지역사회를 만들기 위해 노력하고 있다.

(2) YMCA 야구단

 한국 최초의 야구단은 1905년 미국인 선교사 필립 질레트(Phillip L. Gillett)가 창단한 황성 YMCA 야구단이다. 베잠방이 차림에 짚신을 신고 경기를 치렀고, 글러브가 부족해 외야수들은 맨손에 헝겊을 감고 수비에 나섰다. 배트가 없어 절굿공이를 들고 타석에 들어선 선수도 있었다. 비록 장비는 허술했지만, 도입 직후부터 야구는 선풍적인 인기를 끌었다. 막대기로 공을 치는 격구(擊毬), 상대방을 향해 돌멩이를 던지며 겨루는 석전(石戰) 등 전통놀이가 있어 이질감이 덜했던 것도 인기에 한몫했다. 황성 YMCA에 이어 덕어(德語, 독일어)학교, 영어학교, 관립중학교, 휘문의숙 등에서도 잇따라 야구단이 창단되었다.

필립 질레트는 종교학을 전공하고 예일대학 YMCA 부목사로 있던 중, 조선기독교 인사들이 YMCA 세계본부에 선교를 위한 건물 설립이 시급하다는 요청을 받자 회관 건립을 위한 간사로 한국에 들어왔다. 1901년에 도착한 필립 질레트는 우리말과 정서를 익히면서 '길례태'라는 우리 이름도 갖게 된다. 그러던 중 1902년 평양 하령회(오늘날의 교회 여름 수련회 에 해당)에서 다른 선교사들 및 신도들과 가벼운 캐치볼을 하였고, 이를 보던 숭실학교 학생들에게 야구를 가르쳤다고 한다(『조선야구사』, 1930년, 이길용). 이것이 한국 야구의 기원이지만, 정식 경기로 한다면 1905년 필립 질레트가 야구 장비를 요청해 들어온 것이 처음이라고 할 수 있다. 그리고 최초의 야구 시합은 1906년 3월 15일 황성 YMCA와 덕어학교의 경기로 알려져 있다. 필립 질레트는 1907년 황성 YMCA 청년회원들에게 농구도 가르쳤다. 게다가 그는 한국에 복싱글러브와 스케이트화를 처음 가져온 사람이기도 하다. 필립 질레트는 한국 야구의 아버지일 뿐 아니라 한국 근대스포츠에서 빼놓을 수 없는 사람이다.

그러나 1910년 한일합방 이후 필립 질레트는 단순한 선교사와 한국 야구의 아버지로만 머물지 못하게 되었다. 1910년 12월 28일 압록강 철교 준공 축하식에 참석하고 귀로에 선천에 들린 조선총독을 기독교인들이 암살하려 한 음모가 발각되었다는 해괴한 사건이 발생한다. 이

때문에 총독부는 윤치호, 양기탁, 유동열, 임치정 등 157명을 체포하였다. 이것은 일제 초반 국내 항일운동의 싹을 미리 잘라버리려는 사건이다. 이 사건이 105인 사건이다. 피소된 사람 중에 장로교인 96명, 감리교인 6명 등, 특히 기독교 계열의 민족주의자가 많았다. 이는 일제가 합방 전부터 기독교를 민족운동의 중심의 하나로 생각하고 있었고 특히 미국과의 연결고리라고 판단했기 때문이다.

필립 질레트는 이 사건의 전모를 기록한 보고서를 국제 기독교 선교 협회로 보내는데, 이 문서가 중국《차이나프레스》에 공개된다. 이에 조선 총독부는 YMCA에 필립 질레트를 파면하도록 압력을 넣었다. YMCA는 이에 굴복하지 않았으나 일제의 탄압이 본격화되자 그는 사표를 던졌다. 그러나 일제는 국제여론을 의식하여 사표를 수리하지 못하게 했고, 대신에 그를 상해에서 돌아오지 못하게 하였다. 이후 일제는 고마쓰 외사국장을 파견, 저항운동을 포기한다면 돌아와서 한국 YMCA 총무를 하는 것을 허용하겠다고 했으나 필립 질레트는 "죄 없는 윤치호를 석방하라. 그러면 돌아갈 의향이 있다."고 응수했다. 결국, 필립 질레트는 중국에서 선교활동을 하다 사망한다.

[참고문헌]

1. '한국 야구의 역사', 네이버 캐스트(야구대백과)
   http://navercast.naver.com/contents.nhn?rid=131&contents_id=5030
2. '한국 YMCA연맹', 네이버 지식백과(기관단체사전)
   http://terms.naver.com/entry.nhn?docId=813593&cid=43139&categoryId=43139

3. 쿨러닝
― 꿈과 희망의 썰매를 타고 나아가자

1) 줄거리 요약

　　이 영화는 실화를 바탕으로 제작되었으며, 1988년 캐나다 캘거리에서 개최된 동계 올림픽 경기에 자메이카 대표팀으로 출전한 4명의 봅슬레이 선수들의 이야기를 코믹하게 그린 작품이다. 그동안 제작된 스포츠 소재 영화 중에서 가장 감동적인 영화로 선정되기도 했다. 성장 배경이 다른 네 명의 선수 그리고 상처를 가진 코치가 만나 동계 스포츠인 봅슬레이를 통해 하나가 되면서, 각자 가슴속에 갖고 있던 꿈과 희망을 달성해가는 모습을 유쾌하게 묘사하고 있다.

　　이 영화는 선수들의 스포츠에 대한 순수한 열정과 동기, 아마추어리즘 같은 진정한 올림픽 정신을 잘 보여준다. 스포츠의 고유 정신인 스포츠맨십 같은 열정과 동기, 도전정신인 아마추어리즘은 오늘날 상업주의와 물질주의의 영향으로 본질이 많이 훼손되고 있다. 이러한 측면에서 메달과 승리만을 요구하고 집착하는 현대사회에서 이 영화는 우리에게 많은 점을 시사한다.

2) 영화 속 이야기

　　육상 단거리 종목 선수인 '데리스 배녹'은 국가대표 선수가 되어 하계 올림픽에 참가하기 위해 열심히 훈련한다. 이런 그의 모습에 주변인들은 칭찬을 아끼지 않으며, 그의 아버지처럼 올림픽에 출전해 금메달을 딸 것이라고 확신한다. 드디어 100m 육상 대표 선발전이 열리던 날, 데리스는 쾌조의 컨디션으로 자신감이 넘친다. 4위만 해도 자메이카 대표로 서울 올림픽에 출전할 수 있었다.

　　총성이 울리자 데리스는 힘차게 출발한다. 그러나 옆 라인 선수가 넘어지는 바람에 그는 탈락하고 만다. 데리스는 자메이카 경기위원장을 찾아가 재경기를 요구했으나 이마저 거절당한다. 낙심하며 나가려던 순간 우연히 아버지와 미국인 '아이브 블리처'가 다정하게 찍은 사진을 보게 된다. 아이브는 전직 봅슬레이 올림픽 금메달리스트로 20년 전 아버지에게 봅슬레이를 제안했으며, 현재는 경마와 당구에 빠져서 살고 있다. 이를 알게 된 데리스는 하계 올림픽 대신 봅슬레이 선수로 동계 올림픽에 출전하겠다고 결심한다.

우선 데리스는 절친한 친구인 '쌍카 코피'를 선수로 영입한다. 그리고 아이브 코치를 찾아가 코치직을 부탁한다. 아이브는 눈도 오지 않는 자메이카에서 봅슬레이 대표팀을 만드는 것은 무리라며 제안을 단호히 거부하지만, 두 사람은 쉽사리 물러서지 않고 그를 설득한다. 마지못해 아이브는 자메이카 봅슬레이팀 코치가 된다. 그 후 그들은 경기를 위해 선수 2명을 더 선발하기 위해 선수들을 모집하지만 경기 중에 사고가 나는 영상이 나오자 수많은 지원자들은 혼비백산한 채 떠나고 단 한 명만 남게 된다. '율 브리너', 그도 데리스와 마찬가지로 넘어진 선수로 인해 하계 올림픽 출전이 무산되자 본인의 목적을 위해 봅슬레이팀에 참여한다. 그리고 단거리 달리기 국가대표 선발전을 망친 장본인 '주니어 베일'이 뒤늦게 합류하면서 자메이카 봅슬레이팀이 결성된다.

그리하여 아이브 코치의 지도하에 훈련을 시작한다. 데리스는 파일럿(조종수), 주니어는 제1푸쉬맨, 율은 제2푸쉬맨, 쌍카는 브레이크맨(제동수)을 맡는다. 첫 훈련은 270kg의 썰매를 끌고 달리기였는데, 출발이 봅슬레이의 승리에 중요한 당락을 결정하기 때문이다. 실패를 거듭하면서도 점점 그들의 기록은 단축된다. 또한, 추위를 이겨내기 위해 냉동차에 타는 등 맹훈련을 한다. 마침내 이런 노력은 단기간에 비약적인 발전을 가져온다.

🏃 올림픽 경기를 앞두고 언덕에서 연습에 열중하는 선수들

　　이후 아이브 코치는 자메이카 경기위원장을 찾아가 올림픽 출전을
위해 2만 달러를 요구하지만 거절당한다. 선수들은 경비를 구하려 백
방으로 노력하지만, 일 년 내내 뜨거운 자메이카에서 봅슬레이 대표팀
을 결성한다는 사실에 사람들의 비웃음만 살 뿐이었다. 그러나 주니어
가 아버지 몰래 차를 팔아 경비를 마련한 덕분에 자메이카 대표팀은 캐
나다로 향한다.

　　참가 등록부터 자메이카 대표팀은 호기심의 대상이었으나 아이브
코치는 이런 시선에 신경 쓰지 않는다. 그는 옛 친분을 동원하여 4천 8
백 달러로 연습용 썰매를 빌려 시합을 잘 치르겠다는 생각 외에는 걱정
하지 않는다. 그러나 팀원들은 생전 처음 접한 얼음에서 균형조차 잡지
못하고 넘어지며, 첫 연습에서 완주도 하지 못한다.

　　호텔로 돌아간 그들은 의기소침해 한다. 이때 율은 자신이 왜 자메
이카인을 싫어하는지 설명하면서, 올림픽으로 유명해져서 조국을 떠나
멋진 곳에서 살 것이라며 자신이 꿈꿔왔던 집 사진을 쌍카에게 보여준

다. 그러나 그가 보여준 사진은 버킹엄 궁전이었다. 쌍카는 율을 비웃었지만, 주니어는 "목표를 갖는 것은 중요하며, 율 같은 사람이 많아지면 세상은 더욱 나아진다."고 말하며 구겨버린 사진을 펴서 그에게 전해준다.

며칠 후 그들은 정식으로 봅슬레이를 한다. 다른 팀의 선수들은 그들을 비웃었고 자메이카팀은 제대로 썰매에 탑승조차 못한다. 게다가 썰매를 정비하던 데리스에게 과거 아이브 동료선수인 래리가 다가와서 72년 올림픽 때 속력을 올리려고 몰래 썰매에 납을 넣어 금메달을 박탈당한 '아이브 코치'의 과거를 알려준다. 설상가상으로 주니어는 아버지로부터 당장 자메이카로 돌아오라는 전보까지 받는다. 고민하는 주니어를 데리고 술집에 간 율은 돌아가지 말라고 설득한다. 이때 자메이카팀을 얕보던 미국 선수들은 그들에게 시비를 걸며, 자신감 없는 주니어는 그들에게 당하기만 한다. 화가 난 율은 주니어를 위해 조언하면서 용기와 자신감을 불어 넣어준다. 이에 용기와 자신감을 얻은 주니어는 시비에 맞서는데, 결국 큰 싸움으로 번지고 만다. 아이브는 사건을 수습하고 선수들을 데려와, 대부분이 그들을 따가운 시선으로 보고 있으며, 출전자격이라도 따려면 마음을 다잡아야 한다고 그들의 상황에 대해 일침을 놓는다.

자메이카 팀은 새벽에 코치를 깨워서 아침훈련도 소화하고 이전보다 노력하는 모습을 보인다. 대회 결전 체크 경기 전날, 코치는 그들에게 유니폼을 선물하며 사기를 북돋는다. 그러나 세상에 쉬운 일이 없듯 악재가 따른다. 제한시간이 1분으로 단축된 것이다. 대부분 예선 통과를 못할 것이라 예상했지만, 자메이카 팀은 최선을 다해 59.46초를 기록해 가까스로 출전자격을 얻는다. 그들은 결선을 위해 썰매를 꾸미고 콜라를 마시며 자축한다.

🎿 경기 출전을 자축하는 자메이카 선수들

　　그들은 무사히 경기를 마치자는 의미로 구호를 '쿨 러닝'이라고 짓
는다. 그러나 구호와는 달리 위원회가 출전자격을 정지시킨다. 이에 격
분한 아이브 코치는 회의장에 난입한다. 위원회는 갑자기 규정이 바뀌
어 출전경력이 있는 팀만 출전시키기로 했다고 말하지만, 아이브는 이
조치가 자신을 겨냥했음을 눈치 챈다. 그는 20년 전 잘못을 인정하며,
자신과 같은 잘못을 저지르지 말아 달라고 한 후 회의장을 나간다. 호
텔 방에서 초조하게 위원회의 결정을 기다리던 그들은 마침내 본선에
출전할 수 있다는 소식을 듣는다. 또한, 주니어를 자메이카로 데려가려
고 찾아온 아버지에게 그는 처음으로 자신의 의견을 피력한다. 이에 경
기 외적인 모든 일이 일단락된다.
　　마침내 시작된 봅슬레이 경기. 자메이카 국민들은 TV를 보며 선전

을 바란다. 그러나 막상 경기가 시작되자 그들은 썰매에 제대로 타지 못하는 실수를 범한다. 결승점을 가까스로 통과했을 때의 시간은 58.04초. 자신들의 문제점을 찾던 팀원들은 최강팀 '스위스'를 의식하여 무작정 따라하지 않고 자메이카팀에 맞게 썰매를 타기로 한다. 다음날 자신들의 방식으로 2차시기에 도전한다. 전날과 달리 그들은 놀라운 실력을 보여주며 28위에서 8위로 올라선다.

마지막 3차시기를 앞두고 데리스는 아이브 코치에게 과거의 부정에 관해 묻는다. 아이브는 부정의 이유가 '승리'에 대한 강박관념이었다고 솔직하게 말한다. 그리고 나서 금메달은 참 좋지만, 그게 없어서 부족함을 느끼면 있어도 마찬가지라면서, 결승선을 넘으면 알 거라고 말한다. 이제 마지막 기회. 6위까지의 기록차가 0.5초인 대접전이었다. 순조롭게 나가는 듯했으나, 고물 썰매가 고장이 나면서 전복된다. 다행히 아무도 다치진 않았지만, 이대로 경기를 포기할 수 없었다. 결국, 선수들은 썰매를 어깨에 메고 결승점을 통과하며, 관중들의 박수갈채를

🏅 썰매를 어깨에 메고 결승점을 통과하는 선수들

받는다.

2) 해석적 이해

　영화 〈쿨 러닝〉을 보면서 많은 사람이 소소한 재미와 잔잔한 감동을 느꼈을 것이다. 자칫 뻔하고 지루해질 수 있는 영화 중간에 유머를 넣은 것이 이 영화의 특징 중 하나이다. 봅슬레이가 불가능한 환경에서 동계 올림픽에 출전한 선수들의 눈물겨운 노력과 서로를 이해해가는 과정, 그리고 자신도 모르게 성장해가는 과정이 아름답다. 비록 메달획득에는 실패했지만 '쿨 러닝'이라는 구호처럼 사고가 있었음에도 끝까지 포기하지 않고 결승점을 통과한 모습은 우리들에게 큰 감동을 준다.

　여기서 '노력'에 관해 생각해 볼 수 있다. 많은 노력을 통해 성공의 입구에 이르러도 예기치 못한 인생의 역경으로 실패할 수 있다. 이때 두 부류의 사람이 있다. 그냥 주저앉는 사람과 포기하지 않고 끝까지 최선을 다한 사람. 과연 이 두 사람이 똑같은 패배자일까? 이 영화는 포기하지 않고 최선을 다하면 성공과 실패를 떠나 모두 승자라는 메시지를 담고 있다.

　마지막으로 이 영화는 열악한 환경 속에서도 서로에 대한 믿음과 우정, 그리고 노력이 있으면 불가능한 일도 가능하다는 교훈을 주고 있다. 자메이카팀은 봅슬레이를 할 수 없는 환경이었고 2만 달러 지원도 받지 못했지만, 선수 간의 단합된 모습으로 많은 사람의 박수를 받으며 당당히 결승점을 통과하지 않았는가? 우리 인생도 다르지 않다. 아무리 힘들고 어려운 일이 있어도 주위 사람들을 믿고 끝까지 최선을 다한다면 좋은 결과를 이뤄낼 수 있다. 일을 못하는 것이 아니라, 내가 안 할 뿐이다.

3) 심층적 탐구

> (1) 이 영화에서 선수들(데리스 배녹, 주니어 베일, 율 브레
> 너, 쌍카 코피)은 각각 어떤 이유로 봅슬레이 국가대표
> 선수가 되려고 하며, 그들에게 '국가대표'의 의미는 무엇
> 인가?

먼저 데리스는 주니어의 실수로 올림픽 출전기회를 놓친다. 올림
픽 위원장을 찾아가 판정에 항의하던 그는 아버지와 사진을 찍은 아이
브를 보고 봅슬레이에 단거리 주자가 적합하다는 사실을 알게 된다. 어
떻게든 올림픽에 출전하기 위해 봅슬레이를 시작하는데, 그에게 봅슬
레이 선수란 자신에게 주어진 또 다른 기회인 동시에 올림픽 출전의 절
호의 기회였다.

반면 데리스의 친구인 쌍카는 올림픽에서 금메달을 따면 유명해
질 것이라는 회유로 봅슬레이에 참가한다. 그에게 봅슬레이는 친구의
부탁인 동시에 명예를 얻는 기회이다. 율도 데리스와 사정은 비슷하다.
주니어의 실수로 출전 기회를 박탈당한 것이다. 어떻게든 자메이카를
떠나 새로운 삶을 살고 싶었던 그는, 봅슬레이 선수로서 탈출을 시도한
다. 그에게 봅슬레이는 버킹엄 궁전과 같은 대저택에서 사는 꿈을 실현
시킬 수 있는 선망의 대상인 동시에 자메이카를 탈출하는 수단이다.

한편, 주니어는 자신의 실수 때문이라는 책임감과 아버지에게서 벗
어나고 싶은 생각으로 봅슬레이 선수가 되려고 한다. 그에게 봅슬레이

는 아버지에 대한 첫 반항이자, 자신의 진정한 삶을 찾아가는 과정이었다. 따라서 이들에게 봅슬레이는 공통적으로 새로운 도전이고 희망이다. 결국, 봅슬레이 선수가 되려는 자신의 고집이 꿈을 이룰 수 있는 희망이라고 생각한다. 비록 자메이카 올림픽 육상 대표는 아니지만, 봅슬레이를 통해 국가대표라는 꿈을 이룬 것이다.

(2) 선수들의 코치인 아이브 블리처가 마침내 팀의 코치직을 승낙하는 이유와, 그의 '상처와 꿈'은 무엇인가?

아이브 코치는 한때 최고의 봅슬레이선수였다. 올림픽 금메달을 두 번이나 땄으며 9개의 세계 신기록을 보유하는 등, 10년간 세계 최고의 선수로서 항상 승리만 했다. 그러나 승리에 대한 중압감과 금메달에 대한 집착 때문에 1972년 올림픽에서 썰매에 납을 넣는 부정행위를 했다. 그리고 이 사실이 발각되어 금메달을 박탈당하고 자메이카에 와서 내기 당구와 마권업에 종사하는 등 잘못된 인생을 산다. 그러나 그의 봅슬레이에 대한 사랑과 열정은 식지 않는다. 그래서 동계 올림픽 포스터나 봅슬레이 사진을 벽에 붙여놓고 라디오 중계도 듣는다. 처음에 데리스와 쌍카가 찾아왔을 때, 봅슬레이를 다시 하고 싶지 않다는 말로 거절한다. 이는 자신이 과거에 저지른 잘못과 조우하는 것이 두려웠기 때문이다. 그러나 데리스가 벤 베늑의 아들임을 알게 되고 20년 전에 봅슬레이팀을 만들지 못한 이유는 기회가 없어서였고, 지금이 새로운 기회라는 말에 마음이 돌아선다.

다시 봅슬레이에 대한 열정을 실현하고 과거와 같은 잘못을 되풀이하지 않고, 부정행위가 아닌 순수한 실력과 열정으로 도전하기 위해서 코치직을 승낙한다. 그는 무의식적으로 16년 전 부정행위를 저질렀던 자신의 잘못을 청산하고 싶었을 것이다. 기회가 왔을 때 해야 한다는 말을 듣고 자메이카팀을 선택한 것 또한 우승보다 봅슬레이를 사랑하는 자신을 되찾고 싶었기 때문일 것이다. 그렇기에 과거 우승에 연연해 부정을 저지른 아이브가 가능성이 거의 없는 자메이카팀을 선택했을지도 모른다. 결국, 그는 자메이카 봅슬레이팀 코치를 맡아 자신의 잘못을 모두에게 인정하는 기회도 얻으며 비로소 잃어버린 자신을 되찾는다.

(3) 선수들과 코치는 어떻게 주위 사람들의 '냉소와 멸시'를 극복하며 올림픽 경기에 참여하는가?

눈이 오지 않는 자메이카에서 동계 스포츠인 봅슬레이팀을 결성한다는 사실은 놀라운 일이자 큰 웃음거리가 된다. 위원회도 스폰서들도 이들의 말을 진지하게 받아들이지 않는다. 특히 위원장은 국가를 웃음거리로 만들지 말라며 화를 낼 정도이다. 그러나 이들은 기죽지 않고 경비를 마련하기 위해 진지하게 임한다. 자신의 꿈을 위해 주니어가 아버지 몰래 차를 팔아서 출전경비를 조달하는 모습이나 아이브 코치가 친분을 이용해 고물 썰매를 조달하는 노력 등은 어렵지만, 자메이카팀의 올림픽 참가를 가능하게 한다.

분명 선수들과 감독은 연습부터 올림픽 참가까지 다른 나라 국민들과 선수들, 경기관계자들뿐만 아니라 자국민에게도 비웃음을 샀다. 그러나 눈 한 송이 내리지 않는 자메이카에서 바퀴 달린 썰매를 타며, 열심히 훈련하는 모습에서 그들의 열정은 정말 대단한 것이었다. 이러한 모습에서 자메이카 국민들도 그들의 봅슬레이에 감동했을 것이다. 결국, 이들은 자국민의 든든한 응원을 받게 되었고 냉소적인 반응이었던 타 국민들의 감탄까지 자아냈다. 열악한 환경을 극복하고 남들에게 뒤지지 않는 기록을 내며 경기에 끝까지 충실히 임하는 모습은 어느 나라, 어떤 사람이라도 감동시킬 수 있는 모습이었다. 이들은 주위의 반응에 신경 쓰지 않고, 모두 하나의 목표를 갖고 서로 협력해서 훈련에만 집중한다. 이것이 바로 그들이 냉소와 멸시를 극복할 수 있었던 가장 큰 이유가 아닐까?

(4) 개성이 강한 선수들은 어떤 과정을 거쳐 서로를 이해하게 되며 비로소 한 팀이 되는가?

처음에는 불협화음 그 자체였다. 데리스와 쌍카는 어렸을 적부터 친한 친구였으며 성격도 사교적이었기에 주니어와 그들이 친해지는데 큰 문제가 없었다. 그러나 문제는 율이었다. 율은 현실에 대한 불만이 많으며 배타적이고 공격적인 성향이었다. 특히 주니어로 인해 육상대표 선발에 실패했기 때문에 그에게 반감이 많았다. 그러나 올림픽 개최지인 캐나다의 어느 술집에서 둘의 관계는 호전되기 시작한다. 주니어가 스위스팀 선수들에게 일방적으로 멸시 당하자 율은 그에게 힘과 자부심을 가진 사나이가 되라며 격려한다. 그 후 율이 꿈꿔왔던 집이 버킹엄 궁전이라는 사실을 알고 사진을 구겨버렸을 때, 주니어는 사진을 펴서 자신의 목표를 향해 나아가는 것이 중요하며, 율 같은 사람이 많을수록 세상이 나아진다고 격려하는 장면에서 둘의 관계는 호전된다. 그리고 주니어가 율의 응원에 힘을 얻어 아버지에게 자신의 의사를 밝혔을 때, 비로소 친한 친구가 된다. 또한, 함께 연습하고 발전하면서 데리스, 율, 쌍카, 주니어의 사이는 점차 좋아지고 마지막에는 도원결의를 한 형제 같은 사이가 된다.

이들에게는 결정적인 공통점이 있다. 같은 곳을 향해 나란히 서서 바라본다는 것이다. 바로 올림픽에 출전해 제대로 봅슬레이를 하는 것이다. 평생의 인연을 맺는 부부조차도 한 곳을 바라보지 못해 이혼하는 세상이다. 똑같은 목표를 향해 함께 간다는 것은 그만큼 어렵고 특별한 과정이다. 이들은 함께 생활하면서 서로를 이해하고, 하나의 목표로 향하기에 쉽지 않은 과정을 동시에 겪었다. 이처럼 함께 목표를 향해 열심히 노력한다면 누구라도 한마음 한 팀이 될 수 있을 것이다.

(5) 조직위원회가 자메이카 팀의 '참가 불허' 결정을 번복한 이유는 무엇인가?

조직위원회가 자메이카 팀의 출전을 방해하려고 출전자격 조건까지 바꿨던 이유는, 우선 과거 아이브에 대한 실망과 앙금 때문이었다. 이에 아이브는 진심을 담아 위원회에 말한다. 자기 팀원들은 비웃음을 받았지만, 모든 것을 훌륭하게 해냈으며 순위는 상관없다고 말한다. 그리고 그들은 자기 나라를 대표할 자격을 얻었고, 운동선수로서의 최고의 영예를 얻었다. 올림픽이란 그런 것인데 자신은 16년 전 그 사실을 간과했다며, 부디 자신 같은 실수를 하지 말아 달라고 말한다. 회의장에 들어온 아이브가 잘못을 깊이 뉘우쳤으며, 성적이 아니라 자메이카 선수들이 올림픽에 출전한다는 영예를 생각했다는 사실, 그리고 단지 대회에 나가기 위한 사탕발림이 아닌 그의 진심에 감복해 위원회의 마음이 돌아선 것이다.

그리고 스포츠의 이면에 잠재된 차별과 편견을 꼽을 수 있다. 스포츠에서의 이러한 차별은 성별·인종·국가·경제·문화적 요소들이 있는데, 그중 영화에서는 인종·국가적 차별이 나온다. 이것은 대개 동계 스포츠가 백인들만의 전유물처럼 비치는 경향이 있으므로 내면에 잠재된 무의식적 차별 요소로 보인다. 자메이카팀의 등장에 대한 주위의 어긋난 관심과 비아냥거림은 이를 뒷받침한다. 결국, 이는 스포츠의 긍정적 기능을 저해하는 가장 위험한 요소인 셈이다.

(6) 주니어 베일이 숙소에 찾아온 아버지의 만류를 뿌리치고 경기에 계속 참가하는 이유는 무엇인가?

주니어는 성인이 되었지만 자신이 못 미더워 직장까지 정해주는 아버지의 말에 복종하며 살아왔다. 이러한 그늘에서 벗어나기 위해 올림픽 육상대표를 꿈꿨지만, 실패하고 우연히 봅슬레이에 참여하게 된다. 이 과정에서 그는 자신의 목표와 능력을 깨달은 동시에 율을 만나 자존감을 얻어 아버지의 만류를 뿌리칠 수 있었다. 그가 경기에 계속 참가하는 이유는 크게 두 가지로 볼 수 있다. 우선 아버지의 뜻에 따라 경기를 포기해서 동고동락했던 다른 팀원들에게 폐를 끼치기 싫어서이다. 그러나 더 큰 이유는 아버지의 뜻에 따라 움직이는 꼭두각시 인형이 아닌 스스로 결정하고 책임지는 주체적인 삶을 살고 싶기 위한 것이다. 그는 자기 뜻에 따라 살도록 설득, 강요를 하러 온 아버지와 대화를 시도한다. "저를 보면 무엇을 보시나요?", "길 잃은 소년이 보인다! 길 잃은 소년!", "저는 길 잃은 소년이 아니에요. 저는 사나이에요. 올림픽 선수입니다. 여기 있겠어요." 마침내 그는 아버지의 그늘에서 벗어난다. 흘러가는 대로 살아가는 수동적인 삶이 아닌 스스로 개척하고 극복하는 능동적인 삶을 택한다. 결국, 그는 자기 의지와 뜻으로 삶을 선택했고, 더는 인생의 '독자(Reader)'가 아닌 '리더(Leader)'가 된 것이다.

(7) 경기 이튿날에 선수들 기록을 엄청나게 단축한 중요한 요
   인은 무엇인가?

   그들은 경기 첫날 썰매에도 탑승하지 못해 버둥거렸다. 뿐만 아니
라 실수투성이 주행으로 보는 사람마저 창피하게 했다. 결승점 통과 기
록은 58초 04. 아이브 코치는 그들이 너무 긴장했다고 스스로 긴장을
풀 방법을 찾으라며 조언했고, 뜻밖의 결과에 선수들은 침울해한다. 그
러나 그들의 문제는 무조건 스위스팀을 의식한 것에 있었다. 다른 팀원
들은 데리스에게 세계 최강인 스위스를 따라하지 말고 자메이카답게
봅슬레이를 하자고 제안한다. 다음날 그들은 노래를 부르며 긴장을 풀
고 2차 시기에 도전한다. 그리고 그들은 마지막 구호로 '쿨 러닝'을 외
치며 경기 첫날과는 완전히 다른 실력을 보여준다. 기록 단축의 주요
요인은 팀원들이 말한 '자메이카답게'였다. 스위스와 자메이카는 전혀
다른 나라이다. 연습 방법도 다르고, 긴장을 푸는 방법도 다르다. 그러
나 데리스는 스위스를 따라 하는 것이 최선이라고 생각했다. 그러나 진
정한 최선책은 자기답게였다는 사실을 팀원들과의 대화에서 깨닫고 나
서, 오히려 스위스 기록을 조금 앞지르는 좋은 결과를 거둔다. 결국, 참
된 경쟁이란 상대와의 싸움이 아니다. 나와의 경쟁이 먼저다.

(8) 그동안 마찰을 빚었던 다른 팀 선수들과의 어떻게 '화해'
   했는가?

   스위스팀을 비롯한 다른 팀 선수들은 참가 경력이 없고 경기 실력
이 형편없는 자메이카팀을 인정하지 않는다. 그들과의 피부색 차이도
얕보는 이유 중 하나였다. 특히 술집에서 주니어를 도발하다가 술병으

로 뒤통수를 가격하는 등 싸움을 벌이기도 한다. 그러나 자메이카팀의 실력이 향상되고 놀라운 기록단축을 보이자, 경쟁자로서 자메이카팀을 인정하고 다음 올림픽에서 다시 만나자며 우정의 표시를 하는 등 극적으로 화해한다. 봅슬레이 불모지에서 이런 성과를 이룬 팀에 대한 찬사가 그들을 화해의 길로 이끈 것이다. 눈이 내리지 않는 국가에서 온 선수들이지만, 같은 목표를 바라보고 훈련하며 역경을 이겨낸 똑같은 봅슬레이 선수라는 점이 마음을 열고 진정한 화해에 이르게 한 것이다. 만약 자메이카팀 선수들이 부당한 멸시에 주눅 들거나, 바로 포기했다면 더 무시당했을 것이다. 그러나 자메이카팀 선수들은 당당히 맞섰고, 경기에 최선을 다했다. 이들을 보며 다른 팀 선수들은 자신의 편견 때문에 부족한 생각과 행동을 했다고 깨달았다. 화해는 결국 공감과 존중에서 기인한다고 볼 수 있다.

(9) 선수들은 올림픽 경기에 참가한 후 마지막 날 경기에서 불의의 사고로 메달 획득에는 실패한다. 그들과 자국 국민들에게 메달보다 중요한 것은 무엇인가?

현실에서 결과로서 나타나지 않는 무언가를 증명하는 것은 어려운 일이다. 그러나 결과가 만족스럽지 않다고 그 과정이 불필요하거나 의미 없지는 않다. 그들에게 진정 중요한 것은 아무도 다치지 않고, 어떤 위기에도 포기하지 않고 완주했다는 사실이다. 자메이카에서 동계 올림픽 봅슬레이 종목에 출전하고, 낡은 연습용 썰매로 출전을 감행한 것만으로도 이들의 도전은 위대했다. 물론 그들을 둘러싼 다른 국가선수와 관계자들은 곱지 않은 시선과 비웃음 담긴 멸시를 보내는 등 많은 어려움이 있었다. 하지만 그들은 이런 과정을 고스란히 극복하고 올림픽에 출전하게 되었다. 분명 자메이카 국민들과 팀원들 모두 처음에는 금메달을 원했을 것이다. 하지만 마지막 불의의 사고에도 그들은 기적적으로 아무 부상 없이 자신들의 썰매를 어깨에 메고 결승점을 통과한다. 자메이카 국민들이나 팀원들에게 메달이라는 결과보다는 많은 이들이 불가능하다고 생각했던 일을 해냈다는 사실과 함께 한 사람들, 그리고 완주를 했다는 보람과 행복이 더 중요하고 소중했던 것이다. 존재 자체만으로 위대한 것은 도전과 포기하지 않는 실천일까?

(10) 영화 제목 〈쿨 러닝〉의 의미는 무엇인가?

그들은 썰매를 탈 때 구호로 '쿨 러닝'을 외친다. 바로 '무사히 경기를 마치길!'이라는 뜻이다. 그들에게 메달보다 값진 것은 위험한 경기에서 아무도 다치지 않고 무사히 결승점까지 완주한다는 사실이다. 이는 꼭 봅슬레이 경기에만 국한되지 않는다. 인생을 살면서 힘들고 어려운 일이 닥쳐도 주저앉지 않고, 끝까지 최선을 다하는 모습이 가장 아름답고 대단하다는 의미이다. 모든 일에는 반드시 실패나 어려움이 따른다. 모두 1등을 할 수도 없다. 1등은 언제나 한 명뿐이다. 다만 꼭 1등이 아니더라도 중도에 포기하지 않고 목표에 이른다면 이보다 더 값진 일은 없을 것이다. 비록 메달 획득에는 실패했어도 모두 감동의 미소를 지을 수 있었던 경기를 한 자메이카 봅슬레이팀은 올림픽의 의미, 스포츠의 감동을 잘 구현했다.

'쿨 러닝'의 러닝은 자메이카의 러닝, 육상을 의미한다. 즉 주인공들이 하계 올림픽 육상이 아닌 얼음 위의 육상(봅슬레이)으로 동계 올림픽에 출전하기에 쿨 러닝이라는 이름을 붙였으며, 자메이카 식으로 봅슬레이를 하자는 의미로 쿨(차가운, 시원한)한 육상인 쿨 러닝으로 불렀다고 볼 수 있다.

(11) 자메이카 국민들이 봅슬레이를 좋아하게 된 이유와, 그
들에게 봅슬레이 경기는 무슨 의미인가?

자메이카 국민들이 봅슬레이에 관심을 가진 이유는 눈이 오지 않
는 자메이카에서 동계 올림픽 출전자격을 획득했다는 사실만으로도 신
기하고 자랑스러운 일이었으며, 데리스를 비롯한 선수들이 올림픽 출
전자격을 얻어 메달을 딸 수 있다는 희망 때문이었다. 그러나 더 큰 계
기는 경기를 보면서 불가능을 가능으로 만든 선수들의 노력과 희망 그
리고 열정에 동화되어 자메이카 국민들이 봅슬레이를 좋아하게 된 것
이다. 그들에게 봅슬레이는 남들이 그어놓은 불가능이란 벽을 넘어서
는 가능성이었으며, 동시에 많은 사람에게 '자메이카'라는 국가를 널리
알리는 의미였다.

또 각자 마음속에 담고 있지만 불가능하다고 생각해서 시도하지
못했던 것들에 도전할 용기를 준 종목이기도 하다. 전에는 생각조차 못
했기에 봅슬레이가 자메이카 국민들에게 더욱 특별하게 다가왔을 것이
다. 자신들이 할 수 있는 것은 '육상과 복싱'이라는 종목밖에 없다는 편
견을 깨고 '봅슬레이'라는 종목으로 전 세계에 도전장을 내민 자메이카
인들이 등장한 것이다. 이것은 단순히 별난 자메이카인들의 엉뚱한 도
전이 아니라, 여러 가능성을 가지고 있는 자국에 대한 희망을 상징하기
도 한다. 비록 메달이라는 결과물을 얻지는 못했지만, 그 과정에 진하
게 배여 있는 가능성이라는 달콤한 열매가 자메이카 국민들에게 희망
과 감동으로 주렁주렁 열린 것으로 보인다.

(12) 가장 인상에 남는 장면이나 대사는 무엇인가?

가장 기억에 남는 장면은 아이브 코치가 조직위원회 회의장에 찾아가서 출전 허가를 요구하며, 자신이 모든 것을 책임지는 모습이었다. 본인의 이득을 위해서가 아니라 선수들을 위해서 자신의 잘못을 시인하고 사과하는 행동은 누구에게나 어렵다. 게다가 20여 년이 지난 일을 들춰내 트집을 잡고 선수들에게 피해를 주는 위원회에 오히려 화가 났을지도 모른다. 그러나 아이브 코치는 지금까지 노력한 선수들을 위해 자존심을 버리고 순순히 고개를 숙인다. 비록 늦었지만 과거의 잘못을 인정하고 반성하는 모습은 대단하다고 느껴졌다.

또한, 율이 주니어에게 힘을 주는 장면에서 '나는 당당하다. 자신 있다.'를 외치는 주니어의 모습이다. 두 사람은 팀에서 가장 갈등이 깊었다. 그러나 이 장면은 서로에게 마음을 열었다는 사실을 보여주었고, 주니어가 아버지에게서 벗어나 성인으로서의 당당함을 가질 수 있도록 율이 용기를 주는 모습이었다. 서로 부족한 점을 지적하거나 채워주기보다 상대를 응원하고 믿는 것이 진정으로 친구를 위하는 길 아닐까?

5) 스포츠의 이해 : 봅슬레이

(1) 개요

인공 아이스트랙에서 강철재 원통형 썰매를 미끄러뜨려 고속으로 질주하는 동계 스포츠로 시간계측을 통해 순위를 결정하는 경기이다. 평균시속 130~140km에 달하는 고속을 낸다. 산허리의 경사면에 만들어진 얼음코스를 브레이크와 핸들이 장치된 썰매를 타고 최대한 빨리 활주하여 시간 기록을 겨루는 동계 스포츠이다. 브레이크는 운행 중에는 사용할 수 없으며, 결승선 통과 후 썰매를 멈출 때만 사용한다. 출발선에서 50~60m까지는 썰매를 밀어 가속한 뒤 차례로 올라탄다. 썰매의 이탈을 막는 브레이크 맨은 최후에 탑승하고 맨 앞의 조종사가 핸들로 방향을 조종한다. 한명이라도 썰매에서 떨어지면 실격이다.

(2) 경기 방법

출발 방법은 썰매 선단을 출발선에 두는 스탠딩스타트와 출발선보다 뒤에 둔 플라잉스타트 등 두 가지 방법이 있는데, 올림픽에서는 플라잉스타트를 택한다. 플라잉스타트는 스타트라인 후방 15m 이내부터 봅슬레이를 밀어 출발하는 방법으로, 계시는 봅슬레이 활주면의 선단이 스타트라인을 넘어설 때부터 시작된다. 이 경우에 타인의 도움을 받아 봅슬레이를 밀면 안 된다. 전원이 썰매를 밀고 나오다가 먼저 조종자가 올라타고 제동 담당자는 더 밀다가 출발선 가까이에 와서 올라탄다. 선수들은 출발할 때 썰매를 밀어 최대의 출발 속도를 얻는 기술과 썰매가 옆으로 미끄러지지 않도록 각자 몸무게로 균형을 맞추는 기술을 익혀야 한다. 팀의 주장이며 가장 중요한 선수인 드라이버는 썰매의 안정성을 몸으로 느끼고, 썰매가 옆으로 미끄러지지 않도록 재빨리 조치를 취하고, 방향을 전환할 때 썰매를 적절히 조종해야 한다. 브레이커는 봅슬레이의 뒷부분에서 스타트를 할 때 파일럿이 탄 것을 확인한 다음 탄다. 또, 브레이크는 직선과 정지 시에만 인정되고 커브에서의 사용은 금지된다.

(3) 용구

참가팀 경기자 수와 썰매의 총 중량에도 제한이 있어 2인승은 375kg, 4인승은 630kg 이내이다. 규정중량을 얻기 위해서 봅슬레이 추(錘)를 다는 것이 허용된다. 플라잉출발이므로 출발선까지 평탄부의 도움닫기로 스피드를 내는 것과 드라이버와 브레이크 맨이 호흡을 맞춰 조종과 제동의 균형을 잡는 일이 중요하다. 썰매에는 빙면과 접하는 러너가 앞·뒤에 각각 2줄씩 붙어 있다. 러너의 길이는 2인승이 2.7m, 4인승이 3.8m이고, 좌우 러너의 간격은 2인승과 4인승이 다같이 0.67m이다. 봅슬레이는 매우 빠른 속도로 견고한 얼음의 코스를 활주하기 때문에 안전용구로서 방호용 헬멧이나 안경 착용이 의무화되고 있다. 그리고 팔꿈치받침이나 무릎받침도 필요하다. 헬멧이나 안경은 정식경기는 물론 훈련할 때도 착용하지 않으면 실격된다.

썰매는 유리섬유와 강철로 제작되며, 에어로 다이내믹 인체공학 구조에 잘 다듬어진 4개의 강철러너(썰매 날)가 장착되어 있다. 전방의 2개 러너는 측면이동을 위한 것으로 약 3인치 정도이며, 썰매를 조정하는 드라이버와 줄로 연결되어 있다. 브레이크핸들은 4인승은 브레이크 맨 양쪽 사이드에 있으며, 2인승은 브레이크 맨 앞쪽에 있다. 도착지점에서 썰매와 탑승선수들의 무게를 측정하여 허용치 최대중량 초과여부를 확인한다. 모든 썰매는 국제연맹(FIBT)에서 지정한 규정을 준수해야 한다.

봅슬레이 선수는 헬멧과 신축성 좋은 소재로 제작된 몸에 달라붙는 레이싱유니폼을 착용한다. 또한, 얼음 위에서 마찰력을 강화하도록 신발 바닥면에 작은 스파이크가 부착된 레이싱 전용신발을 신는다. 드라이버는 반드시 고글을 착용해야 한다. 대부분의 드라이버는 장갑을 착용하지만, 일부는 조정로프의 느낌을 더 잘 받기 위해서 맨손을 선호하기도 한다. 일부 선수들은 레이싱복 위에 팔꿈치나 어깨 보호대를 착용하기도 한다.

(4) 한국 봅슬레이

한국 봅슬레이는 그동안 크게 빛을 발하지 못했지만, 2008년 1월 13일 미국 유타주 파크시티에서 끝난 아메리카컵 4인승 경기에서 캐나다, 미국에 이어 동메달을 차지했다. 전날 2인승 경기에서 2008~2009시즌 월드컵 출전권을 따낸 데 이은 쾌거다. 한국대표 중 2명은 스켈레톤 종목에서 빌려온 선수였다. '솔트레이크 2002'라고 쓰인 썰매는 500달러를 주고 현지에서 빌린 중고품이었다. 그 후 한국 봅슬레이는 2011~12시즌 국제봅슬레이연맹(FIBT) 아메리카컵 4인승에서 종합 3위를 차지했다. 국내 최초이고 아시아에서도 3위는 처음이었다. 내년 FIBT 월드컵시리즈와 세계선수권출전권까지 획득했다. 아메리카컵은 네덜란드, 프랑스, 스페인, 미국, 캐나다 등이 출전하는 대륙대회다. 지난해 11월부터 5개월 동안 1~8차 대회를 치러 종합순위를 가린다. 한국은 8번의 장기레이스에서 은메달 3개, 동메달 3개를 따내며 꾸준히 상위권을 유지했다. 2인승-4인승 썰매를 이끈 원윤종은 올 시즌 파일럿 개인종합 3위에 올라 기쁨을 더했다. 2010년 밴쿠버 동계 올림픽에서 종합 19위로 기적을 일궜던 봅슬레이는 올 시즌 무한한 가능성을 보여주었다. 4인승 대표팀의 원윤종, 김식, 김홍배, 김동현, 서영우 등은 지난해 4월에야 처음 썰매를 접한 '봅슬레이 2세대'이다. 전용경기장은 언감생심이고, 일본에서 대표선발전을 치를 정도로 인프라가 척박한 한국에서 희망을 쏘아 올렸다.

[참고문헌]

1. 대한 봅슬레이 스켈레톤 경기 연맹

   http://www.bob.or.kr/index.html

2. '봅슬레이', 네이버 지식백과(스포츠 백과)

   http://terms.naver.com/entry.nhn?docId=384537&mobile&category
   Id=1445

3. '한국 봅슬레이 2세대 일냈다',《서울신문》

   http://www.seoul.co.kr/news/newsView.php?id=20120406029009

4. 불의 전차
– 자신의 꿈을 위해 달린다

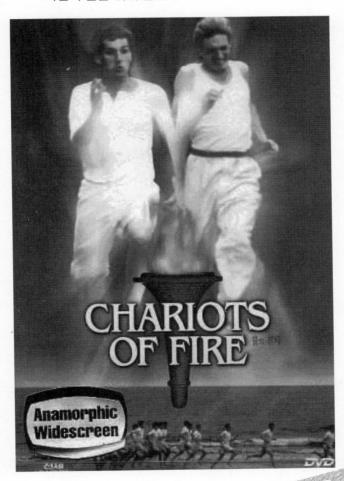

1) 줄거리 요약

불의 전차는 1924년 파리 올림픽에서 금메달을 딴 두 영국 육상선수 '에릭 리들'과 '해럴드 아브라함'이 목표를 향해 노력하는 순수한 스포츠 정신을 보여주는 작품이다. 한 사람은 절실한 기독교인으로 자신의 신앙심으로 최선을 다하며, 다른 사람은 자신의 실력을 순수하게 연마해서 최상의 자리에 도달하려고 올림픽에 도전한다. 이 영화에는 순수한 승부욕과 페어플레이 정신, 그리고 한 남자의 종교적 양심에 의거한 불굴의 의지가 담겨 있다.

의외로 내용은 단순하다. 선교인 가정에서 태어나 독실한 기독교인으로 성장한 에릭 리들과 유대인으로 태어나 인종 콤플렉스를 지닌 해럴드 아브라함 이야기를 번갈아 보여준다. 이들이 1924년 파리 올림픽의 육상 국가대표 선수로 출전하면서 각자의 꿈을 이루는 과정이 이어진다. 고전적이고 직설적인 표현으로 당시의 시대정신을 잘 담고 있으며, 육상경기에 참여하면서 개인의 이익을 추구하기보다는 경기 자체에 최선을 다하는 모습을 보면서 선수 자신들, 지도자들, 선수들의 경기를 지켜보는 관중들은 스포츠에서 진정으로 소중한 것이 무언지 깨닫는다.

2) 영화 속 이야기

1978년, 영국 런던 외곽에 있는 마을 교회 추모식장에 모인 사람들이 전설적인 인물인 해럴드 아브라함을 추모하고 있다. 영국 육상 대표들이 해안가를 달리는 장면으로 회상은 시작된다.

해안가를 달리는 육상선수들

    1919년, 케임브리지 카이스 칼리지에 입학한 해럴드는 학기 초부터 학교 전통인 달리기에 도전한다. 규칙은 비교적 간단해, 정오를 알리는 종소리가 끝나기 전에 도전자가 교정을 한 바퀴 돌아야 하는 것이었다. 그러나 700년 동안 성공한 사람이 없었기에 사람들은 관심을 갖고 그를 주시한다. 원래 해럴드 혼자 달리기로 했으나 친구인 린지가 함께 달린다. 많은 이들의 관심 속에 둘은 교정을 달리고, 마침내 해럴드와 린지는 종이 12번 울리기 전에 교정을 도는데 성공한다.

    한편 스코틀랜드의 어느 시골 마을, 가장 빨리 달리기로 유명해진 에릭과 그의 여동생은 독실한 기독교 신자이자 선교사로, 그는 안식일에는 종교적 활동 이외에 어떤 일도 해서는 안 된다는 강한 종교적 신념을 지니고 있다. 이런 종교적 신념과 동생의 반대로 그는 달리기와 선교활동 사이에서 고민한다. 그러나 그의 아버지와 친구는 육상을 포기하지 말라며 독려한다. 특히 아버지는 주님의 이름으로 달리고 주님께 영광을 돌리라고 조언한다. 이 말에 용기를 얻은 에릭은 육상과 선교활동을 겸하며 자신의 인생을 보람차게 살아간다.

신념을 지키며 보람된 삶을 사는 에릭과 달리, 해럴드는 친구에게 가정사를 밝히며 자신의 고통과 분노·좌절에 대해 괴로워한다. 그의 아버지는 유대계 리투아니아인으로 이방인 취급을 받았지만, 조국인 영국을 사랑했고 아들을 진짜 영국인으로 키우려고 했다. 해럴드는 이런 아버지를 존경하고 사랑했다. 아버지의 뜻대로 그는 영국 최고의 명문대에 가게 된다. 하지만 표면적 성공과는 달리 유대인은 영국에서 떳떳한 대우를 받을 수 없는 현실이었다. 이런 이유로 그는 법학을 선택했으며, 편견을 극복하고 자신의 신념을 보여주겠다고 의지를 불태운다.

시간이 흘러 1923년, 스코틀랜드 대 프랑스 아마추어 육상 경기에 유명한 코치인 머사비니를 비롯한 많은 사람이 에릭을 보러온다. 경기 도중에 에릭은 그만 실수로 넘어지고 다른 선수들과 점점 격차가 나기 시작한다. 사람들은 이 경기만큼은 에릭의 우승을 어렵게 보았지만, 예상과 달리 그는 1등으로 골인한다. 이를 눈여겨본 머사비니 코치는 공개적으로 그를 칭찬한다. 해럴드도 에릭을 보러왔다. 그는 에릭을 이기기 위해 머사비니에게 도움을 청한다. 해럴드는 머사비니의 도움만 있다면 에릭을 제치고 올림픽에서 우승할 수 있다고 자신한다. 그러나 코치는 확답하지 않는다. 다만 가능성이 충분하다면 돕겠다고 약속한다.

1932년, 마침내 런던 육상 경기장에서 해럴드와 에릭은 처음 만나게 된다. 둘은 최선을 다하자며 악수를 한다. 그러나 경기에서 진 해럴드는 패배에 괴로워한다. 이때 머사비니가 찾아와 해럴드는 단거리 주자에 적합하다고 조언하고, 패배의 원인은 초반의 부담감이라며 해럴드의 코치직을 수락한다. 그리고 그들은 맹훈련에 돌입한다.

해럴드는 머사비니에게 기술을 전수받으며 훌륭한 선수로 성장한

🏃 머사비니 코치와 함께 달리기 훈련에 매진하는 해럴드

다. 연습에만 집중하는 해럴드와 달리 에릭은 어려움을 겪는다. 여동생
은 오빠의 마음이 주님을 향한 것이 아니라 온통 육상과 올림픽만 생각
한다며 화내고 걱정한다. 에릭은 육상을 하는 이유가 주님께 영광을 돌
리기 위한 것이며, 올림픽이 끝나면 중국으로 선교활동을 가겠으니 당
분간만 이해해 달라고 양해를 구한다.

한편 해럴드는 교수들과 면담을 한다. 교수들은 개인 코치 영입은
아마추어 정신에 어긋난다고 반대한다. 학장도 직업코치에게 기술을
전수받으며 명예를 얻는 일에만 급급했다고 해럴드를 비난한다. 해럴
드는 이 일이 가족과 학교, 조국을 위한 일들이라 반박하지만 교수들은
그의 말을 용납하지 않는다. 해럴드는 교수들의 낡은 사고방식을 비판
한다.

얼마 후, 해럴드와 에릭은 파리 올림픽 출전 선수로 선발된다. 해럴

드는 지난 패배의 설욕을 다짐하며 전의를 불태운다. 그러나 에릭은 승부에 신경 쓸 겨를이 없을 정도로 충격적인 소식을 접한다. 바로 100m 예선전이 일요일에 개최된다는 말이었다. 강한 종교적 신념으로 생활하던 그는 안식일과 조국을 위한 경기 사이에서 갈등한다. 이에 자신의 신앙심을 단장에게 밝히고, 주최 측과 논의한다. 한편 해럴드는 가장 빠른 미국의 두 선수를 보며 잔뜩 긴장하는 가운데 제8회 파리 올림픽, 결전의 날이 시작된다.

첫 허들 경기에서 영국 대표인 앤디 선수가 2위로 들어오며 관객들의 환호를 받는다. 에릭은 올림픽 조직위원회 의원들과 만나지만, 예선전 경기 일정은 바뀌지 않고 외려 출전을 종용 당한다. 이런 결정을 완강히 거부하는 에릭에게 앤디가 해결책을 제안한다. 다른 날, 다른 경기에 출전하라는 것이다. 즉 자신이 출전할 목요일 400m 경기에 나서

🏃 하늘을 바라보며 결승선을 통과하는 에릭

라는 것이었다. 모두 이에 찬성하고, 에릭은 앤디의 도움으로 400m 경기에 출전한다.

하지만 해럴드는 여전히 방황하고 있었다. 그는 앞선 200m에서 1등을 못해 자신감을 상실했다. 해럴드는 패배를 맛본 후 승부 자체가 두려워졌다고 머사비니 코치에게 말했고, 그 말을 들은 머사버지 코치는 해럴드에게 자신감을 주기 위해 편지와 행운의 목걸이를 함께 선물한다. 결국, 해럴드는 100m 경기에서 우승을 거머쥔다. 이후 시작된 400m 결승, 하루에 2번의 경기에 출전한 에릭은 체력이 떨어졌지만, 악조건을 딛고 당당히 금메달을 획득한다. 그리고 올림픽에 참가했던 영국 선수들은 국민의 환호를 받으며 금의환향한다.

3) 해석적 이해

영화 〈불의 전차〉는 올림픽 아마추어리즘, 그리고 종교적 신념에 관한 이야기를 청년들의 꿈과 희망으로서 잘 그려낸 영화이다. 이 영화를 보면서 관객들은 에릭이 자신의 신념을 위해 경기를 포기하고자 했을 때, 그의 투철한 신앙심에 응원을 보내면서도 답답하다는 생각을 했을 것이다. 그리고 결과적으로 이런 상황을 슬기롭게 극복한 두 선수의 금메달 획득에 환호했을 것이다. 그리고 해럴드가 사회적 편견에 맞서기 위해 수단과 방법을 가리지 않고 노력하는 모습을 본 많은 사람들이 안타까웠을 것이다.

그리고 올림픽의 의미와 기원의 특성에 대해 알아보고, 현대사회에서 올림픽이 갖는 상업주의·성적 지상주의에 대해서도 생각해 볼 필요가 있다. 예컨대 해럴드가 코치를 영입한 문제가 과연 올바른 행동인가

하는 문제이다. 더불어 사회활동에서 종교적 신념이나 개인적 가치관이 충돌하는 경우 어떤 행동을 해야 마땅한지 대해서도 고민해 볼 필요가 있다.

4) 심층적 탐구

(1) 두 주인공인 에릭 리들과 해럴드 아브라함의 '공통점과 차이점'은 무엇인가?

두 선수의 공통점은 재능과 노력, 그리고 좋은 친구가 있다는 점이다. 에릭에게는 안식일을 지켜주기 위해 자신의 경기출전을 포기하는 앤디가, 해럴드에게는 언제나 옆을 지켜주는 친구가 있다. 그러나 이런 표면적인 공통점 외에도 각자 자신만의 신념을 위해 달린다는 점이 유사하다.

엄밀히 말해서 두 사람의 신념은 상이하다. 예컨대 에릭의 신념은 종교에 기초하기에 주님이 내려준 재능을 살려서 그 영광을 하느님께 돌리려고 한다. 반면 해럴드는 명예를 얻어 핍박받는 유대인들이 차별과 멸시를 받지 않길 바랐다. 에릭은 자신과 주변을 사랑하며, 충실한 시간을 보내는 반면 해럴드는 자신의 환경에 힘들어한다. 그러나 가장 극명한 차이는 에릭의 달리기가 자신과의 싸움인 반면 해럴드의 달리기는 경쟁 상대와의 싸움이었다는 점이다. 처음 두 선수가 시합에서 경쟁했을 때, 에릭은 상대를 의식하지 않은 채 앞만 보고 달렸지만, 해럴드는 에릭을 의식하면서 달리다가 2등을 했던 장면에서 두 사람의 차이를 엿볼 수 있다.

(2) 해럴드 아브라함이 올림픽 경기에서 우승하기 위해 육상
    선수 출신인 머사비니를 개인 코치로 두어 케임브리지 대
    학 규정을 위반한 점은 어떻게 생각하는가?

　자신의 실력향상과 목표달성을 위해 개인 코치를 찾아가 지도를
받았다는 사실은 비난할 수 없다. 보이지 않는 유대인 차별을 극복하
기 위해서라도 어떻게든 금메달을 따야만 하는 상황이었지만, 이는 어
디까지나 개인적 입장이다. 물론 교수들이 이야기했듯이 승리에 집착
하지 않는 지성인의 자세를 이유로 개인 코치 섭외를 비난하는 것은 아
니다. 어떤 일이든 최선을 다해 목적을 이루는 것도 지성인의 자세이기
때문이다.

　다만 해럴드 문제의 핵심은 집단에서 정한 규정을 알면서도 무시
했다는 것이다. 비록 규정을 어겨도 타인에게 손해를 끼치지 않거나 규
정이 불합리하다고 해도 규정은 지키라고 있는 것이다. 악법도 법이듯
이, 케임브리지 대학 학생선수 모두는 이 규정을 준수해야 한다. 그도
케임브리지 대학의 학생이었기에 규정을 지켜야만 했다. 이러한 행동
은 스포츠의 페어플레이 정신과도 맞지 않는다. 수단과 방법을 가리지
않고 경기에 우승하는 것보다는 정당하게 규칙을 지켜가며 경기를 하
는 것이 더욱 값지고 보람찬 일이기 때문이다.

(3) 1924년 파리 올림픽과 오늘날의 올림픽을 비교해 보았을
    때 바뀐 점은 무엇이고, 계승되고 있는 점은 무엇인가?

　1924년 제8회 파리 올림픽에서 44개국이었던 참가국은 2012년 제
30회 런던 올림픽에서는 204개국으로 증가했다. 1924년 올림픽은 184

일간, 2012년 올림픽은 17일간 경기가 진행되었으며, 1924년에는 17개의 종목에서 126경기가 열렸고, 2012년에는 26개 종목, 302개의 세부 경기가 열렸다. 1924년 이후 채택된 경기종목으로는 육상 여자 경기(1928년 암스테르담 올림픽), 카누(1936년 베를린 올림픽), 남자유도와 배구(1964년 도쿄 올림픽), 핸드볼과 싱크로나이즈(1984년 LA 올림픽), 단체경기(1988년 서울 올림픽), 양궁 라운드 방식·여자유도·배드민턴(1992년 바르셀로나 올림픽), 태권도·철인 3종 경기·여자수구·싱크로나이즈 다이빙(2000년 시드니 올림픽) 등이 있다. 1924년까지는 올림픽을 직접 관람을 할 수 밖에 없었지만, 오늘날에는 전 세계인들이 TV와 컴퓨터 등 영상 매체들로 실시간 관람할 수 있다. 그리고 1928년 대회 때 처음 올림픽기가 게양되어 지금까지 지속되고 있다. 4년마다 개최와 50m 수영장에서 열리는 수영도 변함이 없다.

(4) 오늘날의 올림픽에서 일부 종목에 프로 선수들이 참가하는 점은 어떻게 생각하는가?

원래 올림픽은 아마추어 정신에 입각한 아마추어 선수들의 장이었다. 이런 이유로 1992년 바르셀로나 올림픽까지 프로선수들, 즉 운동으로 돈을 버는 선수들인 프로의 참가를 금지하는 조항이 있었다. 이는 근대 올림픽을 주도한 쿠베르탱 남작의 뜻이었다. 쿠베르탱 남작은 프로선수들은 상금을 받는 데 목적이 있기에 참가 자체에 의의를 둘 수 없으며, 신성한 육체 활동이 아니라고 생각했기에 반대했다.

그러나 오늘날의 올림픽은 상업성을 이용한 수익창출에도 심혈을 기울이기에 쿠베르탱의 정신과는 조금 다른 맥락으로 볼 수 있다. 자신의 미래를 위해 프로로 전향한 선수가 아마추어가 아니라는 이유로 선수로서 가장 영예로운 대회에 참가할 수 없다는 것은 불합리하다. 물론 경쟁에서 아마추어 선수들이 분명 불리하겠지만, 프로가 된 것 역시 일종의 실력이라고도 할 수 있으며, 현대사회에서 프로선수 생활은 부끄러운 일이 아니라 자신의 재능을 살린 자랑스러운 직업이다. 이런 점에서 올림픽 일부 종목에 프로선수들이 참가하는 것은 시대의 변화에 따른 자연스러운 현상이며, 이를 막는 것이 오히려 시대를 역행하는 일이라고 할 수 있다.

(5) 독실한 기독교 신자인 에릭 리들이 안식일이라는 이유로 일요일에 열리는 시합에 단호하게 불참을 결정하였는데 내가 에릭 리들의 입장이었다면 어떠한 행동을 했을까?

만약 저자가 에릭의 입장이었어도 신념을 굽히지 않았을 것이다. 한번이 어렵지, 두 번부터는 쉽다는 속담이 있다. 어떤 일이든 한 번의 금기를 깨긴 어렵지만, 그 후엔 더 이상 망설임이 없다는 뜻이다. 조국 혹은 우리 민족을 위해서라는 이유로 자신과의 약속인 안식일을 어긴다면 다음에도 반복될 것이기 때문이다. 별로 중요한 일이 아니라도 '이건 어쩔 수 없어'라는 합리화를 하면서. 물론 사람마다 가치관은 다르겠지만, 내게는 조국이 종교보다는 먼저이다. 그러나 비록 조국의 명예를 위해서 꼭 필요한 상황이어도 가장 중요한 건 옳다고 생각하는 바를 행할 수 있는 흔들리지 않는 신념이다. 만약 스스로 신념을 굽히고 금메달을 땄다면 국민적 영웅일지는 모르지만, 자신에게는 패배자이며, 성취한 메달은 후회와 안타까움이 남는 금메달일 것이다.

(6) 근대 올림픽의 아버지인 쿠베르탱이 추구하였던 진정한

'올림픽 정신'은 무엇이었나?

쿠베르탱은 파리에서 태어나 영국에서 학창시절을 보냈다. 1870년 보불(普佛) 전쟁(프로이센과 프랑스의 전쟁) 후에 프랑스 청소년의 교육 개선에 뜻을 두고 예로부터 내려오는 지식교육 중심의 중등교육 제도를 비판했고, 영국 스포츠 교육의 실제적 가치를 높이 평가했다. 그는 스포츠를 학교 교육의 일환으로 받아들여야 한다고 주장하면서 교육을 전적으로 지적 교양이나 문화 도약으로 국한시키는 대학교수 집단의 인식을 바꾸는 데 주력했다. 그는 고대 올림픽 경기의 이상을 스포츠 실천의 지도이념으로 삼고, 국제경기협회 창설을 제안하고 근대 올림픽의 창시자가 된다. 하지만 이런 배경에는 어린 시절 조국 프랑스가 프러시아군에 맥없이 지는 것을 목격한 이후이다. 이런 기억을 바탕으로 그는 영국과 미국, 캐나다 등 전 세계 각지를 돌며 강인한 조국 건설을 위해 체육에 크나큰 관심을 보인다.

쿠베르탱은 신사들이 특정 분야에서만이 아니라 모든 분야에서 고르게 우수해야 하며, 공정한 결과에 승복해야 하고, 연습이나 훈련은 속이는 것과 마찬가지로 여겼다. 전문적으로 스포츠를 연습한 사람과 취미로 연습한 사람은 다르다고 생각한 것이다. 근대 올림픽의 이상은 스포츠에 의한 인간의 완성과 경기를 통한 국제평화 증진에 있다. 따라서 올림픽의 표어도 라틴어인 "보다 빠르게, 보다 높게, 보다 강하게(Citius, Altius, Fortius)"라고 정했다. 또한, "올림픽 대회의 의의는 승리에 있는 것이 아니라 참가에 있으며, 인간에게 중요한 것은 성공보다 노력하는 것이다."라는 쿠베르탱의 올림픽 강령 속에서 올림픽의 이상을 단적으로 알 수 있다.

(7) 해럴드 아브라함이 유대인에 대한 차별을 극복하기 위해 올림픽에서 승리를 열망했던 것이 '순수한 스포츠 정신'이라고 할 수 있는가?

　'스포츠 정신'이란 '스포츠맨십'과 동의어이다. 하지만 '스포츠 정신'에 있어서 아마추어와 프로 사이에는 공통점도 있지만, 차이점도 있다. 스포츠 정신은 다음과 같이 말할 수 있다. 경기규칙을 준수하며 부정과 완력, 허위 등의 과오를 범하지 않으며, 타인이 과오를 범하는 것도 묵과하지 않는다. 또한, 타인에게 방해가 되거나 상대에게 불쾌감을 주는 일도 하지 않는다. 이를 근거로 생각하면 해럴드가 유대인의 민족적 차별을 극복하기 위해 올림픽 승리를 열망했던 것은 단순한 개인적 열망일 뿐이다. 그는 대학 규정까지 어겼다. 아무리 정치·사회적 관계에 의해 스포츠가 확대되어도 올림픽의 지향점이 정치·사회·종교 등의 사상과 스포츠의 결합은 아니다.

　오히려 올림픽은 순수한 스포츠 정신을 내세워 정반대의 행위를 요구한다. 이런 점을 고려했을 때, 유대인 민족 차별 극복이라는 목적을 내세운 해럴드는 순수한 스포츠 정신과는 거리가 멀다. 또한, '경기 자체를 즐겨라.'라는 부분에서도 순수한 스포츠 정신이라고 말하기 껄끄럽다. 그러나 그의 열망이 타인에 손해를 끼쳤거나 그가 반칙을 저지른 것은 아니라는 점도 고려해야 한다.

5) 스포츠의 이해 : 올림픽

(1) 올림픽의 개요

올림픽(영어로 Olympic Games, 프랑스어로 Jeux olympiques, 올림픽 경기 대회)은 각 대륙에서 선수들이 참가해 여름과 겨울에 스포츠 경기를 하는 국제대회이다. 2년마다 하계 올림픽과 동계 올림픽이 번갈아 열리며, 국제 올림픽 위원회(IOC)가 감독한다. 오늘날의 올림픽은 기원전 8세기부터 서기 5세기까지 고대 그리스 올림피아에서 열렸던 고대 올림피아 경기에서 비롯되었다. 19세기 말에 쿠베르탱이 고대 올림피아 제전에 영감을 얻어 근대 올림픽을 부활시켰다. 이를 위해서 쿠베르탱은 1894년에 IOC를 창설했으며, 2년 뒤인 1896년에 그리스 아테네에서 제1회 올림픽이 열렸다. 이때부터 IOC는 올림픽 운동의 감독 기구가 되었으며, 조직과 활동은 올림픽 헌장을 따른다. 20세기에 올림픽 운동이 발전함에 따라, IOC는 변화하는 세계의 사회 환경에 적응해야 했다. 이러한 변화의 예로 얼음과 눈을 이용한 경기 종목을 하는 동계 올림픽, 신체 장애인을 위한 패럴림픽, 10대 선수들을 위한 유스 올림픽 등을 들 수 있다. 뿐만 아니라 IOC는 20세기의 변화하는 경제, 정치, 기술 환경에도 적응해야 했다. 그리하여 올림픽은 쿠베르탱이 기대했던 순수한 아마추어 정신에서 벗어나 프로 선수도 참가할 수 있게 되었다.

올림픽은 대중매체의 중요성이 점차 커지면서 올림픽의 상업화와 기업 후원을 놓고 논란이 일었다. 또한, 올림픽을 치르면서 발생한 보이콧, 도핑, 심판 매수, 테러와 같은 많은 일들은 올림픽이 더욱 굳건히 성장할 수 있는 원동력이 되었다. 올림픽은 국제경기연맹(IF), 국가 올림픽 위원회(NOC), 각 올림픽 위원회(예를 들어 밴쿠버 동계 올림픽 조직위원회)로 구성된다. 의사 결정 기구인 IOC는 올림픽 개최 도시를 선정하며, 올림픽 종목도 결정한다. 올림픽 경기 개최 도시로 선정되면 올림픽 헌장에 부합하도록 경기 축하 의식을 준비하고 기금을 마련해야 한다. 올림픽 축하행사로는 여러 의식과 상징을 들 수 있는데, 올림픽기나 성화가 그 예이다. 올림픽은 거의 모든 국가가 참여할 정도로 규모가 커졌다. 33개의 종목과 약 400개의 세부종목에서 13,000명이 넘는 선수들이 경쟁하고, 그중 종목별 1, 2, 3위는 금·은·동메달을 수여받는다. 올림픽은 세계 언론에서 경기를 중계하기 때문에 무명의 선수가 개인적, 국가적, 세계적으로 명성을 얻을 수 있으며, 이와 더불어 올림픽 경기는 개최지와 개최국의 이름을 알리는 좋은 기회이다.

(2) 근대 올림픽

① 최초의 근대올림픽 : 자파스 올림픽

에방겔리스 자파스(Evangelis Zappas, 1800~1865)는 그리스 독립전쟁 참전용사이며, 박애주의자, 사업가였다. 생애 대부분을 루마니아에서 보낸 그는 동부유럽에서 가장 부유한 사업가 중 한 명으로 성공했는데, 수초스가 주장해온 고대 올림픽 부활에 대한 생각을 듣고 1856년 그리스 정부에 강력하게 이를 탄원했다. 마침내 그리스는 1858년 아테네에서 최초의 근대 올림픽을 1년 뒤인 1859년에 개최하기로 공식선언을 한다. 하지만 정부로서는 국가부흥의 과제를 실현해야 했기에 농업 올림픽과 산업 올림픽을 함께 열기로 했다. 근대 올림픽 출범을 위한 자파스의 노력으로 제1회 아테네 올림픽이 열린다는 소식이 유럽 전역으로 타전됐지만, 많은 관심을 끌지 못했다.

하지만 영국 웬록(Wenlock)지방에 있는 W. P. 브룩스(Brookes) 박사에게 이는 매우 흥미로운 소식이었다. 모든 소식을 꼼꼼히 챙긴 그의 상세한 기록들은 근대 올림픽이 어떻게 탄생하게 되었는지 매우 잘 보여주는 역사적인 자료이다. 웬록에서 연례적으로 소규모 운동경기를 개최했던 브룩스 박사는 아테네에서 최초의 올림픽이 열리기 두 달 전인 1859년 7월에 열린 웬록 올림픽 대회를 후원했다. 그는 아테네 올림픽 위원회에 대회 우승자에게 줄 10파운드의 은화를 상금으로 보냈는데, 당시 위원회는 자파스의 상금 외에 영국의 웬록 올림픽위원회의 추가 상금도 있다고 발표했다. 자파스는 고대 올림픽이 열렸던 파나시나이코스 경기장에서 올림픽을 열 수 있도록 막대한 발굴 비용을 제공했지만, 1859년의 올림픽은 아테네 북쪽 지역에서 개최됐다. 제1회 대회는 실력 있는 선수들이 부족했고 종목도 적어서 성공적이지는 못했다.

② 브룩스 박사와 영국 올림픽운동

1860년대 브룩스 박사는 올림픽운동을 영국에 도입하는 역할을 수행했고, 1859년 아테네 올림픽에서 자신이 보낸 웬록상을 수상한 그리스의 페트로 벨리사리오우를 웬록 올림픽 최초의 명예회원으로 위촉하며, 그리스와 국제교류를 진행시켰다. 이로부터 30년 후에 명예회원 명단 맨 마지막 줄에 피에르 드 쿠베르탱이 등재되었다. 어쨌든 웬록 올림픽위원회와 그리스 올림픽위원회는 올림픽이라는 같은 이름을 쓰고, 같은 목표를 향해 나아가기로 자매결연 하여 1860년대 올림픽 국제운동의 효시를 보여주었다.

이런 국제운동의 여파에 힘입어 마침내 1866년 영국 런던에서 국내 올림픽대회가 성공적으로 열리게 됐다. 하지만 귀족이 중심이 된 아마추어운동클럽(Amateur Athletic Club)은 노동자나 기계공, 공예가들이 돈을 받고 뛰는 브룩스가 추진하는 올림픽에 반대하며, 대부분 참가하지 않았다. 오토 1세에 이어 1862년 왕위에 오른 덴마크 출신의 게오르게 1세는 1865년 세상을 떠나며 올림픽에 막대한 재산을 기증한 자파스의 후원을 바탕으로 1870년 제2회 아테네 올림픽을 개최했다. 3만 명이 경기를 관람했고, 1회 대회에 비해 많은 종목이 추가되었으며, 그리스 전역에서 참가자들이 몰리며 성황을 이뤘다. 크레타 섬에서 온 노동자가 레슬링에서 우승했고, 아테네의 한 도축업자가 200m 달리기에서 1위를 하는 등 당시 참가자는 지위고하를 막론하지 않았다. 그러나 몇몇 대학교수들이 차기 대회에서 노동자 계층의 참가제한을 주장하고 나서면서 5년 후에 열린 1875년 올림픽은 경기내용과 참가규모 수준이 떨어질 수밖에 없었다. 그리스 올림픽위원회는 1888년 초 자피온(Zappeion) 올림픽 빌딩(2004년 아테네 올림픽 미디어센터)을 준공한 뒤 1888년 가을에 올림픽을 열겠다고 발표했다. 하지만 위원회가 조직되지도 않았고, 결과적으로 스포츠를 반대하는 사람들이 중심이 된 올림픽위원회는 고대 올림픽 부활의 꿈을 살려내지 못했다.

③ 쿠베르탱 남작의 등장

이렇게 그리스에서 올림픽 부활 노력이 무산될 당시, 영국의 브룩스 박사는 아테네에서 국제올림픽대회를 개최하자고 다시 제안했다. 그는 런던에 있던 그리스 대사 존 게나디우스를 설득했지만, 성과는 없었다. 그러는 동안에 새롭게 올림픽의 부활을 꿈꾸는 프랑스의 쿠베르탱 남작이 등장했다. 그는 어릴 때 조국 프랑스가 프러시아 군에 맥없이 지는 것을 목격하고는 영국과 미국, 캐나다 등 세계각지를 돌며 강인한 조국건설을 위한 체육에 큰 관심을 보이다, 마침내 스포츠교육 내용이 충실한 웬록의 프로젝트를 발견하게 된다. 이 일은 결국 브룩스 박사와의 만남으로 이어졌다. 쿠베르탱은 연설에 브룩스 박사의 글들을 인용하기 시작했고, 브룩스 박사와의 서신교환을 통해 결국 1890년 웬록을 방문했다. 브룩스 박사는 근대 올림픽 부활을 기리는 기념식수를 쿠베르탱에게 권했고, 올림픽에 대한 자신의 구상을 설명했으며, 1859년 자파스 올림픽의 우승자 명단까지 보여주었다. 1866년 런던에서 열린 국가올림픽대회에 대한 상세한 자료도 제공했다.

(3) 올림픽의 상징

올림픽에서는 올림픽 헌장에 구체적으로 나타난 이상이나 철학을 표현하는 상징을 사용한다. 오륜으로 잘 알려져 있는 올림픽의 상징은 5개의 둥근 고리가 겹쳐 있으며, 각 원은 대륙(남아메리카와 북아메리카는 아메리카로 합쳐져 있다.)을 상징한다. 파랑, 노랑, 검정, 초록, 빨간 고리에 흰색 바탕은 올림픽기를 나타낸다. 이 색들을 선택한 이유는 모든 국기에는 적어도 이 5개의 색 중 하나가 있기 때문이다. 올림픽 표어는 라틴어 Citius, Altius, Fortius로, "더 빨리, 더 높게, 더 힘차게"라는 뜻이다.

쿠베르탱의 이상은 올림픽 선서에 잘 나타나 있다. 올림픽이 시작되기 몇 달 전에 고대 그리스에서 제사를 지냈던 그리스 올림피아에서 올림픽 성화가 채화된다. 여배우가 사제처럼 연기하면서 태양광선을 포물면 거울(오목 거울의 하나)의 안쪽에 집중시켜서 점화한다. 그러고 나면 그녀는 첫 번째 성화 봉송주자에게 성화를 넘기고 개최도시의 개막식이 열리는 올림픽 경기장까지 여러 사람의 손을 거쳐서 올림픽 성화는 전달된다. 올림픽의 상징으로서 올림픽 성화는 1928년 하계올림픽 때부터 있었지만, 성화 봉송은 1936년 하계 올림픽 때 독일정부의 나치즘 선전의 일환으로 처음 시행되었다.

(4) 올림픽 종목

올림픽 종목은 총 33개 부문, 52개 종목, 약 400개의 경기로 이루어 진다. 하나의 예로 하계 올림픽 레슬링은 자유형과 그레코로만형 두 종 목으로 나뉜다. 여기서 10경기는 남자부, 4경기는 여자부로 열리며 분 류기준은 체중이다. 하계 올림픽은 26개, 동계 올림픽은 7개 부문으로 이루어진다. 하계 올림픽 종목 중에 육상, 수영, 펜싱, 체조는 1회 대회 부터 정식종목이었으며, 동계 올림픽에서는 크로스컨트리, 피겨 스케 이팅, 아이스하키, 노르딕 복합, 스키 점프, 스피드 스케이팅이 1924년 동계 올림픽부터 정식종목이 되었다. 배드민턴, 농구, 배구와 같은 정 식종목들은 처음에는 시범종목이었는데 나중에 정식종목으로 승격되 었다. 2012년 올림픽 때는 야구와 소프트볼을 제외한 26개 부문에서 경 기가 열렸다. 2016년과 2020년 올림픽 때는 럭비와 골프가 추가되어 다 시 28개 부문에서 경기가 열리게 된다.

(5) 아마추어 정신과 프로들의 참가

영국 명문 공립학교의 이념은 쿠베르탱에게 큰 영향을 끼쳤다. 영 국 공립학교는 스포츠를 교육의 중요한 부분이라 생각해서 '건전한 신 체에 건전한 정신을'이라는 의미의 라틴어 'mens sana in corpore sano' 를 표어로 삼았다. 그 이념에 따르면 신사들은 특정 분야에서만 우수해 서는 안 되고, 고르게 잘해야 하며, 공정한 결과에는 승복해야 하고, 연 습이나 훈련은 속이는 것으로 부정적으로 여겼다. 전문적으로 스포츠 를 연습한 사람은 취미로 연습한 사람에 비해 공평하지 않다고 생각한 것이다. 현대 올림픽에서는 프로선수 참가 불허로 많은 분쟁을 일으켰다. 1912년 하계 올림픽의 근대 5종 경기와 10종 경기에서 우승한 짐 도프(Jim Thorpe)는 올림픽 전에 세미프로야구 선수로 활동했다는 사실이 나중에 밝혀져 메달이 박탈되었다. 짐 도프는 나중에 여론의 동정 덕분에 1983년에 메달을 돌려받는다. 1936년 동계 올림픽 때 스위스와 오스트리아 스키선수들은 돈을 위해 스포츠를 했는데, 이러한 행동은 아마추어 정신에 위배된다고 결정되어 스키종목에 참가할 수 없었다.

20세기에 이르러 계급구조가 붕괴되면서 이른바 귀족적인 신사라는 아마추어 선수에 대한 정의는 시대에 맞지 않는 말이 된다. 이미 일부 국가들은 '정식 아마추어 선수'를 '키워서' 순수한 아마추어 정신을 벗어나고 있어서, 자기 비용으로 연습하는 선수들의 불리함에 대한 목소리가 나오기 시작했다. 하지만 IOC는 아마추어 정신의 입장을 고수했다. 1970년대 초에는 아마추어 정신이 올림픽헌장에서 폐지되어야 한다는 말이 나오기 시작했다. 결국 프로선수들의 출전은 국제경기연맹(IF)에서 결정하게 되었다. 2008년 현재 아마추어 선수만 출전하고 있는 올림픽 종목은 복싱이 유일하며, 남자 축구에서는 나이가 23세 이상인 선수는 세 명만 선발할 수 있다. 이는 아마추어 정신을 지키기 위한 일환으로 볼 수 있다.

[참고문헌]

1. '올림픽', 위키백과
   http://ko.wikipedia.org/wiki/%EC%98%AC%EB%A6%BC%ED%94%BD
2. '올림픽', 네이버 지식백과(한민족문화대백과)
   http://terms.naver.com/entry.nhn?docId=795295&mobile&category
   Id=1641

제2장 스포츠와 차별

이번 장에서는 '스포츠와 차별'이라는 주제로 장애인 스포츠, 성차별, 인종 차별 등을 소개한다. 여기서 언급할 영화들은 〈말아톤〉, 〈포레스트 검프〉, 〈빌리 엘리어트〉, 〈리멤버 더 타이탄〉 등이다. 이 영화들을 통해서 스포츠 에서 차별적 특성들이 어떻게 나타나는지 그 의미를 분석하고 해석한다.

1. 말아톤
– 편견을 딛고 일어서서 세상 속으로

1) 줄거리 요약

〈말아톤〉은 실화를 토대로 제작되었으며, 달리기를 통해 장애를 극복하고 세상과의 소통을 추구하는 지적장애인 '윤초원'과 그를 통해서 성장하는 주위 사람들을 다룬 영화이다. 역경을 뛰어넘는 젊은 장애인의 삶을 통해 인간의 내면에 숨겨진 순수함과 인간의 존엄성을 일깨워주는 휴머니즘적 감동을 담고 있다. 세상과 소통할 수 없었던, 그래서 세상에서 살 수 없을 것만 같던 한 자폐아가 마라톤을 통해 세상과 소통하게 된다. 마침내 자신의 두 다리로 세상에 홀로 서게 되는 것이다. 이를 통해 주인공인 초원뿐만 아니라 가족들과 그를 지켜보는 다른 이들도 함께 성장한다. '자폐'라는 특수한 상황에 맞닥뜨린 평범한 사람들이 겪는 갈등을 보여주고 그것을 극복하는 과정을 그리면서 관객의 가슴을 따뜻하게 해주는 영화이다.

2) 영화 속 이야기

어린 시절의 초원은 나이에 걸맞지 않은 이상한 행동을 한다. 말을 할 나이인데도 계속 울부짖거나 밥 먹으라는 어머니에게 반항하며, 초코파이만 집어 들고 도망간다. 애써 가볍게 생각한 어머니 경숙은 비 오는 날 그를 밖으로 데려가 '비'가 온다는 것을 어떻게든 설명하려고 하지만, 끝내 좌절한다. 결국, 찾아간 병원에서 초원이 자폐증이란 장애를 앓고 있다고 진단받는다. 자폐증은 3세 이전부터 언어 표현과 이해, 어머니와의 애착 행동, 사람들과의 놀이에 대한 관심이 저조해지는 양상으로 나타나는데, 이는 3살 이후 또래에 대한 관심 부족, 반복행동,

놀이행동의 심한 위축, 인지발달의 저하 등이 함께 나타나는 발달장애이다.

초원의 아버지는 이런 집안 분위기와 아들의 장애를 견디지 못하고 먼 곳에 일하러 가서 몇 달에 한 번씩만 집에 돌아온다. 초원은 자폐증으로 인해 5살 어린 아이의 지능을 가진 어른으로 성장한다. 모르는 사람 앞에서 방귀를 뀌며, 동생에게 존댓말을 쓰고, 음악만 나오면 어디서나 막춤을 선보이기 일쑤이다. 그러나 달리기만큼은 실력이 성인 이상이다. 이에 경숙은 초원의 달리기 실력 향상을 목표로 정하고 초원은 훈련에만 매달린다. 장애를 가진 아들에게 비정상적으로 헌신하는 동안 관심과 사랑을 받지 못한 동생 중원은 반항하기 시작한다.

초원이 평범한 사람이고, 남과 다르지 않다는 사실을 어떻게든 입증하고 싶었던 경숙은 마라톤에서 돌파구를 찾는다. 10km 마라톤 코스에서 3등을 한 초원의 기록을 보며, 수영코치는 Sub3(마라톤 풀코스를 2시간 59분 59초 이내에 완주하는 것)을 할 수 있다고 경숙을 부추긴다. 하지만 마라톤 풀코스는 42.195km라 간단한 코스와 달라서 체계적으로 누군가에게 수업을 듣고 페이스 조절을 배워야만 했다. 마라톤을 해 본 적도, 잘 아는 마라토너도 없던 경숙에게 두드리면 열린다는 말처럼 불현듯 행운이 찾아온다.

세계대회에서 우승할 정도로 실력 있는 마라토너였으나 은퇴 후 방탕한 생활을 하던 정욱이 음주운전으로 사회봉사 200시간을 초원이 다니는 학교에서 하게 된 것이다. 물론 의욕도 없고 열성도 없던 그는, 2달 정도 출근만 하려 한다. 하지만 이를 알게 된 경숙은 그에게 수차례 아들을 맡아달라고 부탁한다.

처음에 정욱은 경숙의 제안을 단칼에 거절하나, 그녀의 열성과 끈기에 지쳐 초원의 코치를 맡는다. 그러나 초원에게 운동장을 돌라고 하

🏃 마라톤 코치에게 아들 초원의 지도를 부탁하는 엄마

고 잠을 자거나 술을 마실 뿐 체계적인 연습을 시키지 않는다. 경숙의 등쌀에 못 이겨 받아들인 제안이었기에 의욕이 없었을 뿐만 아니라 과연, 초원이 달리기를 좋아서 하는 것인지 의구심이 있었기 때문이다.

아직도 마라톤에 대한 사랑과 열정이 남아있었던 정욱은 단순히 자폐증 치료, 그리고 아들을 정상인처럼 만들기 위해서 마라톤을 시키겠다는 경숙이 마음에 들지 않았다. 그는 초원의 비상식적인 행동도 이해하지 못했다. 같이 먹자거나 나눠 줄 생각을 못하는지, 자기가 권하는 것을 왜 거부하는지 이해할 수 없었다. 하지만 같이 보내는 시간이 늘수록 정욱은 점점 초원에게 마음을 연다. 운동장 백 바퀴를 돌고 초원이 학교에 결석한 날, 그의 담임선생님은 "초원이가 코치님을 참 좋아하나 봐요?"라며 설명을 해준다. 이런 과정을 거치며 코치는 초원을 달리 보게 되었을 뿐만 아니라 그에게 뛰는 즐거움과 마라톤을 하면서 세상과 소통할 방법을 가르친다.

🏃 마라톤 연습 중에 교감을 나누는 초원과 코치

　　나눔의 개념을 모르던 초원은 처음으로 정욱에게 물을 나눠주며
급속도로 가까워진다. 경마장을 가고 노래방도 가면서 서로에 대해서
알아간다. 하지만 경숙은 이런 정욱의 행동을 이해하지 못했고, 경숙은
정욱과 싸운 후 다시는 초원이를 맡기지 않겠다며 데려간다. 이후 경숙
은 마라톤 대회에 페이스메이커를 고용해서 초원을 참가시키지만, 결
국 초원은 완주하지 못하고 쓰러지게 된다. 이에 실망한 경숙은 완주
메달을 받을 수 있었음에도 불구하고 초원에게 완주 메달을 주지 않는
다. 한편 초원의 동생은 경숙에게 자신을 이해한 적이 있냐고 대든다.

　　결국, 경숙의 굳은 의지를 뿌리째 뒤흔드는 사건이 일어난다. 지하
철역에서 경숙은 복통으로 약을 사러가고 초원은 혼자 남는다. 이때 초
원은 얼룩무늬 치마를 입은 여자를 얼룩말로 착각한 채 엉덩이를 만진
다. 그녀의 애인은 초원을 폭행하고, 그 모습을 본 경숙은 만류하지만,
초원이는 "우리 애는 장애가 있어요."라고 사람들 앞에서 몇 번이나 소
리 지른다. 이때 경숙은 인정할 수밖에 없는 초원의 장애에 절망한다.

게다가 어릴 적 동물원에서 경숙이 자신을 버렸다는 것을 기억한다는 사실에 충격을 받은 그녀는 극심한 통증으로 쓰러진다.

병실에 입원한 경숙은 자신의 욕심으로 아들에게 마라톤을 시킨 것은 아닌지 남편에게 이야기하며 힘들어한다. 이때 초원은 하늘에서 내리는 비를 맞으며 자신이 느끼고 있는 슬픔이라는 감정을 조금이나마 표현하려고 애쓴다. 이런 형을 보며, 동생은 감정 표현에 서툰 장애를 가진 형을 조금이나마 이해하려고 한다. 경숙이 쓰러진 병원에 찾아온 정욱은 10월 10일 열리는 춘천 마라톤 대회까지 초원을 지도하겠다고 말한다. 하지만 경숙의 반응은 냉랭하다. 경숙은 자신의 욕심 때문에 초원에게 마라톤을 강요했고, 초원이 일반사람들과 다르다는 사실을 인정한다. 그리고 자식 사랑과 집착을 착각하지 말라는 코치의 말을 받아들인다. 하지만 정욱은 그녀가 옛날과 전혀 다를 것이 없다고 하며, 다시 입장 차이를 보인다.

결국, 초원은 마라톤을 그만두고 공장에 실습을 나가지만, 여전히 마라톤을 잊지 못한다. 그래서 그는 엄마와 동생 몰래 춘천 마라톤에 홀로 참가한다. 그가 마라톤에 참가했다는 사실을 알고 경숙은 더 이상 마라톤을 하지 않도록 초원이를 설득한다. 초원은 이런 그녀에게 자신을 믿어달라는 말 대신해 이렇게 질문한다. "초원이 다리는?" 경숙은 "백만 불짜리 다리"라고 대답하면서 그를 놔준다. 결국, 초원이 스스로 뛰고 싶어 한다는 사실을 알고 결승점에서 기다리기로 한다.

초원은 달리면서 그동안 단절되었고, 자신을 비웃던 세상과 다시 소통하고 접촉한다. 처음에는 마라톤 코스에서 선수들을 응원하고 있던 사람들 사이를, 그리고 마트, 수영장, 지하철역을 지나 야구장, 마지막으로 세렝게티 초원에서 얼룩말과 함께 달린다. 마침내 풀코스를 2시간 57분 33초 만에 완주하는 쾌거를 이루어 낸다.

🏃 마라톤을 완주한 후 기뻐하는 초원과 가족들

3) 해석적 이해

이 영화는 스포츠를 통해 초원을 당당한 사회 구성원으로 자립시
키려는 가족들의 노력, 그리고 이런 노력이 성공을 거둘 수 있음을 말
하고 있다. 물론 주위 사람들의 이해가 불필요하다는 말은 아니다. 일
반인들도 장애인의 문제에 관심을 갖고, 따뜻한 눈으로 도움을 주어야
한다는 메시지를 전달한다. 또한, 이 영화에서 크게 다뤄지지 않은 '중
원'의 문제를 짚고 넘어가야 할 필요가 있다. 장애 아동이 있는 가정일
경우, 초원이네와 마찬가지로 가족 구성원 모두 장애아에게 관심을 쏟
을 수밖에 없다. 이는 장애인이 아닌 동생의 성장에 큰 영향을 미친다.
영화에서 중원은 형으로 인한 정신적 스트레스와 외로움을 분출할 길
이 없었다. 이렇기에 그는 반항적이고 과묵한 모습이 된다. 만약 경숙
이 어린 초원과 중원을 함께 운동시키면서 형이 가진 장애에 대해 이해

시켰다면 중원의 상처가 적었을지도 모른다. 스포츠로 비장애인과 장애인이 하나가 된다는 사실은 가족이라고 예외일 수 없기 때문이다.

마지막으로 '과연 이 영화에 나오는 초원이만 장애가 있는 것일까?'라는 질문을 던질 수 있다. 대답은 꼭 그렇지만은 않다. 초원이만 바라보며 남편과 중원을 방치하는 엄마 경숙, 형의 장애와 엄마의 마음의 병을 이해 못하는 사춘기의 중원, 술과 도박으로 세상을 살았던 정욱, 그리고 중원과 마찬가지로 경숙과 초원을 이해하지 못하고 도망친 아버지. 자신만의 세계에 갇혀 있던 초원이 세상과 소통할 수 있게 되면서 그의 병은 불치가 아니라 난치가 된 것이고, 그를 치료해 나가는 과정에서 다른 사람들도 서서히 자신의 숨겨진 병이 치료된다. 정상과 비정상이 혼재된 주인공과 어머니, 그리고 주위 사람들이 만들어가는 이야기가 공감과 반성을 유발시킨다. 그리고 장애인에 대한 세상의 차가운 시선에 분개할 수 있었고, 감동적인 결말에 다시 한 번 자신을 돌아볼 수 있었다.

4) 심층적 탐구

(1) 주인공 초원의 인생에서 '달리기'는 무슨 의미인가?

처음에 초원의 달리기는 버림받지 않으려는 수단이었다. 어머니는 어린 그를 한 번 버린 적이 있었다. 그는 이를 기억하고 있었고, 말하진 않았지만 잠재적 공포가 있었다. 그래서 어머니가 달리기를 좋아하느냐고 물어보자 그렇다고 대답한다. 싫다고 하면 또 버려질까 두려웠기 때문이다. 결국, 자신의 의사와 달리 계속 달리기를 할 수밖에 없었다. 그래서 그에게 달리기는 의무와도 마찬가지였다. 그러나 코치인 정욱을 만나고 난 후 어느 순간부터 그는 달리기가 의무가 아니라는 것을 깨닫고 달리기 자체를 즐기게 된다. 강요도, 습관도 아닌 심장이 두근거리는 느낌. 어렸을 때 초코파이에 이끌려 등산을 하고 난 후에 어머니가 들려주었던 심장 소리가 들리는 것을 깨닫는다. 달리기를 한 후에 뛰는 심장 소리는 숨이 가빠서가 아니라 기쁘고 만족스러울 때 들리는 소리라는 사실을. 그래서 그는 코치에게 쿵쾅거리는 심장 소리를 들려주며 자신이 진정으로 달리기를 좋아한다는 사실을 깨닫게 된다.

(2) 인생에 있어서 장애는 누구에게나 있다. 초원에게 '인생의 장애'는 무엇이며, 그는 이러한 장애를 어떻게 '극복' 해나가는가?

비단 세상에서 분류하는 정신적·신체적 장애가 아니라도 사람들은 누구나 장애를 지니고 있다. 초원의 '자폐증'은 불치병으로 분류된다. 하지만 그의 진정한 장애는 자폐증이 아닌 장애에 대한 주위의 멸시와 동정, 제한이었다. 단적으로 그의 어머니조차 아들의 장애를 인정치 않고 계속 달리기를 시켰음에서 이를 알 수 있다. 하지만 그는 일반인도 어렵다는 마라톤의 Sub3을 해냄으로써 멸시와 동정이 아닌 자신의 가치를 입증하며, 장애를 극복해 나간다. 결국, 그의 장애는 불치병이 아닌 사회에서 극복할 수 있는 난치병이라 볼 수 있다.

그는 선천적으로 타고난 장애가 있지만, 다른 누구보다도 건강하고 정상적인 생활 태도와 마음가짐을 가졌다. 어찌 보면 초원이 주위 인물들의 보이지 않는 장애가 더 힘든 장애 아닐까? 우리는 어떤 장애를 가지고 살아가고 있을까?.

(3) 엄마 경숙은 초원이 인생 장애를 극복하는데 어떤 역할을 하였으며, 그녀의 이러한 노력에 대해 어떻게 평가하는가?

비록 자기만족을 위한 일이었지만, 경숙은 초원이가 세상과 소통할 길을 제공해주고 이탈하지 않도록 채찍질을 가하는 역할을 하였다. 그녀는 사랑이라는 욕심으로 그에게 마라톤을 시키거나 완주하지 못했다는 이유로 메달을 주지 않는 엄격한 관리자였지만, 사회적 약자인 초원이의 잘못을 수습하며 그가 부당한 대접을 받았을 때, 그를 감싸주는 유일한 방패막이였다. 덧붙이자면 세상에서 받지 못한 정을 모정이라는 이름 아래 무한하게 나눠주는 사람이다. 하지만 자신의 욕심으로 초원이를 제한하거나 마음대로 관리하는 등, 족쇄와 같은 역할을 하기도 한다.

지하철역 구타 사건 이후 초원이 기억하는 경숙의 과오는 죄책감이었지만, 그녀의 노력은 실로 대단하다. 죄책감도 아들에 대한 사랑이 없으면 나오지 않을 감정이다. 그러나 좀 더 성숙한 어머니였다면 자신의 잘못을 반성하고 과연 아들에게 어떤 길이 이로운 길인가 생각했을 것이다. 또한, 자기 판단보다 초원이 진정 원하는 것이 무엇인가에 귀 기울였을 것이다. 그녀는 사랑과 미안함이 충만하지만 냉정한 판단과 사랑을 표현하는 방법이 서툴렀으며, 노력은 대단하지만 그 실천방법이 잘못된 것을 깨닫지 못한 사람이다.

(4) 초원에게 '초코파이'와 '얼룩말'은 각각 무엇을 의미하는가?

영화 초반부에 초코파이는 초원이 가장 좋아하는 음식이며, 어머니의 사랑, 관심, 칭찬을 의미한다. 어머니가 주었던 초코파이를 잃지 않기 위해 초원은 어머니의 의사에 따른다. 그러나 영화 종반부에서 초코파이는 어머니의 의지대로 사랑과 관심, 칭찬을 받기 위한 수단이 아니라 그가 스스로 하고 싶었던 것을 알려주기 위한 수단이다.

한편 얼룩말은 초원의 분신과 같은 존재이자 닮고 싶은 존재이다. 얼룩말이 세렝게티 초원에서 살아남을 유일한 수단은 달리기이다. 비록 맹수들처럼 강하지는 못하지만, 태어나자마자 달릴 수 있는 얼룩말은 달리기를 통해 사자와 치타, 하이에나로부터 자신을 보호한다. 이처럼 초원의 달리기는 장애를 동정과 멸시의 눈으로 바라보는 세상 속에서 당당하게 살아남기 위한 유일한 탈출구였을지 모른다. 게다가 얼룩말과 달리 동정과 멸시 외에도 그를 해칠 수 있는 적이 많았기에 그는 절대적으로 어머니의 도움이 필요했다. 따라서 달리기를 잘해야 자신을 보호해 줄 수 있는 어머니의 관심도 존재할 것이라 느꼈을 것이다.

(5) 엄마 경숙과 마라톤 코치 정욱 사이의 '갈등과 화해'는 각각 어떻게 묘사되는가?

경숙과 정욱은 많은 부분에서 갈등을 일으키는데, 첫 번째 갈등은 정욱이 학교에 봉사활동을 오면서 시작된다. 아들에게 마라톤을 시키고 싶은 경숙과 마라톤을 만만하게 보는 것에 화난 정욱이 충돌한다. 그러나 정욱을 끈질기게 괴롭히며, 결국 수업비까지 내겠다는 말로 경숙의 뜻이 관철된다. 다음은 경숙이 정욱의 훈련 모습을 지켜보면서였다. 의욕이 없는 정욱에게 화내는 경숙. 그녀는 아들이 달리기를 좋아한다고 굳게 믿고 있었다. 아니 스스로 최면을 걸고 있었다. 하지만 정욱의 눈에는 장애아를 가진 어머니의 욕심으로 밖에 보이지 않았고 두 사람은 결국 언성을 높인다. 마지막으로 두 사람이 갈등을 일으키는 것은 경숙이 쓰러지고 난 후이다. 사회봉사를 끝낸 정욱과 수술을 받은 경숙은 또 다시 견해 차이를 보인다. 경숙은 아들이 남과 다른 장애인이며, 자신이 초원의 마음을 알지 못한다는 사실을. 정욱은 어머니만이 아들의 마음을 이해할 수 있다는 사실과 초원이가 남다르지 않다고 생각한다. 견해차는 좀처럼 좁혀지지 않지만, 결국 두 사람은 춘천 마라톤 대회에 말없이 홀로 참가한 초원을 찾아가서, 그의 진심을 깨닫고 계속 마라톤을 하게 도와주며 화해한다.

(6) 초원과 정욱의 관계는 어떻게 발전하는가?

처음에 정욱은 초원을 귀찮아했다. 음주운전으로 사회봉사도 모자라 자폐아를 개인지도 하는 것이 귀찮았던 것이다. 게다가 호의를 보여서 음식을 권하거나 나눠 먹자고 해도, 절대 그러면 안 된다고 배운 초원은 대꾸하지 않는다. 이런 초원을 이해 못하는 코치는 감정의 골이 점점 더 깊어졌다. 하지만 자신도 모르는 사이에 그는 초원에게 관심을 가지기 시작했고, 초원도 그가 자신을 상당히 좋아하고 있다는 사실을 알게 된다. 그리고 둘은 같이 뛰고 함께 놀면서 장애인과 교사가 아니라 초원과 정욱이라는 사람으로 서로를 이해하고 받아들인다. 초원에게 정욱은 단지 코치가 아니라 달리기의 즐거움을 가르쳐 준 위대한 스승이었으며, 그들의 관계는 강압적인 수직적 관계가 아니라 수평적인 친구 관계이며, 집에 잘 들어오지 않는 아버지의 빈자리를 대신하는 관계가 된다.

(7) 초원은 세상과의 소통에 어떻게 성공하는가?

마라톤 풀코스를 완주하면서 그에게 많은 풍경이 스쳐 지나간다. 가장 먼저 보인 곳은 백화점. 그는 자신이 처음 멸시를 받고 웃음거리가 되었던 그곳에서 자신을 비웃고 무시했던 사람들과 하이파이브를 하면서 어머니의 도움 없이 스스로 그들과의 소통에 성공한다. 그리고 엄청나게 두들겨 맞고 정신병자라는 소리와 수군거림을 들어야만 했던 지하철역에서 자신을 때렸던 사람, 자신을 멸시와 무서움의 눈초리로 쳐다봤던 사람들에게 박수를 받고 하이파이브를 하며 다시 소통을 이룬다. 세 번째로 그가 다니던 수영장에 들어가게 된다. 그리고 엄마인 경숙과 함께 다닌 수영장과 자신이 사람들 앞에 나서서 춤을 췄던 야구장에서도 소통을 이룬다. 그리고 마지막으로 세렝게티 초원에서 얼룩말과 함께 달리며, 세상과의 소통의 화룡정점을 찍는다. 결국, 그가 원한 것은 복수를 통한 자리매김이 아닌 동행하는 삶으로서 세상과의 소통이었다.

(8) 영화 속에서 '비'는 어떤 의미인가?

처음에 나왔던 비는 어머니의 고통과 슬픔의 비였다. 벙어리가 아니면서도 말을 않는 아들에 대한 답답함과 걱정의 감정이 뒤섞인 비였다. 하지만 초원은 이 비를 제대로 이해하지 못한다. 두 번째 비는 어머니가 쓰러지고서 슬픔이라는 감정을 느낀 초원이 그대로 병원을 뛰쳐나오면서 맞았던 비이다. 감정 표현이 서툴고 슬픔의 감정을 알지 못하지만, 초원은 비가 주룩주룩 내린다면서 하늘을 쳐다본다. 그리고 그를 따라 나온 동생은 형도 감정을 느끼지만, 다만 다른 사람들처럼 능숙하게 표현하지 못한다는 사실을 알게 된다. 물론 이런 형을 완전히 이해하고 받아들일 수는 없지만, 동생과 초원 사이에 작은 소통이 시작된 것이다. 세 번째 비는 기쁨의 비였다. 코치는 비가 내리면 치타처럼 마음껏 뛰어도 된다고 했고, 초원은 결국 비를 맞으며 마음껏 뛸 수 있었다. 이때 초원은 비가 단지 슬픔을 표현하는 것이 아니라 여러 가지 다른 감각이 있을 수 있다는, 즉 어머니가 가르쳐주고 싶어서 힘들어했던 비의 감각을 알게 된다. 그리고 그는 이 비를 맞으며 자신만의 비의 의미와 이 비를 알아냈다는 기쁨을 느낀다.

(9) 최근에 우리 사회에서도 장애인에 대한 정책적 지원과 사회적 관심이 높아지고 있다. 이에 대한 의견은?

장애인에 대한 정책적 지원과 사회적 관심이 높아지는 바람직한 현상이 지속되고 있지만, 아직 정책적 지원이 미비한 경우도 매우 많다. 대표적인 예로 장애인 소득복지 서비스의 미흡함을 들 수 있다. 현재의 지원으로는 이들의 빈곤을 해결하기에 턱없이 모자란다. 현실적으로 이런 소득복지는 장애등급을 비롯해 각종 자격에 제한을 가하는 요소가 많아서 실질적 삶의 질과 복지 향상을 기대하기 어렵기 때문이다. 이런 거창한 문제뿐만 아니라 장애인을 위해 설치해놓은 시설을 장애인이 이용하기 힘든 경우도 종종 눈에 띈다. 어느 시청에서는 휠체어가 다닐 수 있는 경사로를 만들었으나 가파른 경사로 인해 장애인이 홀로 이용하는 데 큰 어려움이 있다. 장애인들이 이용할 수 있는 관공서(일자리센터, 국민연금관리공단)에 장애인들을 위한 엘리베이터나 화장실이 없는 경우도 있다. 또한, 장애인에 대한 동정과 인식이 높아졌다고 장애인들의 인권이나 생활권의 문제를 같이 해결해주려는 움직임이 활발해진 것이 아니다. 우리는 흔히 정부의 무능력을 비판하지만, 정부가 시민들의 곱지 않은 시선까지도 해결해주기만 바라고 있다. 따라서 체계적이지 못한 정책적 지원과 연민과 동정만 있는 사회적 시선이 팽배한 상황은 장애인들을 돕는 것이 아니라 사회 밖으로 더 내모는 현실이다. 결국, 장애우와 함께 더불어 사는 이상적인 사회가 되려면 현 체제의 미흡한 정책적 제도보완은 물론 개개인의 인식 전환이 요구된다.

5) 스포츠의 이해 : 패럴림픽

(1) 개요

장애인올림픽(패럴림픽, Paralympics)은 올림픽이 열리는 해에 개최국에서 경기를 갖는 신체장애인들의 국제경기대회로 하계·동계 올림픽 종료 후 2주일 안에 열흘 동안 개최된다.

(2) 어원

장애인올림픽, 즉 패럴림픽이란 말은 하반신 마비를 뜻하는 Paraplegia의 접두어 Para와 Olympics의 어미 Lympics를 조합한 합성어로 지난 64년 동경 장애인 대회 당시 주최 측의 해석으로 사용하기 시작했다. 그 후 올림픽과 함께 장애인올림픽대회가 거듭 개최되면서 참가선수 폭이 넓어져, 척수장애 이외에도 시각장애, 뇌성마비, 절단 및 기타 전반적인 장애인을 포괄하자, 세계장애인 스포츠 기구 국제조정위원회(International Coordinating Committee of World Sports Organisations for the Disabled : ICC)에서 공식 해석을 내려 Para를 '부수적인(attached to)'의 뜻으로 정의했다. 이에 따라 패럴림픽이란 말은 모든 장애인을 대상으로 올림픽 대회와 함께 치러지는 장애인올림픽이라는 일반적인 의미를 갖게 되었다.

(3) 기본 이념

장애인올림픽의 기본 이념은 스포츠를 통한 국가 간의 우정과 이해 증진을 바탕으로 인류의 평화에 이바지하려는 올림픽 정신과 이념을 기초로 장애인의 복지수요를 충족시킬 수 있는 내용을 조화시킨 것이다. 즉 올림픽이 인종, 국가, 정치, 문화 및 이념을 초월한 인간의 건강증진과 스포츠를 통한 인류 화합, 나아가 인간의 무한한 잠재력을 신장시키기 위한 범세계적인 축제로서 세계 젊은이들의 힘과 기록의 제전이라면, 장애인올림픽은 인간의 평등을 확인하는 대회이며, 인간능력의 한계를 뛰어넘는 감격의 대축제이다.

(4) 패럴림픽 종목

패럴림픽 종목은 총 21가지로 양궁, 육상, 보치아, 사이클, 승마, 5인제 축구, 7인제 축구, 골볼, 유도, 역도, 조정, 요트, 사격, 수영, 탁구, 배구, 휠체어농구, 휠체어펜싱, 휠체어럭비, 휠체어테니스 등이다. 일부 종목은 신체적인 이유로 특정 장애영역의 선수들의 경기만 펼쳐진다. 예를 들면 수영이나 육상의 경우에는 모든 장애영역의 선수들이 참가할 수 있으나, 유도나 골볼(Goalball) 같은 경기는 시각장애 선수들만 참가할 수 있다.

(5) 장애인 생활 체육 프로그램의 종류

① 보치아

뇌성마비 중증장애인들을 위한 경기로 전신 집중력을 요하는 경기이다. 표적 공(흰색 공)을 전진시킨 후 6개의 공을 던져 가장 가까운 공에 점수를 부여하며, 1엔드에 최대 6점까지 득점할 수 있다. 보치아에 대한 부수적인 설명으로는 보치아는 뇌성마비 스포츠협회에서 처음으로 도입했다고 한다. 원래 고대 그리스의 공 던지기에서 유래된 이 운동은 고대 이태리에서 성행하면서 론볼링, 나인볼 등으로 발전했다. 국내에서는 보치아가 1987년 처음으로 보급되어 1987년 제7회 전국장애인체육대회에서 처음으로 시행되었다. 2001년 기준으로 전국 44개, 단체 200여 명의 선수들이 등록되어 있고, 생활체육인을 포함한 규모는 전국 60개, 단체 특수학교에 1,000여 명의 동호인이 있다.

② 수상스키

장애인을 대상으로 개발된 익스펜드 스키와 상체의 균형을 유지할 수 있는 척수장애인이나 절단장애인, 뇌성마비 등도 탈 수 있는 니보드, 에어체어 등이 있다. 척수장애인에게 수상스키는 팔, 허리 등을 많이 사용해서 전신운동이 되고 균형감각을 길러주며, 물살을 가르며 달릴 때 몸에 부딪히는 물보라가 마사지 효과를 주기 때문에 건강관리에도 도움이 된다.

③ 아이스슬레이지 하키

아이스하키를 장애인들이 즐길 수 있도록 변형한 경기로 일반 아이스하키처럼 각 팀은 골키퍼 이외에 5명의 선수가 경기에 참가하며, 스피드와 함께 경기 중 과격한 충돌이 허용되는 다이내믹한 경기이다. 이름부터 생소한 아이스슬레이지 하키는 1961년 스웨덴에서 아이스하키를 변형시켜 처음 시행되었다고 한다. 이것은 썰매하키란 다른 이름으로도 불리며 일반 아이스하키의 장비와 규칙을 그대로 적용한다.

④ 골볼

골볼은 경기 특성상 경기장의 모든 표시는 손으로 만져서 알 수 있도록 돌출해 있고 볼 속에는 방울이 들어있어 청각 신호를 발산해야 한다. 경기시작 전에 선수는 관절보호를 위해 보호대를 착용하고 시각을 완전히 차단하기 위해 경기가 끝날 때까지 모든 선수들은 눈가리개를 사용해야 한다.

[참고문헌]

1. '장애인 올림픽 대회', 네이버 지식백과(한민족문화대백과)
   http://terms.naver.com/entry.nhn?docId=538446&cid=46667&category
   Id=46667
2. '패럴림픽', 위키백과
   http://ko.wikipedia.org/wiki/위키백과

2. 포레스트 검프
– 인생은 초콜릿 상자와 같다

1) 줄거리 요약

이 영화는 주인공 '포레스트 검프'가 장애인으로서 겪는 사회적 편견과 한계를 극복하며, 순수한 영혼을 간직한 채 일생을 살아가는 과정을 풍자적이며 감동적으로 그려낸 작품이다. 아이큐 75인 포레스트 검프의 이야기는 살랑거리는 깃털이 여러 사람을 스쳐 결국 포레스트의 발밑으로 떨어진 다음 시작된다. 제목 그대로 포레스트 검프의 인생을 다루고 있는 이 영화는 우리에게 인생이란 무엇일까, 어떻게 살아가야 할까라는 가장 근본적이고 철학적인 질문에 간접적으로 답을 준다. 순수한 시각으로 주어진 상황을 충실하게 살아가는 포레스트의 모습은, 각박한 현실을 살아가는 현대인들에게 세상을 다른 시각으로 볼 수 있게 해주며 궁극적으로 '사랑'이란 의미를 되찾게 한다.

2) 영화 속 이야기

하얀 깃털이 공중을 날아다니다 포레스트 검프의 발치에 떨어지고, 같이 버스를 기다리던 여성과 포레스트가 인사를 나누며 이야기는 시작된다. 그는 지체장애였으며 홀어머니 밑에서 자랐고, 어렸을 땐 다리가 약해 보조기구의 도움 없이는 걷지 못할 정도였다. 그러나 그의 어머니는 "넌 남들과 다르지 않아."라고 말하며 그를 교육시켰고, IQ가 낮아 학교 입학을 거부당해도 포기하지 않고 입학시킬 만큼 열성적이다. 첫 등교일, 스쿨버스에 있는 학생들은 하나같이 동석하기를 거부하지만, 한 여학생만 동석을 허락한다. 그녀는 '제니'였다. 이를 계기로 둘은 절친한 친구가 된다. 얼핏 제니가 포레스트를 지지해주는 보모처럼 보이지만, 실상 둘은 서로 의지한다. 일찍 어머니를 여의고, 폭행과 추행을 일삼는 아버지를 가진 그녀가 집에 들어가는 것을 싫어했기 때문이다. 그러던 어느 날, 첫 기적이 찾아온다. 남자애들이 그를 괴롭히며 돌을 던지는 데, 제니는 소리치며 도망가라고 했고 포레스트는 부실한 다리지만 열심히 뛴다. 자전거를 타는 그들에게 잡힐 수 있는 상황에서 그는 보조기구 없이 뛰게 된다. 다리의 장애를 극복한 포레스트는 마음껏 뛰어다니고, 제니도 아버지에게 벗어나 양부모와 살면서 둘은 더 가까워져 평온한 나날을 보낸다.

🏃 어린 시절 친구들의 놀림을 피해 달리는 포레스트, 도중에 떨어지는 발 보조장치

두 번째 기적은 포레스트가 고등학생일 때 찾아온다. 심술궂은 남학생들이 이번에는 차로 그를 쫓아오는데, 그는 다시 무작정 뛰고 우연히 풋볼 경기장으로 난입한다. 이를 본 감독은 그의 재능을 눈치 채고, 대학에 미식축구선수로 특별입학시킨다. 그러나 제니는 여자 대학교에 진학해서 두 사람은 예전처럼 만나지 못한다. 포레스트는 대학에서 미

국대표팀에 선발되어 케네디 대통령까지 만나기도 한다. 졸업 후 그는 군에 입대한다. 입대 버스에서 어릴 적과 마찬가지로 동석을 거부당하다가 제니 같은 친구를 만난다. 평생을 새우잡이만 했다는 '벤자민', 애칭은 버바이다. 포레스트는 사회와는 달리 군대에서 인정받는다. 반면에 제니는 학교 스웨터를 입고 잡지에 누드사진을 게재한 사실이 발각되어 제적당하고 밤무대에 선다. 휴가를 나와 그녀를 보러 갔다가 그녀를 추행하는 남자들을 혼내주는 포레스트. 자신의 삶에 환멸을 느낀 제니는 자살을 생각하지만, 이내 포기하고 그곳을 떠난다.

월남전에 참전한 포레스트는 이 사실을 제니에게 말한다. 그녀는 문제가 생기면 용감한 척하지 말고 무조건 뛰라고 말한다. 포레스트는 '댄' 중위가 지휘하는 부대에 배속되어 작전을 수행하고, 버바와 미래에 대한 꿈을 키운다. 가업이 새우잡이였던 버바는 전쟁이 끝나면 큰 어선을 사서 동업하자고 제의하고, 포레스트는 이를 승낙한다. 한편 포레스트는 제니에게 편지를 계속 썼지만 답장은 오지 않는다. 제니가 히피족과 함께 계속 여행을 다녔기 때문이다. 베트남 생활은 큰 전투 없이 지나가는 듯했다. 그러나 이는 적군의 출현과 화력 부족으로 산산이 깨진다. 부대는 적군을 피해 퇴각하나 포레스트는 워낙 빨랐기에 부대와 떨어진다. 혼자 달렸다는 사실을 깨달은 그는 다시 전투지로 돌아와 부상병들을 안전지대로 피난시킨다. 그러나 가장 구하고 싶었던 친구 버바는 자신의 품 안에서 죽음을 맞이한다. 뿐만 아니라 장렬히 전사하길 원했던 댄 중위는 포레스트를 원망한다.

그는 가벼운 총상으로 야전병원에 입원하고 다리를 절단한 댄 중위와 재회한다. 반가워하는 포레스트와 달리 댄 중위는 포레스트 때문에 비참한 꼴이 되었고, 그가 자신의 운명을 바꿔놨다고 원망한다. 이내 회복한 포레스트는 소일거리로 탁구를 시작했고 재향군인으로 퇴역

🦐 베트남 전쟁에서 친구인 버바를 구출한 후 이동하는 포레스트

한다. 그리고 명예훈장을 받으러 간 워싱턴에서 전쟁 반대집회에 참가한 제니와 재회한다. 둘은 서로 반가워했지만, 너무나 다른 길을 걷고 있었다. 결국, 제니는 다시 떠나고 포레스트는 부상군인을 위해 전국을 순회하며 탁구를 한다. 이후 그는 세계대회에 출전하여 우승하고 국가적 영웅이 된다. 성공가도를 달리던 포레스트는 폐인이 된 댄을 우연히 만난다. 그는 댄 중위와 새해를 맞으며 버바와 약속했던 새우 사업에 관해 말한다. 그러나 댄은 비웃으며 만약 그가 선장이 되면 자신이 일등항해사를 하겠다고 약속한다. 이후 포레스트는 버바의 고향을 찾아가 그의 무덤 앞에서 사업계획을 보고하고 배를 산다. 그리고 배의 이름을 제니호로 짓는다. 승승장구하는 포레스트와 달리 제니는 약물중독으로 타락한 인생을 살다가 자살을 결심한다. 그러나 두려움을 이기지 못한 그녀는 또다시 자살을 포기한다.

새우잡이를 하던 포레스트에게 댄이 찾아온다. 배를 샀다는 소식에 약속을 지키기 위해 왔던 것이다. 그러나 요령이 없던 그들은 허탕만 친다. 어느 날 허리케인의 여파로 제니호를 제외한 주위의 배들은 모두 난파되어 경쟁자가 없어지자 수확량은 천문학적으로 늘었고 버바-검프 새우는 흥행한다. 성공리에 확장된 사업은 12대의 제니 호와 큰 창고까지 갖춘 대기업이 된다. 이는 댄 중위에게도 영향을 미쳤는데, 그는 포레스트에게 목숨을 구해줘서 고맙다는 말로 심적 변화를 보여준다. 그러나 인생 새옹지마라서 즐거운 한때를 보내던 포레스트에게 어머니가 위급하다는 연락이 와서 그는 곧장 달려가지만, 어머니는 이미 회복 불능의 상태이다. 어머니는 아들에게 세상을 쉽게 설명해주고서 눈을 감는다. 사회에 봉사하기로 한 그는 고향에 정착한다. 댄 중위는 회사자금을 관리하며 애플사에 투자하여 더 큰 이익을 창출한다. 이에 포레스트는 재산을 기부하는 등의 선행을 하며 죽은 버바의 몫은 유가족에게 전한다.

그러던 중 제니가 돌아온다. 둘은 옛날 제니의 집에 찾아가기도 하고, 운동화를 선물하고, 춤을 가르쳐주면서 어린 시절처럼 즐거운 나날을 보낸다. 그러나 그의 프러포즈에 제니는 하룻밤이 지난 후 세 번째로 그를 떠난다. 포레스트는 상심했고, 결국 마음이 내키는 대로 무작정 달리기 시작한다. 엄마, 버바, 댄 중위, 그리고 제니를 생각하며 미국을 횡단하였고 이런 기행이 뉴스에 보도되면서 사람들의 이목이 집중된다. 사람들은 그가 달리는데 어떤 이유를 붙이려 하지만, 그는 그냥 뛰고 싶을 뿐이라는 말한다. 또한, 그는 사람들에게 희망이나 영감을 주기도 한다. 3년 동안 계속 뛰던 어느 날, 그는 추종자들을 내버려 둔 채 갑자기 집으로 돌아와 조용한 생활을 보낸다. 그리고 제니로부터 한 통의 편지를 받는다.

🎬 달리기를 중단한 후 생각에 잠긴 포레스트

　　이에 포레스트는 그녀를 만나러 사바나의 버스정류장으로 간다.
제니는 어두웠던 과거를 청산하고 홀로 아들을 키우면서 건전한 삶을
살고 있다. 거기서 포레스트는 자기 아들을 만나게 된다. 자신과는 달
리 똑똑한 아들. 그러나 제니가 살날이 얼마 남지 않은 것도 알게 된다.
이에 포레스트는 그녀에게 고향으로 돌아가자 하고, 비로소 둘은 결혼
식을 올린다. 그리고 잠깐이지만 그들이 꿈꾸던 행복한 시간을 갖는다.
그러나 정해진 운명처럼 제니는 어느 날 아침 조용히 천국으로 갔고,
포레스트는 아들과 둘이 생활한다. 아들이 그가 다니던 학교에 갈 때,
신발에 붙어있던 깃털은 다시 공중으로 떠오르며 영화는 막을 내린다.

3) 해석적 이해

우선 인물 해석으로 포레스트는 비(非)정상인이 아닌 비범한 사람이다. 장애를 극복하고 성공적인 삶을 살았기 때문만은 아니다. 자신의 능력을 잘 발휘했을 뿐만 아니라 장애인이라고 무시하던 세상과 스포츠로 소통하였으며, 정상인들도 힘든 노력과 성공을 이루었기 때문이다. 어쩌면 이는 존경받을 만한 그의 어머니가 존재했기에 가능했을지도 모른다. 그녀는 아들의 장애를 부끄러워하지도, 스포츠를 강요하지도 않았다. 우리가 만일 장애를 가진 어머니의 입장이라면 어떻게 행동했을까? 물론 답은 다를 수 있다. 그러나 그녀처럼 당당하게 행동해야 한다는 사실은 누구나 공감할 것이다. 남과 다르거나, 남들보다 뒤떨어지는 것이 결코 부끄러운 사실이나 죄가 아님에도 실제로 대부분 그렇게 하지 못하고 있다. 이처럼 이 영화에서는 스스로 자신의 장애가 무엇인지 생각할 기회를 제공한다. 세상에는 신체적·정신적인 장애뿐 아니라 장애처럼 보이지 않는 장애도 많다. 만약 자신이 정상인의 범주에 속하지만 제니처럼 삶을 낭비하고 있다면, 〈포레스트 검프〉를 보면서 자신의 장애를 포기하지 않고 극복하겠다는 의지를 불태우는 계기가 될 수 있을 것이다.

이외에도 이 영화에는 스포츠를 통해 장애인과 비장애인의 구분을 뛰어넘고, 똑같은 인간임을 증명해 주는 순기능적 요소가 잘 드러나 있다. 따라서 포레스트의 경우를 실제 우리 사회에 적용시켜 스포츠가 장애인들과 비장애인의 화합에 큰 도움을 줄 것을 기대해 볼 수 있다. 스포츠 활동은 기분전환이 되며, 외향적인 성격으로 바꾸는 데 도움이 된다. 몸이 불편하다고 움직이지 않는다면 신체만이 아닌 정신적인 병으로 악화될 수 있다. 이렇듯 스포츠 활동은 신체 기능적인 면에서 도움이 되고 사회적 고립을 방지하는 데 도움이 된다. 이런 의미에서 장애인들도 비장애인과 마찬가지로 스포츠 활동을 하며 즐길 수 있다는 점을, 우리 사회에 널리 이해시킬 필요가 있다.

하지만 아카데미상을 휩쓴 로버트 저메키스 감독의 1994년 작 〈포레스트 검프〉는 진보주의적 영화평론가들 사이에서는 미국 남부 보수적 중산층 이데올로기를 전파하는 '정치영화'로 해석되기도 한다. 순수하고 원망하지 않는 포레스트, 즉 바보가 역경을 딛고 인간승리를 이룩한 '휴머니즘 영화'로 위장했을 뿐이라고도 보는 것이다. 결론적으로 감독은 포레스트라는 인물을 통해서 소극적으로 사회를 비판하고 있다. 히피족의 소극적이고 자학적인 저항활동처럼, 그도 바보라는 인물을 설정하여 순수한 시각으로 미국사회를 꼬집고 있다. 전쟁에 대한 포레스트의 '똥 같다.'라는 표현은 전쟁이 불필요하고 쓸모없는 존재라는 사실을 말하고 있다. 하지만 이는 주관이 확실치 않은 관찰자의 입장이기 때문에 이 영화를 사회비판적이라고만 볼 수는 없다.

예컨대 절제되고 억제된 숨은 메시지를 해독하기란 쉬운 일이 아니기에 단순히 재미를 추구하는 원작소설의 독자 및 영화 관객들에게는 함축된 의미가 보이지 않을 것이다. 따라서 작품을 더 깊게 이해하기 위해서는 그 당시 배경과 사회부조리에 대한 지식을 갖고 있으면 좋다. 베트남 전쟁, 반전운동, 히피문화, 인종차별적 백인문화를 두루 인지하고 있어야 할 것이다. 물론 주인공에게 감정이입을 해서 그의 긍정적인 삶의 태도를 본받고 순정파 사랑이야기에 감동하는 것도 좋은 영화감상이라고 생각한다. 인간으로서 세상을 살아가는 방법을 바보 포레스트가 제시해주기 때문이다.

4) 심층적 탐구

(1) 포레스트 검프는 '장애(핸디캡)'를 어떻게 극복해 나가는가?

그는 달리기와 여러 가지 운동(럭비, 탁구), 순수하고도 곧은 마음, 주변인의 도움으로 장애를 극복해 나간다. 어릴 적에는 어머니의 도움으로 일반인들이 다니는 학교에 다녔으며, 제니와 어울리면서 주변 아이들의 괴롭힘을 조금이나마 극복한다. 아이들의 괴롭힘을 피하려고 시작한 달리기에서 다리 장애를 극복하고 재능을 발견한다. 그는 사회의 편견 속에서도 특기를 살려 대학과정을 마친다. 졸업 후에는 군에 입대하여 조직에서 생활하는 법을 배웠고, 월남전에 파병되어 동료를 구출해 전쟁 영웅이 되기도 한다. 탁구에도 재능을 보여서 당시 사회의 분위기를 타고 핑퐁 외교의 일원으로 참가한다.

전역하고는 두 다리를 잃은 상의 군인인 댄 중위와 새우잡이 사업을 시작했고 갖은 역경 끝에 크게 성공한다. 뿐만 아니라 제니와 헤어지고 무작정 시작한 달리기를 통해서 유명해졌으며, 결국에는 제니와 재회할 기회를 만든다. 얼핏 보면 타고난 재능과 행운만이 그의 핸디캡 극복의 전부처럼 보인다. 그러나 성공의 이면에는 자신의 장애와 타인의 시선에 포기하거나 괴로워 않고, 다만 남들과 조금 다르다고 생각하는 강한 마음과 순수하고 진실한 마음가짐이 그에게 있었다. 즉 그의 지속적 성공가도는 주위의 조력과 자신의 도전정신에서 비롯된 것이다. 그는 자기가 잘할 수 있고 즐거워할 수 있는 일을 찾아내서 성실히 노력했고, 기회를 놓치지 않았다. 결국, 성공과 장애 극복은 자기 몫이었던 셈이다.

(2) 주인공의 삶에 가장 영향을 많이 미친 인물들은 누구이며, 그들은 어떤 역할을 했는가?

주인공의 삶에 가장 영향을 많이 미친 인물은 엄마와 제니 그리고 버바와 댄 중위라고 할 수 있다. 그의 어머니는 아들을 장애인이라는 틀에 묶지 않고 사회의 구성원으로 살아갈 수 있는 용기를 준다. 그녀는 아들이 무슨 일을 하든 잘하고 오라며 말없이 아들을 기다린다. 이는 타인의 도움 없이도 일반인처럼 스스로 어떤 일도 해낼 수 있다는 강한 믿음이 있었기 때문이다. 남들과 다르다고 가둬두지 않고 남들과 똑같은 사람으로 키우려 했던 그녀의 교육 철학이 포레스트를 훌륭하게 성장시킨 것이다. 이는 포레스트가 주눅 들지 않게 해주었으며, 자신이 나아가야 할 길에만 집중할 수 있었던 원동력이라고 할 수 있다. 두 번째로 포레스트가 사랑하는 여자, 제니이다. 그녀는 포레스트의 곁에서 그도 몰랐던 소질을 발견해 승승장구할 수 있게 격려했으며, 사랑의 의미와 가정을 주는 인물이기도 하다.

한편 절친한 친구 버바는 우정과 약속을 알게 해주는 인물이다. 그는 제대 후 포레스트가 인생 행보를 결정하는데 큰 역할을 하는데, 그와의 약속을 지키기 위하여 포레스트는 새우 사업을 시작해 크게 성공하기 때문이다. 마지막으로 댄 중위가 있다. 처음에는 자신을 왜 살렸냐고 원망도 하고 폐인의 모습을 보여주기도 한다. 이때 그는 일반인도 장애 앞에서 약한 모습을 보인다는 것과 진정한 장애는 지적·신체적 장애가 아닌 마음의 장애라는 것을 단적으로 보여준다. 그러나 그는 새우잡이 배에 일등항해사로 온 뒤, 어떠한 절망 속에도 굳은 의지와 희망이 있으면 다시 일어설 수 있음을 보여준다. 더불어 나중에 포레스트의 재산을 관리해주며 더 늘려준다. 이처럼 포레스트의 어머니, 제니,

버바 그리고 댄 중위는 그의 인생의 동반자였으며, 서로 많은 영향을 주고받는 소중한 인연이다.

(3) 주인공과 여자 친구 제니의 삶은 어떻게 다른가?

두 사람은 각각 편모와 편부 밑에서 자랐다는 공통점이 있지만, 인생의 결과는 정반대이다. 포레스트는 본인의 장애를 장애라 생각하지 않았기에 억지로 극복하려거나 자신의 상황에 좌절하는 것이 아니라 자신에게 주어진 상황을 인정하고 스스로 할 수 있는 일, 그리고 잘하는 일을 했다. 또한, 언제나 성실한 시간을 보냈기에 행운이 따랐다. 덕분에 좋은 조력자가 곁에 많았으며 그는 운동선수로도, 사업가로도 성공하고 유명인사를 만나기도 했다. 그러나 제니는 어렸을 때부터 아버지와 자신이 처해있는 환경을 혐오하고 그 신세에 낙담하며, 어떻게든 벗어나고만 싶어 했다. 가수지망생이던 그녀는 대학에서 퇴학당한 후, 유흥업소에서 노래하거나 히피문화에 빠지기도 하고, 극단적 운동세력에 동참하여 미국체제에 반대하는 삶을 살다 보니 포레스트의 인생과 반대로 간다. 그리고 약물중독으로 타락한 생활에 젖다 보니 자살을 시도하는 상황에까지 이른다.

그러나 제니는 힘든 일이 있을 때마다 도망치고, 당장 그 순간을 모면할 도피처만 계속 찾는다. 결국, 그녀는 포레스트와는 다르게 스스로 자신을 돌보지 않고 힘든 길로 계속 몰아붙인 셈이다. 물론 마지막에는 행복하게 생을 마감하지만 대부분의 인생은 고난과 시련의 연속이었다. 그녀의 삶을 심층적으로 그려보면 '음지문화'라고 볼 수 있다. 즉 기존 질서의 기저에 깔려 있는 가치와 방식을 무조건 거부하고 자유라는 이름으로 삐딱한 삶을 살았던 것이다. 다시 말해 문란한 성문화, 히피문화, 약물투여 등으로 점철된 제니의 삶은 포레스트와 달리, 그야말로 '음지'로서의 삶이었다. 한편 원작소설과 영화를 비교해볼 수도 있겠다. 우선 제니의 공통점은 자유분방하며 자신이 원하는 것을 구속받지 않고 행동하는 인물이라는 점, 차이점은 소설에서는 불우한 환경에서 자라지 않았으며 에이즈로 죽지도 않는다는 점이다. 영화 속 제니는 포레스트의 친구이자 연인으로서 사회로부터 꿈을 향한 날개를 꺾여 방황하는 인물이지만 원작에서 제니는 방탕한 창녀가 아니며, 소극적이지만 사회문제에 대항하는 젊은 세대이다. 이처럼 에이즈에 걸려 죽게 되는 설정은 기득권 세대가 은연중에 드러낸 히피족에 대한 탄압으로 볼 수 있다. 히피족에 대해서는 다양한 시각이 존재하며 아직도 그들을 방탕한 사람들로 보는 인식이 많다. 그들은 인간성을 압살하는 물질문명이나 국가·사회제도로부터 개인자유의 해방을 위해 징병 기피·반전·인종주의 반대를 내세운 캠페인을 벌이기도 했으며, 기관지도 발행하는 등 다양한 운동을 벌였다. 이를 어떤 시각으로 바라볼지는 우리의 몫이다.

(4) 주인공은 여자 친구 제니와 헤어진 다음 달리기를 시작한다. 주인공에게 '달리기'는 무슨 의미인가?

사실 포레스트는 제니와 헤어지고 처음 달리기를 시작할 때, 이유를 찾을 수 없었다. 그러나 3년 2개월 14일 16시간을 뛰고 나서야 그는 자신이 뛰었던 이유를 깨닫는다. 어머니의 말씀대로 과거를 뒤로 보내기 위해 전진했던 것이다. 과거의 아픔에 머물러 있지 않고 이를 이겨내기 위해서 말이다. 그의 첫 달리기는 아이들의 괴롭힘을 피하기 위한 행동이었다. 바로 공포에서 피하기 위한 행동이었다. 그리고 월남전에서의 달리기는 상사의 명령을 수행하고 제니와의 약속을 지키기 위한 달리기였다. 그에게 제니와의 갑작스러운 이별은 어릴 적 겪었던 폭력과 마찬가지로 굉장히 두렵고 힘든 일이었다. 그러나 그는 이런 감정을 끌어안고 내부로 숨거나 폭력, 마약, 도박 등의 불건전한 방법으로 발산한 것이 아니라, 달리기라는 긍정적인 스포츠로 마음을 발산하고 스스로 위로하고 희망을 되찾는다. 요컨대 자신에게 주어진 공포와 시련을 달리기를 통해 승화시킨 것이다. 결국, 그에게 달리기란 단순히 육체를 단련하는 운동이 아닌 자신의 고난과 역경을 극복하기 위한 노력이자 자신을 찾아가는 과정이다.

(5) 주인공이 진정으로 추구하는 '인생의 궁극적인 목표'는 무엇인가?

그는 지적장애인이자 신체적 장애를 가지고 태어났다. 하지만 그는 바보가 아닌 자신의 철학으로 살았으며, 정상인보다 더 값지고 보람있게 살았다. 그리고 '하면 된다.'라는 말을 여실히 보여주었다. 비록 지능이 낮고 몸까지 불편했지만, 그는 자신에게 주어진 운명을 겸허히 받아들이되 스스로 삶을 개척하며 살았다. 영화에 나오는 깃털처럼 인생이란 어디로 흐를지 어떻게 갈지 모른다. 무엇보다 중요한 것은 주어진 인생을 어떻게 살 것인가이다. 물론 유년시절의 그에게는 삶의 목표가 없었다. 그러나 주어진 상황에서 성실히 살았고, 그러다 보니 행운이 따르고 성공에 이르게 되었다. 표면적으로 포레스트에게 인생의 목표나 꿈, 희망은 없는 것처럼 볼 수 있다. 그러나 버바와의 약속, 댄 중위와의 관계, 제니와의 사랑 등을 통해 그가 진정으로 원하는 것이 무엇인지 추측해볼 수 있다. 이를 통해 포레스트가 추구하는 인생의 궁극적인 목표는 현재에 충실하며, 주위를 사랑하고 운명을 개척하는 것이다.

(6) 마지막 장면에서 '깃털'이 날아가는 의미는 무엇인가?

깃털은 여러 가지 의미로 해석할 수 있다. 먼저 영화의 처음과 마지막에만 등장하면서 시작과 끝을 알리는 장치라고 할 수 있다. 첫 장면에 깃털은 하늘에서 내려와 포레스트의 발에 떨어지며, 그는 깃털을 집어 책에 끼워 넣는다. 이는 영화가 포레스트에 대한 이야기임을 알려준다. 영화가 끝나고 그에게서 깃털이 떠나는 장면은 이야기가 끝났음을 알려준다.

깃털이 갖는 또 다른 의미는 '새'이다. 새는 가고 싶은 곳은 어디든지 날아갈 수 있음을 의미한다. 이것은 어린 시절 상처를 입은 제니가 현실사회에 적응하지 못해 방황하는 모습을 대변하기도 하며, 포레스트가 베트남에 가기 전 만났을 때 제니가 다리에 올라서서 "내가 다리에서 뛰어내리면 날 수 있을까?(If I jumped off the bridge, could I fly?)"라고 말하는 부분에서 유추할 수 있다.

깃털은 '천사'의 이미지로도 볼 수 있다. 이는 천사의 날개가 깃털로 이루어져 있다는 것과 첫 장면에서 깃털이 하늘에서 천천히 내려오는 모습에서 알 수 있다. 천사의 이미지는 포레스트를 보호하고 도와주는 수호천사의 역할을 하기도 하며, 포레스트의 행동을 통해 혼란스러운 당시 미국사회의 모순을 치유해 주는 구원자를 상징한다고 볼 수 있다.

마지막으로 '우연'을 상징하기도 한다. 깃털은 아주 가벼워 미풍에도 날아가는 속성이 있는데, 이것은 바람에 날려 어디든 날아갈 수 있음을 보여준다. 영화 첫 장면에 깃털은 한 사람의 어깨에 잠시 떨어졌다가 차의 앞 유리를 지나 포레스트의 발에 떨어진다. 이것은 깃털이 바람을 따라 어디로 갈지 모르는 인생의 우연을 상징하며, 영화의 또 다른 상징물인 초콜릿 상자와도 유사한 의미를 담고 있다.

5) 스포츠의 이해 : 장애인

(1) 장애인의 개요

장애인의 사전적 정의는 신체장애와 정신장애를 비롯해 여러 이유로 일상적인 활동에 제약을 받는 장애를 가진 사람들을 말한다. 일반적으로 장애인은 태어났을 때부터 장애를 가지고 있는 선천적 장애인과 사고 등으로 나중에 장애를 갖게 된 후천적 장애인으로 나눌 수 있다. 또한, 신체적 장애인과 정신적 장애인으로 구분할 수 있는데, 신체적 장애인은 다시 외부 신체기능 장애와 내부 신체기능 장애로 나눌 수 있다. 외부 신체기능 장애는 시각장애, 청각장애, 언어장애, 지체장애(소아마비, 신체절단 등으로 몸이 불편할 뿐 지적능력은 정상인 장애인), 뇌병변장애(뇌성마비), 안면장애(화상, 사고, 유전적 이유 등으로 얼굴을 정상으로 되돌리기 힘든 장애)가 있으며 내부 신체기능 장애로는 신장장애, 심장장애, 간장애, 호흡장애, 간질장애 등이 있다. 정신적 장애로는 지적장애인(IQ 70 이하이며 지적능력이 신체적 발전에 비해 더딘 상태), 정신장애(강박장애, 틱장애, 불안장애 등으로 인해 일상에 큰 지장이 있는 장애인), 자폐성장애가 여기에 속한다.

(2) 장애인의 명칭

장애인·장애우·장애자 등의 표현을 일반적으로 같은 뜻으로 받아들이고 있지만, 사람들마다 쓰는 용어가 다르다. 특히 한때 장애우 권익문제연구소를 중심으로 장애우(障碍友)라는 용어를 쓰자는 제안이 많이 제기되었으나, 장애우라는 용어는 1인칭으로 쓸 수 없다는 문제가 제기되었으며, 단어 자체의 뜻이 장애인에 대한 시각을 제한한다는 주장이 있었다. 한국장애인단체 총연합회는 장애인들이 장애우라는 용어를 장애인이라는 용어보다 싫어한다고 지적하였다. 한편 영어권에서는 전통적으로 '디세이블드(Disabled)'라는 용어를 사용해 왔다. 예전에는 핸디캡드(Handicapped)가 더욱 정치적으로 올바른 용어라는 주장이 있었으나, 장애우와 비슷한 이유로 쓰이지 않게 되었다. 영어권의 장애인들은 핸디캡드라는 용어를 모욕으로 느끼기도 한다. 그들은 다리에 장애가 있는 경우 휠체어를 타면 보정할 수 있기 때문에 핸디캡이 있지 않다고 생각한다. 또 다른 용어로는 Disability, Disabled, Challenged가 있다. 이 표현을 수식할 사람이 앞에 붙이는 것이 적절한 표현으로 생각된다.

(3) 장애인의 현실

장애인들은 사회적 약자로 보호받아야 하지만 현실은 그렇지 못하다. 일반적으로 장애인들은 교육기관의 차별대우로 인해 저학력과 불안정고용이라는 문제점을 가지고 있다. 이는 가난의 대물림의 원인이 된다. 편의시설과 시민들의 인식 부족 및 선입견도 문제다. 마지막으로는 영화 〈말아톤〉에서 표현했듯이 장애인이 있는 가족의 문제와 함께 장애인이 결혼한 후에 자녀에 대한 걱정의 문제이다. 장애인이 있는 가족은 생계가 불안정할 뿐만 아니라 장애의 대물림과 자식의 청소년기의 갈등문제가 고민이라고 한다. 특히 현대사회에 들어와서 금전이 가장 심각한 문제로 대두되었다. 장애우 권익문제 연구소라는 사이트에 들어가서 자주 하는 질문을 보면 대부분의 장애인들이 금전적인 면에서 어려움을 겪고 있음을 알 수 있다. 약 40개의 정리된 질문 중에서 13개(생존권과 노동권, 학비 지원까지), 즉 25%가 조금 넘는 수의 질문이 금전에 관한 질문이었다. 다음으로 많이 나오는 질문은 교육권인데, 장애인들이라는 이유로 등교를 거부할 때 어떻게 대처해야 하는지, 그리고 특수학교가 집 근처에 없는 어려움을 토로하는 것이 주된 내용이었다. 또 여성 인권이나 소비자 인권을 무시당하는 경우와 일부 시설에 들어가거나 이용하기 어렵다는 접근성에 관한 질문도 있었다. 이들의 질문 대부분은 오래 전부터 사회적으로 큰 이슈이며 정부에서 여러 가지 해결책을 제시하고 시행하지만, 아직 뚜렷한 성과가 없으며 여전히 장애인들을 힘들고 불편하게 하고 있다. 이는 정부의 힘만으로는 해결될 것이 아니라 시민들의 지속적인 관심과 행동력을 필요로 한다.

(4) 정신 지체의 개요 및 특성

정신 지체란 지능발달장애로 인해 학습이 불가능하거나 제한을 받고, 적응행동의 장애로 관습의 습득과 학습에 장애가 있는 상태를 말한다. 발생빈도는 전 인구의 약 2~3%로 추정된다. 정신지체는 IQ에 따라서 경증(IQ 55-75 정도), 중등도(IQ 35-55 정도), 중증(IQ 25-35 정도), Profound(IQ 20-25 이하)로 나누며, 10개의 적응영역(의사소통, 자기관리, 가정생활, 사회성기술, 지역사회 활용, 자기주도 지시, 건강과 안전, 기능적 학업

교과지식 활용, 여가선용, 직업기술)중 두 가지 이상의 영역에서 적응행동 결함이 보일 경우에 진단한다.

(5) 지적장애의 원인

사실 정신지체의 원인은 알 수 없는 경우가 많으며 원인으로 밝혀진 것만도 250여 종에 달한다. 그 중 예방이 가능한 것을 보면, 산모의 나이가 많았을 때 나타날 수 있는 염색체 이상, 산모가 풍진이나 톡소플라즈마에 감염되거나 납, 일산화탄소 등에 중독되었을 때, 심한 빈혈이나 당뇨 같은 대사성 질환 등이다. 이밖에도 조산이나 난산, 영유아기에 앓은 뇌염이나 뇌막염, 여러 가지 중독, 영양실조, 갑상선호르몬 결핍, 뇌손상 등이 원인이 된다.

[참고문헌]

1. 장애우 권익 문제 연구소
   http://www.cowalk.or.kr
2. '장애인', 위키백과
   http://ko.wikipedia.org/wiki/%EC%9E%A5%EC%95%A0%EC%9D%B8

3. 빌리 엘리어트
- 꿈을 향해 도약하는 백조 소년

1) 줄거리 요약

많은 양성평등과 관련된 영화들이 스포츠에서의 여성에 대한 성차별 내용을 다뤘다면, 이 영화는 '빌리 엘리어트'라는 어린 소년이 발레리노로 성장하는 과정을 통해 남성에 대한 성차별(역차별) 내용을 소재로 한 작품이다. 발레가 전통적으로 여성 종목으로 간주했던 시절, 한 소년이 발레에 도전하면서 겪는 과정을 가족애적인 시각에서 보여주고 있다. 특히 주인공 빌리가 처음으로 발레에 눈을 뜨기 시작한 유년시절부터 로열 발레학교에 들어가 성인이 되어 멋지게 도약하는 모습까지의 과정이 매우 감동적으로 그려진다.

전반적으로 무척 따뜻하고 희망적인 영화이며, 전개과정 역시 지루하지 않고 충실하게 진행된다. 11살의 빌리가 발레에 마음이 끌려 진정으로 발레를 즐기고, 가족의 행동을 변화시키며, 그런 그를 응원해주는 주위 사람들의 모습을 보는 것만으로도 커다란 희망을 안겨준다. 어려운 환경 속에서도 춤을 즐기는 빌리의 모습에서 관객들도 진심으로 무엇인가를 즐기면서 해보고 싶다는 생각이 들 것이다.

2) 영화 속 이야기

1984년 영국 북동부의 더럼 탄전. 빌리 엘리어트가 레코드에서 흘러나오는 음악에 맞춰 점프하며 춤을 추는 장면으로 영화가 시작된다. 빌리는 광산에서 일하는 아버지 제키와 형 토니, 그리고 치매에 걸린 할머니와 함께 살아간다. 어머니가 돌아가신 후 화목하고 단란했던 가정은 이미 먼 과거의 이야기가 되었다. 아버지와 형은 광산 파업으로

🎬 복싱 연습 대신에 발레 연습을 하는 빌리

시위에 나가고, 빌리는 아버지의 요구대로 방과 후 체육관에서 복싱을 배운다. 그러던 어느 날, 복싱 연습을 하던 빌리는 소녀들의 발레 연습을 보고 관심을 갖게 된다.

이를 눈여겨 본 발레 교사인 위킨스 부인은 빌리에게 발레를 권하지만, 그는 이에 선뜻 응하지 못한다. 발레는 여성 전유물이라는 사회의 고정관념과 집안의 반대 때문이다. 그 후 빌리는 발레 교사의 딸이자 친구인 데비와 발레에 대한 이야기를 나누며 호기심을 갖게 된다. 그리하여 발레에 입문한 빌리는 가족에게는 비밀로 발레 연습에 열중한다.

그러나 꼬리가 길면 밟히는 법. 친구로부터 빌리가 오랫동안 권투를 배우러 오지 않았다는 사실을 알게 된 아버지는 의심하기 시작했고, 결국 발레 교습을 받는 빌리의 모습을 목격한 아버지는 그 모습에 몹시

노여워한다.

아버지와의 갈등으로 인해 집을 뛰쳐나온 빌리는 위킨스 부인을 찾아간다. 부인과 함께 집으로 돌아오던 중에 위킨스 부인은 빌리에게 '로열 발레학교' 입학을 권유한다. 발레에 소질이 없다고 생각하는 빌리에게 그녀는 용기를 불어 넣으며 개인지도를 해주겠다고 한다.

어느 날 새벽, 장기 파업에 지친 형은 극단적인 선택으로 장도리를 들고 집을 나서다 이를 본 아버지와 크게 다툰다. 이러한 모습을 목격한 빌리는 마음이 무거워지고 연습에 집중을 못하게 된다. 결국, 빌리는 오디션에 참가하지 못한다.

결국 위킨스 부인이 집에 찾아와 가족들에게 빌리의 발레에 대한 재능과 발레학교 입학에 대해 설명하자, 아버지와 형은 터무니없는 소리라며 반대한다. 이에 위킨스 부인은 빌리의 발레에 대한 재능과 열정을 역설한다. 그럼에도 불구하고 견해차가 좁혀지지 않자 그녀는 결국 포기하고 만다. 이를 목격한 빌리는 집을 박차고 나와 분을 달래면서 춤을 춘다.

크리스마스 날, 빌리는 가장 친한 친구 마이클과 함께 체육관에서 발레에 몰두한다. 우연히 이를 목격한 아버지의 친구에 의해 아버지가 알게 되고, 그는 체육관을 찾게 된다. 그러나 빌리는 아버지 앞에서 당당하게 발레를 선보인다. 처음으로 아들의 발레 동작을 목격한 아버지는 큰 충격을 받고, 곧장 위킨스 부인의 집으로 향한다. 아버지는 위킨스 부인에게 빌리가 발레학교 오디션에 참가할 수 있도록 도움을 요청한다.

빌리의 오디션 비용 마련을 위해 아버지는 파업을 포기하고 탄광으로 향하는 버스에 몸을 싣는다. 이러한 사실을 전혀 모르는 큰 아들 토니는 버스 안에 앉아 있는 아버지를 발견하고 놀란다. 탄광 입구에서 아버지는 아들에게 파업을 철회한 이유를 설명해주고, 두 사람은 부둥켜안고 눈물을 흘린다. 이러한 사정을 알게 된 이웃들이 나서서 오디션 참가비용을 모금하게 되고, 아버지는 아내가 남긴 귀중품을 전당포에 맡겨 그 비용을 충당한다.

오디션 당일, 빌리는 두려움에 자신감을 잃고 제 기량을 다 발휘하지 못해 포기하기에 이른다. 그러나 심사위원의 면담에서 "춤을 출 때 어떤 느낌이 드나."라는 질문을 받게 된 후, 빌리는 마음속에 느끼던 감정을 솔직하게 표현한다. "모르겠어요. 그냥 좋아요. 음⋯ 춤을 출 때는 제가 하늘을 날기도 하고 새가 된 느낌이에요. 몸이 사라져 버리는 것 같아요. 내 몸 전체가 변하는 기분이죠. 마치 몸에 불이라도 붙은 기분이에요. 전 그저 한 마리의 새가 되죠."

우여곡절 끝에 빌리는 발레학교의 합격 통지서를 받게 되고 가족과 함께 그 기쁨을 나눈다. 집 근처 공터 울타리에서 아버지와 빌리는 오랜만에 부둥켜안고 서로의 얼굴을 보며, 뒹굴며 함께 웃는다.

🏃 아버지와 오랜만에 다정한 시간을 보내는 빌리

세월이 흘러 빌리는 전문 발레리노로 성장하게 되고 아버지와 형은 빌리가 주인공으로 등장하는 발레 공연을 보러 간다. 차이코프스키의 '백조의 호수'의 배경 음악과 함께 빌리는 무대 위에서 한 마리의 백조가 되어 힘차게 점프한다.

🦢 성인이 되어 무대에서 공연하는 빌리

3) 해석적 이해

영화 〈빌리 엘리어트〉는 영국 탄광촌 출신의 로열 발레단 댄서인 '필립 말스덴'의 실화를 각색한 영화로 가족애와 어려운 상황에서도 자신의 꿈을 포기하지 않고 이뤄낸 소년의 삶을 다루고 있다. 특히, 이 영화의 백미는 마지막 장면인데, 가족과의 감격스러운 재회를 구구절절한 말이 아니라 표정과 점프로 마무리하는 부분이 매우 인상적이다. 한편 가족의 사랑을 느끼고 자신의 꿈을 위해 노력하는 소년을 본보기로 꿈을 위해 노력하자는 교훈뿐만 아니라, '성의 역차별'에 관해서도 생각해 볼 수 있다.

영화에서도 등장하지만 많은 사람이 발레는 여성만 하는 것이라고 생각한다. 비단 발레뿐만이 아니라 많은 스포츠 혹은 직업에 남성과 여성의 차별이 존재한다. '남자는 이런 직업을 가져야 하고, 여자는 이래야 한다.'라는 편견이다. 물론 과거와 달리 남녀 직업의 성차별이 약해졌지만, 이는 여성에게 한정된 말일 뿐 남성은 아직도 직업에서 성차별을 계속 느끼고 있다. 양성평등 측면에서 살펴볼 때, 남성도 직업의 보편적 성별이 아니라서 겪는 어려움은 없어야 한다.

대다수 사람에 의한 편견이 개인의 가치관 정립에 비틀린 시각을 제시하고, 그것을 비판 없이 받아들여 편협한 사고를 하는 것은 우리 스스로 발전 가능성을 제한하는 것과 같다. 이는 사회의 필요성에 의한 제한이 아니라 근거 없고 시대에 맞지 않는 편견이라고 할 수 있다. 우리는 빌리를 보면서 이러한 편견을 깨고 사고를 확장할 수 있다.

4) 심층적 탐구

(1) 주인공 빌리 엘리어트가 발레에 입문하게 되는 '동기'는 무엇이며, 그의 이러한 꿈을 어떻게 평가하는가?

빌리 엘리어트는 에버링턴 클럽에서 복싱을 배우던 중 우연히 발레 수업을 보게 된다. 복싱에 큰 관심이 없었던 빌리는 발레에 흥미를 느끼고, 이를 계기로 발레에 대한 꿈을 키운다. 1984년, 더럼 탄전은 광부들의 파업으로 혼란스러웠다. 그의 아버지와 형도 파업에 동참했으며, 노동자들의 생활은 점점 어려워지고 있었다. 더욱이 1년 전, 어머니가 돌아가시자 어린 빌리는 쓸쓸함을 견디며 힘든 시간을 보내고 있었다. 남자다움과 강함을 추구하는 아버지나 형과는 달리, 빌리는 음악을 좋아하는 예민한 감수성을 지녔던 소년이었다. 따라서 자신을 표현할 만한 무언가가 그에게 필요했다. 발레가 마음을 자유롭게 드러낼 수 있고, 신체적 조건도 탁월하다는 사실로 그는 발레에 입문했다.

성인들도 자신의 꿈과 적성을 찾지 못해 방황하는 경우가 많다. 11살의 어린 그가 꿈을 위해 노력한다는 사실만으로도 그는 박수갈채를 받을 가치가 있다. 빌리가 겪었듯이, 사회적으로 인식되는 직업에 대한 편견은 많다. 그러나 그런 편견이 자신을 일정한 틀에 가두어, 꿈꾸지 못하게 하고 진정한 자신을 발견할 수 있는 기회를 날려버리게 한다면 과감히 그 편견을 버려야만 한다. 사람들이 만든 사회적 인식과 기준이 옳지만은 않기 때문이다. 빌리가 발레를 하면서 겪는 갈등 또한 이러한 편견 때문이다. 발레리노가 되려는 그의 꿈은 존중받아야 마땅하고, 편협한 생각으로 꿈을 잃고 좌절하는 것은 어리석기 짝이 없다. 이러한 모든 어려움을 극복하고 자신의 꿈을 찾아 노력하는 빌리의 모습은 매우 감동적이다.

(2) 빌리 엘리어트가 발레에 입문하면서 겪는 가정과 사회의 '편견과 제약'은 무엇이며, 빌리는 이것을 어떻게 극복하는가?

우선 아버지와 형의 발레에 대한 편견이 있다. 특히 집안 대대로 복싱을 해왔던 사실을 자랑으로 생각하던 아버지와 형에게 발레는 '나약한 계집애나 호모가 하는 일'이었다. 그래서 빌리가 발레를 배운다는 사실을 알자, 그를 비난할 뿐만 아니라 아예 복싱조차 못하게 한다. 게다가 형의 체포로 인해 발레 오디션에 참가하지 못한 빌리를 찾아온 선생님에게도 그들은 빌리의 인생을 망치지 말라고 망언을 퍼붓는다.

하지만 크리스마스 날 아버지의 생각은 바뀌게 된다. 빌리의 춤을 본 아버지는 아들의 재능을 알고 발레를 시키겠다고 결심한다. 그러나 사회적으로 발레는 '여자'가 하는 것이라는 시선이 너무 강했다. 발레에 관심을 가지던 빌리도 처음에는 그러했다. 이러한 시선은 친구인 데비를 통해 해소되었고, 빌리의 꾸준한 노력에 사람들의 인식도 변해간다.

그러나 또 다른 제약이 있다. 바로 '교육비용'이었다. 발레 학교에 입학하기 위해서는 2,000파운드라는 어마어마한 돈이 든다. 그 비용은 아버지가 아내의 유품을 전당포에 맡기면서 해결된다. 이웃들도 응원하며 십시일반으로 그를 도우려고 노력한다.

(3) 빌리 엘리어트의 '내면적 갈등'은 어떻게 묘사되고 있으며, 이러한 '갈등의 원인'은 무엇인가?

빌리는 발레를 배우면서도 수많은 내적 갈등을 겪는다. 이는 발레를 계속할 것인지에 관한 고민이다. 이런 갈등의 원천은 가정환경과 그의 마을환경 때문이다. 만일 탄광지대가 아닌 도심지에서 살면서 광부인 아버지가 아니라 예술가인 아버지의 밑에서 자랐다면, 그는 이런 갈등을 겪지 않았을 것이다. 특히 빌리가 춤추는 장면과 아버지와 형의 탄광작업, 파업 시위 장면을 교차 편집하면서 주인공의 내면적 갈등을 잘 표현하고 있다. 어찌될지 모르는 불안한 시기에 마치 빌리만 현실에서 동떨어져 태평하게 춤추는 듯이 그려졌기 때문이다. 만일 이런 환경이 아니라도 아버지가 발레에 대한 편견이 없었다면 상황은 달라졌을 것이다.

그러나 실상 주변 여건은 좋지 않았기에, 끊임없는 갈등을 할 수밖에 없었다. 반대하는 아버지 몰래 빌리는 위킨스 부인에게 개인지도를 받으면서 로열 발레학교 진학에 대한 꿈을 키웠다. 하지만 그의 내면적 갈등은 아버지와 형이 싸움을 벌였을 때, 처음으로 최고조에 달한다. 아버지와 형이 언성을 높이던 상황에서 아버지의 분노를 간접적으로 겪고, 그와 함께 찾아온 공포와 자신을 아껴주지 않는다는 부정적인 생각과 파업으로 인한 어려운 생활은 위킨스 부인에게 '자신의 인생을 망치지 말라.'는 반항의 형태로 나타난다.

몰래 준비하던 오디션에 나가지 못했을 때, 그의 내면적 갈등은 두 번째로 최고조에 달한다. 그러나 첫 번째의 반항과 달리 그는 동네를 뛰어다니며 탭댄스와 발레가 섞인 기묘한 춤을 계속 춘다. 이는 철벽에 부딪힐 때까지 계속되었는데, 이 행동은 화를 달래기 위한 수단이었던 것이다. 가난한 집안에서 발레를 꿈꾼다는 것은 허무맹랑한 공상가로 취급될 수 있었기 때문이다.

이외에도 전형적인 여성 스포츠, 남성 스포츠에 대한 구분과 사회적 인식에 대한 빌리의 갈등도 여러 곳에서 묘사되어 있다. 이러한 그의 갈등과 불안을 진정으로 잠재워 줄 수 있는 사람은 그의 어머니라고 생각한다. 그의 어머니는 현실보다는 이상, 거칠고 투박함보다는 부드러움에 가까운 사람이었기 때문이다. 그러나 어머니는 돌아가신 상태였고, 그 결핍으로 인해 내면적 갈등은 더욱 심화된다.

(4) 이 영화가 제시하는 '진정한 가족상'은 무엇인가?

'피는 물보다 진하다.', '힘들고 외로울 때 의지할 사람은 가족밖에 없다.' 등의 일반적으로 영화나 책 등의 매체에서 주는 교훈이 이 영화에 있다. 빌리의 재능을 인정한 아버지가 학비를 위해 자신의 철학을 포기하고 탄광으로 가는 모습은 동서고금을 막론한 부모의 마음을 잘 보여주었다. 이는 보편적이면서도 진정한 가족상을 잘 나타낸다고 감독은 생각한 듯하다. 무릇 가족이란 가족구성원의 마음을 이해하고 희생하지만 희생이라 생각하지 않는다. 이는 가족을 화합으로 이끈다. 확실히 아버지가 빌리의 재능을 인정한 후에 굳은 얼굴이 웃음으로 바뀌었다. 로열 발레학교에 합격하고 아버지와 아들이 끌어안는 모습은 이해와 희생에 따른 화합이 주는 행복이었다.

(5) 사회 이데올로기 측면에서 여성 또는 남성 스포츠로 인식되거나 통용되고 있는 스포츠 종목에 대한 당신의 견해는 무엇인가?

발레와 유사한 댄스스포츠 등에서 남성선수들의 성 정체성을 의심하는 경우가 있다. 그러나 발레는 여성 스포츠가 아니라 여성적인 스포츠일 뿐이다. 여자보다 섬세하게 연기할 수 있는 남자도 있으며, 소질이 있는 사람도 있다. 미식축구는 남성 경기만 있고, 리듬체조나 비치발리볼은 여성 경기만 있다. 이것은 남녀의 차이일 뿐이다. 똑같은 스포츠 경기를 하더라도 남자는 여자에 비해서 힘이 세고 과격하며, 여자는 남자보다 과격하지 않고, 때로 단조로워 보일 수도 있다. 따라서 기록 차이는 당연하다.

하지만 이런 남녀 차이 때문에 차별을 한다면 크나큰 오산이다. 실제로 많은 이들이 여자가 운동을 잘하면 '남자답다.'라는 생각을 한다. 어렸을 때부터 혼성체육 활동을 활성화 한다면 이런 편견도 없을 것이다. '거친 스포츠는 꼭 남성이 해야만 하는가?', '우아함은 꼭 여성만 표현할 수 있는가?' 등의 질문들에 대한 깊은 고찰을 필요로 하는 대목이다. 여성이지만 박진감 넘치는 스포츠를 즐길 수도 있고, 남성이지만 아름다움을 표현하는 스포츠를 좋아할 수도 있다. 각자 진심으로 즐길 수 있는 스포츠를 해야 맞지 않을까?

사회적으로 역할을 구분하고 제약을 두는 시대는 지났다. 다양함이 경쟁력이 되고 서로 조화될 때, 좋은 성과와 협력을 이루어낼 수 있다. 천편일률적인 틀에 박힌 사고는 개인의 능력을 제한하고 억압시킬 뿐이다. 이런 면에서 남성·여성 스포츠를 나누는 것은 어리석다. 사회적 편견 없이 스포츠를 즐겨야 할 것이다.

(6) 빌리의 가족이 빌리 엘리어트를 이해하는 과정은 어떻게 묘사되고 있으며, 가족들의 이런 변화의 이유는 무엇인가?

탄광촌인 '더럼'은 남성성이 강한 지역이다. 사고가 잦고 힘든 노동을 하는 '광부' 중심의 지역이기 때문이다. 이런 환경과 달리 빌리는 감수성이 예민하다. 복싱을 그만두고 발레를 시작한다는 것은 성 정체성을 부정한다는 생각만 들었을 것이다. 게다가 1984년은 광산파업으로 노동자들이 정부 정책에 시위를 할 때였다. 가난한 노동자 계층과 발레는 다소 동떨어진 조합이고, 먹고 살기 급급한 현실에 필요한 것은 예술이 아닌 강인한 생활력이었을 것이다. 이런 문화와 파업에 의한 생활고가 가족들이 발레를 반대한 이유였을 것이다.

그러나 이런 갈등관계는 뜻밖에 쉽게 해소된다. 결정적인 계기는 크리스마스였다. 빌리는 아버지 앞에서 "내 춤의 열정을 감히 막을 수 있겠습니까?"라고 말하듯 거침없이 춤을 춘다. 아버지는 아들의 재능과 열정을 인정할 수밖에 없었다. 그를 변화시킨 내적요인은 아들이 갖고 있을지 모를 천재성에 대한 기대이며, 아들이 탄광노동자가 될 수밖에 없는 현실적 굴레를 벗는 열쇠라는 사실을 깨닫게 된 점이다. 아들의 미래를 위해 노동자 대오를 벗어나 동료 노동자의 질시와 손가락질을 뒤로한 채 탄광으로 향하는 그를 관객은 이해할 수 있다. 아버지는 아들을 위해서 그 어떤 명분도 기꺼이 포기했고, 형도 아버지의 눈물을 이해하면서 동생을 인정하게 된다.

(7) 가장 인상에 남는 장면이나 대사는 무엇인가?

심사위원 : "빌리, 네가 대답해 주겠니?, 춤을 출 때 어떤 느낌이지?"

빌리 엘리어트 : "모르겠어요. 그냥 좋아요. 음… 춤을 출 때는 제가 하늘을 날기도 하고 새가 된 느낌이에요. 몸이 사라져 버리는 것 같아요. 내 몸 전체가 변하는 기분이죠. 마치 몸에 불이라도 붙은 기분이에요. 전 그저 한 마리의 나는 새가 되죠."

심사위원의 질문에 답하는 부분이다. 그의 열정과 갈망을 알 수 있는 대목이다. 이는 누군가가 시켜서 할 수 있는 말도, 감동을 주기 위해서 꾸며낼 수 있는 말도 아니다. 바로 진솔한 마음이다. 자신의 열정에 관한 유창하지 않지만, 어린아이의 순수함이 담긴 말이 심사위원의 마음을 흔들었다.

(8) 스포츠의 현대적 특성과 현상에 비추어 볼 때, 이 영화가
   제시하는 '시사점'은 무엇인가?

'남자가 발레를 한다.'는 스포츠의 성차별에 대하여 언급하고 있다.
스포츠, 더 나아가 사회에서의 성차별은 현재까지도 지속되고 있다. 오
늘날 스포츠는 남녀노소 누구나 함께 즐길 수 있는 문화산업으로 발전
하였다. 하지만 아직도 우리 사회에는 스포츠를 비롯한 많은 분야에서
남녀차별이 완전히 사라졌다고 보기 어렵다. 남녀의 신체 능력이나 구
조적 차이는 분명 존재한다. 하지만 그러한 장애물을 극복할 수 있는
것이 인간이 아닐까 생각한다.

또한, 우리 사회가 금전적 이유나 복합적 편견으로 인해 어린 꿈나
무들의 꿈을 포기하게 만드는 사회가 아닌지 생각하게 되었다. 능력이
있으면 기회를 줘야 하며, 그것을 모른척하는 것은 개인의 인생과 사회
발전에 방해가 된다는 사실을 이 영화는 잘 드러내고 있다.

선입견 없는 시선은 우리 사회에 오랫동안 잠재된 고정관념을 깨
고 새롭고 다양한 변화를 추구할 수 있게 도와줄 것이다. 나날이 변화
하는 사회만이 발전을 꾀할 수 있기에 우리는 하루 빨리 색안경을 던져
버리고 다양한 가치들을 따스한 시선으로 바라보아야 할 것이다.

5) 스포츠의 이해 : 발레

(1) 발레의 개요

발레는 이탈리아어의 동사 Ballare(춤추다)에서 전화(轉化)한 프랑스

어로서 일설에 따르면 이탈리아어 Balletti(Balletto의 복수로 오늘날에 말하는 사교춤)에서 비롯되었다고 한다. 음악, 무대 장치, 의상, 팬터마임 등을 갖추어서 특정한 주제의 이야기를 종합적으로 표현하며, 구경거리를 대상으로 전문가가 추는 극적 내용을 지닌 무용의 양식으로 특수한 표정을 나타내는 춤, 무용극, 또는 무언극(Ballet-Pantomime)을 뜻한다. 극적 내용을 설명하는 부분에는 마임(무언극, 동작과 몸짓만으로 표현하는 극)이 사용된다. 따라서 발레는 댄스와 마임으로 구성되며 음악, 무용, 미술이 종합된 예술이라 할 수 있다.

발레안무가는 이야기를 구성하고 분위기를 조성하며, 일련의 춤을 서로 연결하거나 무용수들을 추상적인 모형 속에서 개체로 이용하기도 한다. 일찍이 발레의 위대한 공로자인 장 조르주 노베르(Jean-Georges Noverre)는 '발레는 다소 복잡한 유형의 기계다.'라는 정의를 내렸다. 발레는 일반적으로 다리의 위치에 기초한 클래식 댄스의 정형 기법을 사용하는 무용으로 인식된다. 이와 달리 기법에 제한을 받지 않는 무용은 모던댄스(Modern Dance)라는 명칭으로 구분하고 있다. 나아가 빠 드되(Pas De Deux)와 팬터마임 장면 등을 적극적으로 수용하면 클래식발레, 그렇지 않으면 모던발레(Modern Ballet)로 구분하기도 한다. 발레는 르네상스 시대에 이탈리아 궁정 연회에서 역사가 시작되었다. 당시 널리 시행되던 무언극에 기하학적인 형태로 춤을 추는 당스 피귀레, 사교댄스인 발레티, 무대 무용인 브란디와 모리스카 등이 뒤섞여 발레가 탄생했다. 그 후 발레는 이탈리아 명문가 출신인 카테리나 데 메디치(Caterina de'Medici)가 앙리 2세와 결혼하면서 프랑스에도 전파되었다.

(2) 발레의 구성과 기법

발레는 많은 등장인물을 필요로 하며, 솔리스트와 코르 드 발레로 나누어진다. 솔리스트란 발레의 주인공을 연기하는 무용수를 가리키며, 코르 드 발레란 발레 속에서 중요한 역할이 없이 군무 형식을 맡은 무용수를 가리킨다. 코르 드 발레의 주된 역할은 정경(분위기)을 만드는 데 있으며, 잘 통제된 춤으로 솔리스트를 돋보이게 한다. 그 춤은 대형과 위치 변화에 중점이 주어진다. 또 고전발레에는 주역인 솔리스트(남성 제1무용수와 여성 제1무용수)를 효과적으로 살리기 위한 파 드 되란 형식이 있다. 이것은 19세기 후반 《백조의 호수》를 안무한 프티파의 시대에 완성되었다. 파 드 되는 ① 아다지오, ② 발리에이션, ③ 코다의 3부분으로 구성된다. ① 아다지오는 여성무용수가 보여주는 화려한 장면이며, 남성 무용수의 지지를 받으며 느린 템포의 음악에 맞추어 조화와 우아함을 보이는 춤이다. ② 발리에이션은 남녀가 떨어져서 우선 여성이, 이어서 남성이 빠르고 경쾌한 음악에 맞춰 춘다. ③ 코다는 남성 무용수가 보여주는 장면으로 여성과 함께 가속도적인 움직임을 연속해 보여준다. 파 드 되는 사랑을 상징한 춤이다. 이 형식은 고전발레에는 들어가지만 현대발레에서는 극적요소가 엷어지고 줄거리나 마임도 갖지 않으며 파 드 되의 형식도 없다. 또한, 고전 발레복을 사용하지 않고 필요치 않다면 토슈즈도 신지 않는 등 시대에 따라 변한다.

발레 기법의 기초는 다리와 인체의 위치이며, 운동으로서는 파와 포즈이다. 다리 위치는 5가지 정해지며, 모든 운동은 5가지 위치에서 시작되고 끝난다. 특징은 다리나 발을 일직선(180도)으로 벌리는 데 있다. 발레 기술의 요점은 평형과 안정이지만, 그 근본은 5가지 다리 위치이다. 이 다리의 외전(外轉)이 발레 기법의 근본원칙이다. 또 발레리나가 프웽트(발끝으로 서서 추는 것)로 추는 것도 발레 기법의 특징이다. 포즈는 정해진 형태로 정지한 자태를 말하며, 대표적인 것이 애티튜드와 아라베스크이다. 파(pas)란 스텝을 가리킨다(춤을 뜻하는 경우도 있다). 파의 종류를 요약하면 파 그리세(미끄러지는 파), 파 소테(뛰는 파), 파 바튜(부딪치는 파), 파 토르낸(회전하는 파) 등 4개로 분류된다. 이상의 파, 포즈, 각 부분 위치의 복잡한 구성으로 무수한 앙세느망(일련의 움직임, 흔들림)이 생겨난다.

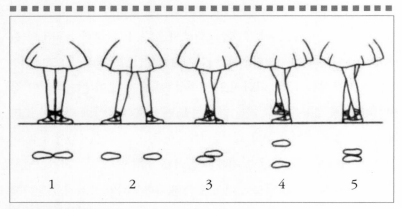

🦢 다리의 기본적인 포지션

(3) 발레 음악

음악은 발레에서 빼놓을 수 없는 요소이다. 고전발레 음악은 교향곡 형식으로 작곡되며 연주는 오케스트라가 한다. 음악은 발레와 공동으로 내용을 표현하고 진행시키는 중요한 역할을 하는 동시에 음악으로서의 독자성을 갖추어야 한다. 저명한 발레음악이 탄생한 것은 19세기 후반이며, 본격적으로 발레음악을 작곡한 최초의 작곡가는 차이코프스키였다. 그 후 디아길레프의 '발레 뤼스' 시대에 와서 위대한 발레음악 작곡가들이 배출되었다. 중요한 발레음악으로 차이코프스키의 《잠자는 숲속의 미녀》, 《백조의 호수》, 《호두까기 인형》, 스트라빈스키의 《불새》, 《봄의 제전》, 프로코피에프의 《탕아》, 《신데렐라》, 《돌꽃》 등이 있다.

[참고문헌]

1. '발레', 네이버 지식백과(체육학대사전)
   http://terms.naver.com/entry.nhn?docId=448677&mobile&categoryId=677
2. '발레', 네이버 지식백과(발레용어사전)
   http://terms.naver.com/entry.nhn?docId=774838&mobile&categoryId=677

4. 리벰버 더 타이탄

- 흑백을 넘어 하나로

1) 줄거리 요약

영화 〈리멤버 더 타이탄〉은 1970년대 초 미국 버지니아 주 알렉산드리아라는 도시의 한 고등학교에서 있었던 실화를 바탕으로 제작된 영화이다. 당시 미국은 백인 우월주의로 인종 간의 갈등이 심했다. 하지만 동화에 가깝다는 생각이 들 만큼 긍정적인 내용과 결승을 앞둔 주장의 비극적인 사고, 승리라는 해피엔딩까지의 내용이 너무나 극적이어서 실화라는 것이 믿기 힘들 정도다. '리멤버 더 타이탄'은 영화 속 대사이며, '타이탄'은 무대가 된 미식축구팀의 이름이다.

이 영화는 미식축구를 통해 흑백 간의 갈등과 화합을 감동적으로 묘사한 작품이다. 지루할 틈이 없을 만큼 몰입도가 높은 영화이며, 배우들의 열연과 훈훈한 분위기의 내용은 전반적으로 희망찬 에너지를 뿜어내고 있다.

2) 영화 속 이야기

1971년 버지니아 알렉산드리아. 인종차별로 흑인과 백인의 갈등이 심각한 상황에서 흑백으로 나눠졌던 학교가 T. C 윌리엄스 고교로 통합된다. 학교가 통합되면서 흑백으로 나눠졌던 미식축구부도 통합되고, 흑인 '허만 분'이 감독으로 임명된다. 허만 감독은 백인 미식축구부의 전 코치인 '빌 요스트'를 찾아가 수비담당 코치를 해달라고 부탁하지만 거절당한다. 원래 빌은 사직하고 1년 정도 휴식을 한 후에 이직할 생각이었으나 흑인감독에 대한 불신이 가득한 학생들과 학부모의 만류로 코치 자리를 수락하고 남기로 한다.

첫 소집일에 체육관에는 거의 흑인선수들만 모여 있었다. 그 중 백인은 '루이 러스틱'가 유일했다. 그 후 빌 코치를 필두로 한 백인선수들이 따로 체육관으로 들어오는 모습에 허만 감독은 빌 코치와 마찰을 빚는다. 게티즈버그 캠프 훈련이 있는 날까지도 팀원들은 화합하지 못한다.

캠프를 떠나는 날, 허만 감독은 흑백으로 나눠 탄 버스에 흑백 구분 없이 공격수와 수비수로 나누고 옆자리에 피부색이 다른 선수를 지정하여 합숙기간 동안 한방을 쓰도록 공지한다. 선수들은 어쩔 수 없이 지시에 따르지만, 서로에 대한 반감은 주먹다짐으로 번진다. 이 일로 허만 감독은 선수들에게 엄청난 강도의 훈련을 시키는데, 그 모습을 바라보는 빌 코치의 심기는 불편해진다.

흑백으로 갈라져서 식사하는 가운데 루이만 다른 백인친구들과는 달리 흑인친구들과 같이 어울려 식사한다. 이에 허만 감독은 루이를 부르며, 그의 흑인 룸메이트에 대해서 말해보라고 한다. 루이는 막힘없이 룸메이트에 대해 이야기하며 칭찬한다. 그러나 루이 말고는 학생 모두 서로에 대해 알지 못한다. 허만 감독은 매일 피부색이 다른 동료를 찾아가 서로 이야기한 다음 보고하라고 지시한다. 결국, 선수들은 협박에 못 이겨 억지로 시도해보지만, 훈련에서는 흑백 화합이 이루어지지 않아 작전을 제대로 수행하지 못한다. 그러나 허만 감독은 서로에 대한 차별을 없애기 위해 더욱 엄하게 훈련시킨다.

연습 후, 백인인 '게리 베티어'와 흑인인 '줄리어스 캠벨'은 처음으로 진솔한 대화를 나눈다. 서로를 비난하는 내용이 대부분이었지만, 둘은 상대의 말을 들으며 훈련에서 보인 자신의 잘못에 대해 생각해본다. 지금까지의 방법으로는 흑백 고정관념을 깰 수 없다고 판단한 허만 감독은 최후의 수단으로 학생들을 게티즈버그 전투가 있었던 곳으로 데

전지훈련장에 도착한 후 훈련에 임하는 선수들

려간다.

게티즈버그, 흑인노예 해방을 위해 가장 치열한 전쟁이 일어난 그곳에서 허만 감독은 서로를 좋아하라는 것이 아니라, 서로를 인정하는 법을 배우면 사나이다운 시합이 가능하다는 요지의 연설을 한다. 연설을 들은 선수들은 서로를 이해하고 존중하려고 노력한다. 이후 주장인 게리는 협동하지 않는 선수를 나무라고 서서히 흑인친구들과 가까워진다. 또한, 백인인 '로니 선샤인 베스'가 중간에 팀에 합류하면서 분위기는 한층 밝아진다.

합숙이 끝날 때쯤에는 모두 친구가 되어 있었다. 그러나 주변 사람들은 그들을 이해하지 못한다. 백인들의 반대에도 T. C 윌리엄스 고교가 정식 개교하자, 기껏 친해졌던 선수들은 주변의 시선 때문에 다시 멀어진다. 뿐만 아니라 허만 감독은 한 게임이라도 지면 쫓겨날 처지에 몰린다. 답답한 상황에서 열리는 첫 경기. 경기 초반 강팀을 상대로 고전하는데 허만 감독은 실수를 하는 '피터'를 혼냈지만, 빌 코치는 그를 다독이며 라인 백커로 기용한다. 이에 허만 감독은 빌 코치의 행동에 화를 낸다. 그러나 그 작전은 성공을 거두며 승리한다.

첫 승리 후 게리는 흑인친구들과 어울리려 하나 유색인종을 거부하는 술집에서 갈등을 빚고 줄리어스와 우정을 쌓으려고 하지만, 이조차도 어머니가 반대한다. 승리했지만 고전을 면치 못한 2번째 경기 후, 허만 감독은 빌 코치의 집에 찾아가 이때까지 쌓였던 갈등과 오해를 푼다. 그리고 경기 후 선수들은 다시 소원해지지만, 동고동락한 선수들은 자발적으로 체육관에 모여 화해한다.

3번째 경기에서 그들은 특이한 세레모니로 단합된 모습을 보인다. 이를 못마땅하게 여긴 상대팀은 무리한 태클로 부상선수를 만들지만, 교체 선수로 들어간 '로니'가 '레니'의 복수를 하고, 타이탄 팀은 승리한다. 경기 직후 게리는 고의적으로 블로킹을 하지 않은 자신의 친구인 '레이'를 팀에서 빼고 싶다고 허만 감독에게 말한다. 감독은 결정권을 게리에게 줘서, 결국 레이는 팀을 나가게 된다. 그리고 줄리어스는 처음으로 게리의 집에 놀러 간다. 서툴지만 백인들에게 인사하고 대화를 나눈다. 게리의 어머니는 못마땅해 하지만, 거리낌 없는 그의 행동에 마음을 열고서 아들 친구로 인정해준다.

연승행진이 이어지자 선수들의 사이도 가까워진다. 이런 분위기를 못마땅하게 여기는 백인유지들은 감독을 몰아내기 위해 명예의 전당을 들먹여 빌 코치를 회유하려고 한다. 그러나 빌 코치는 결선시합에서 심판의 편파관정을 신문사에 고발하겠다는 강경한 모습을 보였고, 덕분에 타이탄은 다시 승리하지만, 이 일로 그는 명예의 전당에서 탈락한다.

빌 코치의 희생이 일궈낸 타이탄의 기적은 사람들의 의식을 변화시킨다. 아버지가 명예의 전당에 오르기를 간절히 바랐던 딸은 아버지

의 결정을 이해한다. 감독은 백인, 흑인을 막론하고 주위의 축하 박수
를 받는다. 그러나 차를 몰며 환호를 받던 게리에게 교통사고가 난다.
사고소식을 듣고 모인 선수들. 상황은 절망적이다. 하반신 마비. 그의
어머니는 게리가 줄리어스만 찾는다며 의연한 모습을 보이라고 한다.
병실에 찾아간 줄리어스는 게리에게 나란히 붙은 집에서 평생 살자며,
영원한 우정을 약속한다.

🏆 게리의 병상에서 영원한 우정을 다짐하는 게리와 줄리어스

한편 이런 상황에서 허만 감독의 기자회견 소식을 들은 빌 코치는
승리에만 집착하는 허만 감독과 다투게 된다. 그러나 허만 감독도 스스
로 자책하고 있다. 이에 허만 감독의 아내는 당신과 같은 야망을 가진
사람은 세상에 많아도 좋다는 말을 하면서 위로한다. 한편 게리는 시합
전에 병문안을 온 동료들에게 자기는 장애인올림픽까지 생각하고 있다
며 의연한 모습을 보인다.

결승전 당일, 경기를 보러온 게리의 어머니에게 관객들은 모두 박

수를 보내며 게리 이름을 연호한다. 경기 전까지 분위기는 좋았지만, 타이탄은 고전을 면치 못한다. 힘겨웠던 전반전이 끝나고 감독과 코치는 서로를 탓하나, 코치의 딸은 자존심 싸움을 할 때가 아니라며 충고한다. 이때 선수들이 먼저 승리에 대한 결의를 다지고, 빌 코치가 허만 감독에게 화해의 손을 내밀며 팀은 완벽한 화합을 이룬다. 화합의 기적 때문인지 경기의 판세는 달라진다. 그러나 여전히 7대 3으로 뒤지고 있는 상황에서 마지막 추격전이 벌어지고, 허만 감독은 빌 코치의 작전을 적극적으로 수용하며 득점에 성공한다. 타이탄 팀은 극적인 역전 드라마를 펼치며 13전 무패로 우승한다. 그들은 주 챔피언에 올랐고 전국대회 준우승을 했다.

이후 게리는 휠체어 공 던지기 대표가 되었으나 교통사고로 안타

🏈 마지막 경기를 승리로 마친 후 환호하는 선수들과 코치

까운 죽음을 맞는다. 1981년, 게리가 죽은 지 10년이 되는 해로 그를 추모하기 위해 모두가 모였다. 줄리어스의 허밍을 시작으로 선수들은 노래를 부르며 게리를 추모한다.

3) 해석적 이해

영화 〈리멤버 더 타이탄〉은 미식축구를 통해 스포츠에 대한 열정과 승리의 기쁨, 인종차별의 갈등을 뛰어넘어 화합을 통해 하나가 될 수 있다는 사실을 보여준다. 이 영화는 이질적 집단도 선수들이 서로 인정하고 협력할 때, 팀이 승리할 수 있다는 스포츠 정신을 보여준다. 이렇듯 이 영화는 미식축구를 통해 인종차별과 흑백갈등이 해소되면서 선수들은 물론 지역 주민들까지 화합하는 모습을 잘 표현한 작품이다. 이처럼 스포츠에서 사회적 갈등이 해소되면서 나타나는 순기능을 통해 기존의 다양한 갈등을 풀 수 있는 실마리와 시사점을 제공한다.

꼭 인종차별이 아니라도, 편부모 가정에서 자란 사람들이 예절이 없다거나, 이모티콘을 남발하는 사람들은 교양이 없다거나, 식당이나 공공장소에서 비신사적인 사람은 가정교육을 제대로 못 받았다는 등의 많은 편견이 있고, 누구나 이런 편견 하나쯤은 가지고 있다. 그러나 이 또한 백인의 흑인에 대한 편견과 무엇이 다를까?

또 하나는 감독과 코치가 자존심 싸움을 하다가 고집을 꺾고 상대방의 의견을 수용하여 팀의 승리를 이끄는 부분이다. 정도의 차이는 있지만, 사람들은 각자 자존심을 세운다. 그러나 영화를 보면 타인의 장점을 인정하고 수용하는 것이 가장 현명한 길이라는 사실을 알 수 있다.

4) 심층적 탐구

(1) 감독과 코치, 선수들 간의 '인종적 갈등과 화합'은 어떻게 묘사되고 있는가?

영화에서 선수들은 감독과 코치보다 먼저 화합한다. 한 백인선수가 자연스럽게 흑인들에게 접근하며, 이들의 화합이 시작되는 것처럼 보인다. 그러나 그를 나름대로 받아주려는 흑인선수들과는 달리 백인선수들은 이런 그를 멸시하고 경기에서 블로킹도 해주지 않는다. 이에 감독은 자기와 피부색이 다른 선수와 대화하지 않는 선수들에게 제재를 가하는 강수를 두었다. 이 연습이 싫었던 선수들은 결국에 어색하게 서로 대화한다. 그러던 중 흑인 줄리어스와 백인 게리가 서로를 비난하고 이를 계기로 서로 반성하게 된다. 게다가 허만 감독이 그들을 게티즈버그 전쟁이 발발했던 장소로 데리고 가면서 선수들 모두 인종차별의 부당함을 느끼게 된다. 이후 선수들은 자연스럽게 가까워지고 합숙 훈련이 끝날 때쯤에는 마침내 서로 가까워진다. 개학을 하면서 다시 어색한 상태로 되돌아가지만, 그들은 타이탄이라는 팀 이름으로 하나로 뭉치고 이 우정은 오래도록 지속된다.

하지만 감독과 코치는 선수들보다 가까워지는데 시간이 걸린다. 그들의 화합은 영화 끝에 가서야 이루어진다. 물론 수비코치인 빌의 딸이 허만 감독의 집에 놀러 가고 두 사람의 딸이 어울리는 일도 있었고, 허만 감독을 몰아내기 위해 편파판정을 하는 심판의 행동에 분개한 빌 코치가 따끔한 일침을 놓으면서 인종을 넘어 화합하는 것처럼 보였다. 그러나 이는 진정한 화합이 아니었고, 두 사람이 자신의 자존심을 꺾고 상대방의 말을 존중했을 때야 비로써 진정한 화합이 이루어졌다고 할 수 있다.

(2) 영화에 나오는 당시 미국사회의 '시대 상황'은 어떠했나?

이 영화는 1971년에 있었던 실제 사건을 바탕으로 만든 영화다.
1970년대 초, 미국. 닉슨은 케네디에게 대선에서 패배한 후, 거의 10년
이 지나 대통령에 당선된다. 공화당 보수주의자인 그는 국가적으로 어
려운 시기에 당선되었다. 당시 사회는 반전운동이 격렬했고, 무장한 학
생들이 학교를 점거하기까지 했으며, 범죄가 증가하는 등 사회 혼란이
극에 달하고 있었다. 닉슨을 비롯한 보수주의자들은 이러한 혼란의 원
인이 진보세력에 있다고 생각했다. 따라서 진보세력에 대한 반동으로
보수주의자들은 결집하기 시작하였다. 그러나 의회는 민주당의 수중에
있어서 진보적 입법은 계속되었다. 한편, 공화당은 경제 정책으로 자유
방임 노선을 택했지만, 당시 월남전 비용 후유증과 세계적인 경제침체
로 인플레이션이 발생하였고, 결국 닉슨은 정부 간섭주의로 돌아서게
되었다. 또한, 막대한 전쟁 비용으로 인해 위대한 사회정책은 좌절될
수밖에 없었다. 결국, 닉슨은 유명한 워터게이트 사건으로 사임하게 되
었다. 이처럼 월남전 패망과 워터게이트는 국민에게 심각한 정신적 타
격을 주었다.

그러나 더욱 심각한 것은 경제의 위기였다. 70년대 초부터 시작된
인플레이션과 경쟁력 약화는 미국 경제를 침체시켰으며, 여기에 석유
파동이 결정타를 가했다. 석유파동은 연쇄적으로 자동차 산업 등의 침
체를 낳고, 이는 미국 경제침체에 결정적 역할을 하였다. 또 제2차 세계
대전 후 베이비붐 세대들이 사회에 나오는 시기였으므로 실업률은 더
욱 증가하였다. 이러한 침체기에 카터가 대통령으로 취임하였다. 카터

는 도덕정치를 외치며 당선에 성공은 했으나, 당시는 미국이 가장 혼란스럽고 난관에 봉착했을 때였다. 게다가 카터 자신의 지도력이 부족하였기 때문에 정치적으로 고립되었다. 결국, 1979년~80년에 미국경제는 최악의 국면을 맞게 되었다.

(3) 감독과 코치, 선수와 학부모에게 '풋볼'의 의미는 무엇인가?

미국의 3대 스포츠는 야구, 농구, 미식축구이다. 영화의 배경인 알렉산드리아에서도 '미식축구'는 이러한 영향력이 있었다. 우선 감독과 코치에게 풋볼은 자신의 인생이며, 꿈을 실현할 수 있는 수단이다. 빌 코치는 10년이 넘게 학생선수들을 지도했기에 풋볼은 그의 가정이었고, 추억이 가득 담긴 보물 상자와 같은 의미였다. 그러나 허만 감독에게 풋볼은 추억이 담긴 보물 상자보다는 인생 그 자체였다. 그는 풋볼을 통해 여러 고비를 맞지만, 이를 넘어서려는 의지를 갖고 자아실현을 위해 달린다. 한편 선수들에게 풋볼은 처음에는 남들 앞에서 내세울 수 있는 자랑거리였지만, 나중에는 피부색을 떠나 화합하는 통로인 동시에 자신이 인정받을 수 있는 유일한 도구로 작용하였다. 부차적으로 따라오는 승리와 동경 어린 시선도 그들에게는 매우 중요했다.

그러나 영화가 진행되면서 그들에게 풋볼은 단순히 선망의 대상이 되기 위한 수단에서 꿈과 희망, 그리고 동료들과 선입견 없이 우정을 나눌 수 있는 최고의 연결고리가 된다. 학부모들에게 풋볼은 대학입시를 위한 금빛 동아줄과 같았다. 이들 역시 처음에는 좋은 성적을 거둬 자식이 대학에 진학하기만을 바랐다. 그러나 시간이 흐르고 타이탄의 경기를 보면서 그들도 서서히 꿈과 희망, 승리의 기쁨이 풋볼의 의미가 되었다. 이들 모두에게 풋볼은 다른 의미처럼 보이지만, 결국 그들에게 풋볼이란 팀을 중심으로 인종, 지도 철학, 세상을 보는 견해가 조화를 이루는 구심점이자 희망이다.

(4) 허만 감독은 팀이 곤경에 처했을 때에도 경기 승부에 집착해 백인 수비코치인 빌과 마찰을 겪는다. 이러한 행동의 이유는 무엇이며, 어떻게 평가하는가?

허만 감독에게는 풋볼에 대한 야망이 있었다. 그에게는 열정, 집념 그리고 승리에 대한 강한 집착이 있었다. 그러나 승리에 집착하는 그의 모습이 단순히 욕심 때문이라는 생각은 들지 않는다. 그는 팀이 승리할 때마다 흑인들에 대한 차별적인 태도가 조금씩 허물어지고 있다는 것을 느꼈다. 그는 여기서 인종화합의 가능성을 본 것이다. 만약 거기서 허만 감독이 만족하거나 포기를 했다면 사람들은 '역시 흑인이라 별 수 없군. 흑인의 한계지.'라고 생각했을 것이다. 분명 허만 감독도 이를 고려해, 흑인들을 더욱 인정받는 사회로 이끌기 위해 그러한 집착을 보였던 것이다.

그리고 그가 감독 자리에서 물러난다면 자신이 부양해야 할 가족은 어떻게 될까? 따라서 그런 감독의 태도는 단순한 야망 때문이 아니라 가장으로서의 책임감 때문에 어쩔 수 없는 태도였다는 의견도 존재한다. 그는 어린 선수들에게 노력과 꿈이라는 허상의 존재를 조금이나마 피부에 와 닿게 알려주고 싶어 그런 행동을 한 것이다. 그러나 감독의 행동이 조금 지나쳤다는 의견도 존재한다. 그가 받은 핍박과 열등감이 승부에 대한 집착과 지나친 자기만족으로 변질되었다는 느낌을 받았다는 의견도 있다.

(5) 이 영화는 겉으로는 인종 간의 갈등과 마찰을 다루고 있
지만, 다른 시각으로 보면 인간의 내면에 있는 타인에 대
한 편견과 오만, 그리고 이를 극복하고 초월함으로써 진
정한 자아를 발견하는 자기완성의 의미를 담고 있다. 이
런 의미에서 이 영화의 특징은 무엇인가?

이 영화는 인종 간의 갈등과 대립에 이은 화해의 전형적인 구조를
따르고 있지만, 이런 내용만 있지는 않다. 물론 초·중반부에 다시 갈등
이 생겼지만, 그들은 영화 초반부에 화해한다. 이런 그들을 가만히 놔
두지 않는 것은 오히려 주위의 차가운 시선과 행동들이었다. 그러나 선
수들은 팀이라는 이름으로 다시 뭉친다. 물론 인종차별이 영화의 주된
내용은 분명하지만, 이 문제는 오래가지 않았고 오히려 못마땅하게 여
기는 주위 사람들과 감독을 끌어 내리려는 백인사회의 환경을 더 부각
시키고 있다. 또한, 선수들이 편견과 자존심을 접고 서로 이해하는 반
면, 감독과 코치는 인종문제를 넘어서 지도철학의 차이로 영화의 종반
부까지 계속 미묘한 알력다툼을 한다. 즉 이 영화는 인종차별을 포함한
타인에 대한 편견과 가치관의 차이를 어떻게 극복하고 헤쳐 나가는지
를 잘 묘사하고 있다.

주위의 영향으로 바뀌는 인간의 미묘한 심리를 다뤘다는 점도 이
영화의 특징이다. 특히 자존심 때문에 알력다툼을 하는 두 코치의 모습
에서 상대의 장점을 인정하고 받아들이지 못하는 인간의 편견과 오만
을 엿볼 수 있다. 그러나 후반부에 오면 모두 한뜻이 된다. 이는 그들을
둘러싼 주변 환경과 편견, 자존심, 오만을 극복하고 마침내 진정한 자
아를 찾았다는 것을 알 수 있다.

(6) 허만 감독에게 '가정'의 의미는 무엇인가?

　그에게 가정은 두 가지 의미이다. 그것은 아내와 혈연으로 이뤄진 진짜 가정과 자신이 역임하는 팀이다. 전자는 언제나 자신이 지키고 보호해야 하는 동시에 안식을 얻는다. 누구에게나 가정은 휴식처인 공간이지만, 감독으로 많은 어려움을 겪는 그에게는 누구보다 이 기능이 절실하게 필요했다. 그리고 그 필요성만큼 그의 가정은 단란했고 평화로웠으며 지친 삶을 재충전 할 수 있는 소중한 공간이었다. 그리고 여기서 그는 강한 모습만 아니라 약한 모습도 보이며 가족에 의지한다.

　반면에 후자는 휴식처가 아니라 그가 이끌고 책임져야 하는 공간이었다. 물론 이곳은 진짜 가정과 달리 분란도 많고 상황이 어렵다. 그러나 그는 여기서 차츰 변화하는 모습을 보여주며, 그의 이상과 꿈을 실현시킨다. 그에게 팀원이란 지키고 보호하면서도 때로는 강하고 올바른 사회구성원으로 성장할 수 있게 혹독하게 단련시켜야 하는 가족이다. 또한, 약한 모습을 보여 선수들이 동요하지 않도록 자신을 엄격하게 제어해야 한다. 즉 여기서는 팀에 소속되어 있는 사람들이 꿈과 희망을 품고 당당하게 살 수 있도록 이끌어주는 것이 가정의 의미이다.

(7) 선수들이 인종적 갈등과 편견을 극복하고 '화합'하는 원인은 무엇인가?

　선수들이 화합하는 계기는 〈미라클〉이라는 영화와 유사한 혹독한 훈련을 통해서이다. 감독은 선수들에게 피부색이 다른 선수들과 친해질 때까지 이런 훈련을 하루에 3번씩 시킬 것이라고 한다. 이에 선수들은 지옥훈련을 피하고 싶은 마음에 대화를 시도한다. 억지로 이야기를 나누면서 그들은 상대방에 대한 편견에서 조금씩 벗어나게 된다. 고된 훈련과 대화의 시도가 그들에게 편견을 극복하고 화합하게 되는 계기가 된 것이다. 처음에는 막연히 사고방식의 차이와 소통의 어려움을 이유로 서로를 멀리한다. 그러나 이런 무지와 불신은 대화와 연습을 통해 자연스럽게 해소된다. 가장 결정적인 계기는 게티즈버그 전투 장소에서 한 허만 감독이 연설이었다. 그는 우리도 같은 장소에서 유사한 전쟁을 하고 있고 증오가 우리를 망쳤다는 말을 한다. 이들의 죽음을 헛되이 하지 말라며, 당장 좋아하라는 것이 아니라 서로를 인정하는 법만 배우면 사나이다운 시합을 할 수 있다고 말한다. 이런 계기로 서로에게 닫혀있던 선수들의 마음이 열린다.

(8) 스포츠가 갖는 '사회통합 기능'의 역할은 무엇인가?

스포츠의 사전적 의미는 사회복지를 매개로 사회구성원 간의 관계를 강화하고, 응집력을 높이는 중요한 기능이다. 스포츠가 갖는 사회통합 기능의 기초는 스포츠 참여로 인한 사회성 함양이다. 스포츠 참여는 다양한 경험을 쌓을 수 있는 사회화의 장으로서 바람직한 성격형성, 사회 구성원의 결속과 사회통합에 이바지한다. 스포츠 경기는 개인이든 팀이든 자신이 속한 학교, 도시, 국가를 대표함으로써 참가자는 집단과 하나가 된다.

스포츠는 사회화의 한 형태로서 개인을 집단 속으로, 집단을 문화형태 속으로 통합하는 기능도 수행한다. 2002년 한·일 월드컵에서 우리 국민 모두 길거리 응원으로 하나 되어 세계를 놀라게 했던 사례나 2009년 월드 베이스볼 클래식 때, 우리 선수들이 선전하는 모습을 TV를 통해 지켜보면서 국민들이 보여주었던 공동체적 연대감 형성에서 볼 수 있듯이 스포츠 활동은 사회화의 한 형태로서 이러한 기능을 수행한다.

그러나 반대로 이런 사회통합 기능은 역기능을 불러올 수 있다. 바로 스포츠 내셔널리즘(Nationalism)과 승리지상주의이다. 내셔널리즘이란 일반적으로 한 민족(Nation)이 다른 민족에 대해 자기들의 일체성이나 자립성 혹은 우월성을 주장, 과시하는 감정, 이데올로기 운동의 총체라고 할 수 있다. 지나친 승리지상주의는 국가주의, 만족주의에서 파생되며 여기서 개인은 철저하게 전체에게 통제되고 권리와 행복까지도 국가에게 귀속되거나 박탈당한다. 그래서 규정과 도덕성을 상실한 온갖 부정한 방법이 동원되어 문제가 심각해진다. 이런 집단으로의 통합은 스포츠에서 통제적 기능으로 변질될 수도 있으며, 스포츠 활동을 국가의 의도나 목표대로 국민정신을 조작해 정치적으로 악용할 수도 있다.

(9) 가장 인상에 남는 장면이나 대사는 무엇인가?

가장 인상 깊었던 장면은 게리가 하반신불수로 병원에 입원했을 때, 줄리어스가 병실을 찾아간 장면이다. 줄리어스를 멀리하면 형제를 미워하는 것과 같다고 여기는 게리의 진심에서 친구에 대한 신뢰감을 느꼈고 인종을 떠나 평생을 함께 하겠다는 줄리어스도 대단해 보인다. 왜냐하면 나는 누군가를 만나는데 선입견을 쉽게 벗어나지 못하기 때문이다. 예컨대 '대학친구보다 고등학교 친구가 낫다.'라는 사회적 편견처럼 고등학교 친구와는 거리낌 없이 친하게 지내지만, 대학 친구와는 여러 조건을 따졌었다. 저 사람은 나이가 너무 많은데, 출신 지역이 다른데, 학과가 다른데 등 본인과 다른 환경이나 사고를 두려워하여 무조건 배척하거나 거리를 두는 태도였기에, 그들의 모습이 신선하게 다가왔다.

5) 스포츠의 이해 : 스포츠와 인종차별

스포츠와 인종차별에 관해 이야기하기 전에 과연 인종차별이 무엇인지 알아보려고 한다. 인종차별이란 특정한 인종에게 사회적·경제적·법적 불평등을 강요하는 일로 나치의 유대인 박해, 백인의 황화론에 따른 황인종 배척, 미국과 남아프리카의 흑인차별이 대표적인 예이다. 법적으로는 인종차별이 사라졌지만, 아직도 사회 전반에는 인종차별이 남아있으며, 스포츠 역시 예외는 아니다. 미국사회에서 흑인들에게 문호를 개방한 최초의 분야가 스포츠인데, 미국 백인들은 이를 인종차별의 끝이 아니라 흑인선수인 '재키 로빈슨'이 프로야구에 최초로 나타난 것이라고 생각한다. 즉 흑인선수들이 스포츠에 참여할 수 있는 시작을 알린 것이지 차별의 끝은 아니라는 것이다.

다음은 우리나라 선수가 인종차별을 당한 일이다. 스코틀랜드 셀틱 FC에 소속된 '기성용' 선수가 2010년 10월 31일 '세인트 존스톤과의 원정경기 오른쪽 측면에서 볼을 잡자 상대편 팬들이 일제히 "우우우"를 외치며 원숭이 소리를 냈다. 그러나 TV 중계에서는 이 모습이 잘 잡히지 않아 시청을 하고 있던 국내 팬들은 상황을 감지하지 못했다.'는 뉴스 기사가 있었다. 선수 간에는 물론 관객들 사이에서도 인종차별 성향이 뚜렷하다. 1988년 한 경제저널에서 발표한 기사에 따르면 미국 프로농구 흑인선수들의 연봉이 백인선수들의 연봉에 비해 평균 20% 정도가 적은 것으로 알려졌다. 게다가 백인선수의 비율이 높은 팀에 더 많은 관중이 모인다는 사실도 조사결과 드러났다.

　이와 유사한 현상은 미국 프로야구에도 있다. 실력이 비슷한 흑인 선수와 백인선수의 연봉을 분석했을 때, 백인선수가 보수를 더 받는다는 결과가 나왔다. 게다가 흑인투수가 던지는 시합은 경기 기록이 우수해도 백인선수가 던지는 시합보다 관객이 적게 모인다는 사실 역시 마찬가지다. 물론 최근 야구계에서는 인종에 따른 보수 차이가 소멸된 것으로 밝혀졌지만, 팬들 사이에서는 아직 이런 차별이 행해지고 있다. '야구카드(Baseball Card)'의 시장가격 분석결과 흑인타자들의 카드가 명성이 비슷한 백인타자들의 카드보다 10%정도 낮은 가격에 거래되고 있으며, 흑인투수는 13%정도 낮은 것으로 드러났다. 물론 이를 극복하고 성공한 선수들도 있다. 가장 먼저 소개하는 선수는 '어니 데이비스'(시러큐스 대학 러닝백). 그는 흑인 최초로 하이스만 트로피를 수상하였으며, 졸업 후 NFL 신인 드래프트에서 흑인 최초로 워싱턴 레드스킨스에 1지명되었다. 이외에도 육상 단거리의 황제 '제시 오언스', 최초의 헤비급 세계챔프 '잭 존슨', 슈퍼볼을 제패한 최초의 흑인 쿼터백 '다우 윌리엄즈' 등 많은 선수가 있다.

[참고문헌]

1. '스포츠와 인종차별', 네이버 블로그

　http://blanc.kr/624

2. '사례연구 : 스포츠에서 차별', 네이버 블로그

　http://blog.naver.com/taijin100?Redirect=Log&logNo=90090316933

제3장 스포츠와 일탈

이번 장에서는 '스포츠와 일탈'이라는 주제로 스포츠 폭력, 학업결손, 약물 오용 등을 소개한다. 여기서 언급할 영화들은 〈킹콩을 들다〉, 〈코치 카터〉, 〈애니 기븐 선데이〉 등이다. 이 영화들을 통해서 이러한 특성들이 어떻게 나타나는지 그 의미를 분석하고 해석한다.

1. 킹콩을 들다
– 우리에게 좌절은 없다

1) 줄거리 요약

실화를 토대로 제작된 이 영화는 국내 최초로 역도를 소재로 했다. 불우한 환경의 시골중학교 소녀들에게 역도를 통해 삶에 희망을 주는 '이지봉' 감독의 이야기를 그린 작품으로 고(故)정인영 선생을 모티브로 삼았다. 영화 줄거리는 서울 올림픽 동메달 리스트였던 주인공이 부상으로 선수 생활을 접고 시골소녀들에게 역도를 가르쳐 올림픽 경기에 출전시킨다는 다소 단조로운 구성이다. 그럼에도 불구하고 관객들은 영화에 자연스럽게 빠져들면서 등장인물들과 희로애락을 함께 한다.

이는 분명 작품 고유의 매력 때문이다. 소소하고 유쾌한 웃음들과 진지한 분위기, 진한 감동이 바로 그렇다. 더불어 작품에서 그려지는 이지봉 감독의 모습은 매우 인상적이다. 자신의 실패를 제자에게 물려줄 수 없었던 주인공은 열과 성의를 다해 아이들을 지도한다. 그는 역도와 아이들의 삶을 동시에 감싸 안으며 변화시키려고 한다. 이 영화에서 우리는 제자들을 아끼고 사랑하는 오늘날의 진정한 스승을 발견할 수 있을 것이다.

2) 영화 속 이야기

1988년 서울 올림픽에 출전한 이지봉 선수는 금메달이 걸린 마지막 경기에서 바벨을 들다 쓰러지며 부상을 당해 결국 동메달에 그치고 만다. 그는 왼쪽 팔꿈치 수술과 심근경색으로 선수 생명의 끝을 맞는다. 2008년, 금메달 유력 후보인 여자 역도선수 '박영자'는 허리부상을 숨기며 베이징 올림픽 출전을 감행한다. 출국하려던 순간 공항에 배웅

나온 옛 친구들은 힘내라며, 그녀에게 가방 하나를 건넨다. 기내에서 열어본 가방 안에는 중학교 시절에 찍었던 역도부 단체사진과 서울 올림픽 경기에서 이지봉 감독이 획득한 동메달이 들어 있었다. 이에 영자는 과거를 회상하기 시작한다.

은퇴 후 역도 이외에는 변변하게 할 줄 아는 게 없던 지봉은 술집 웨이터를 하며 근근이 생활을 이어간다. 어느 날, 지봉의 옛 감독님이 찾아와 그에게 체육교사직을 제안하고 그는 결국 마지못해 시골 학교 역도감독으로 부임한다. 곧 역도부원을 모집하지만 정상적인 지원자는 아무도 없다. 하버드 로스쿨에 들어가기 위해 운동이 필요하다고 지원한 '이수옥', 아픈 엄마를 위해 힘을 길러 성공하고 싶다고 지원한 '서여순', 테니스부의 허드렛일만 하며 동료들에게 놀림을 받는 것이 싫어 지원한 '이현정', 책상을 들며 역도가 맞다고 지원한 '이보영' 등이다. 우

🥈 학교에서 역도부원을 선발하고 있는 지봉

여곡절 끝에 지봉은 결국 이들을 역도부원으로 받아들인다.

그러나 애당초 역도감독직에 의욕이 없었던 지봉은 기초체력단련이라는 핑계로 학생들을 운동장만 뛰게 할 뿐 제대로 지도하지 않는다. 또한, 역도복이 예쁘다는 이유로 역도부에 가입하려는 '송민희'까지 팀원으로 받아들이면서 실로 오합지졸의 팀이 되고 만다.

허송세월하던 지봉은 어려운 가정형편으로 버린 우유를 마시던 영자를 발견하고 그녀에게 역도부 가입을 권유한다. 지봉은 밥도 제대로 먹지 못하는 아이들을 위해 취사실을 만들어 달라고 교장에게 요구한다. 교장은 1년 전 거짓으로 만들었던 역도부의 감사를 모면하기 위해 취사장 조건으로 지봉에게 학생들을 거짓 선수로 만들어 달라고 은연중에 전달한다. 한편 지봉은 교장의 말에 따라 지도하는데, 역도부원들은 조금씩 이를 이상하게 여기기 시작한다.

감사는 무사히 넘겼지만, 교장은 멋대로 대회출전을 신청하고 지봉은 이에 화낸다. 대회에 참가할 수 없다고 항의하지만, 교장은 요지부동이다. 심경이 복잡해진 지봉은 영자가 보이지 않음을 알고 그녀의 유일한 혈육인 할머니가 돌아가셨다는 사정을 듣는다. 초상집으로 향한 그는 삼촌들이 영자를 떠맡지 않기 위해 싸우는 모습을 본다. 어린 조카를 짐짝 취급하는 행동에 화가 난 지봉은 자신이 영자를 책임지겠다며 데려온다.

지봉은 영자의 거처 마련을 위해 대회출전과 합숙소를 거래한다. 교장은 이제안을 받아들여 '수농당'이라는 합숙소를 지어준다. 한편 말로만 기본자세를 배운 아이들은 거듭 실패하자, 지봉에게 시범을 요구한다. 이에 지봉은 시범을 보이려다 심장에 고통을 느끼며 가슴을 쿵쿵 친다. 내막을 모르는 아이들은 킹콩을 닮았다고 깔깔거린다.

우여곡절 끝에 출전한 대회. 그러나 지봉은 옛 후배인 중앙여고 감독을 만나며 신경이 곤두서고, 아이들은 대회에서 온갖 실수를 한다. 경기 후 비아냥대는 후배와 지봉은 이전투구를 하고, 이는 신문에 실리고 만다. 결국, 지봉은 문책을 받고 역도부원은 놀림과 폭행을 당한다. 이런 핍박과 멸시를 당한 학생들은 합숙소에 홀로 있던 영자를 찾아와 서로 부둥켜안고 운다. 어렴풋이나마 지봉의 속마음을 알던 아이들은 왜 역도를 가르쳐주지 않느냐고 따진다.

지봉은 자신이 생각하는 역도와 속내를 털어놓지만, 영자는 자기 힘으로 메달을 따겠다고 한다. 이런 모습들을 보면서 지봉은 진짜 역도를 지도하기로 결심하고 '취미반'과 '선수반'으로 나눠서 운영하며, 혹독한 훈련을 시킨다. 지봉은 운동뿐만 아니라 공부의 중요성도 강조한다. 시간이 지나면서 그들에게 변화가 일어난다. 그러나 졸업이 다가오

🏋 지봉의 지도 아래 혹독한 훈련을 하는 선수들

자 학생들은 이별을 힘들어한다. 결국, 중앙여고 진학 후에도 계속 지봉이 지도하기로 한다. 이에 아이들은 훈련과 수업 모두 열심히 해서 나날이 실력이 향상된다. 영자의 실력은 특히 일취월장한다.

경기 전날 지봉은 "내일 너희가 들어 올려야 하는 무게는 너희가 지금껏 짊어지고 살아왔던 삶의 무게보다 훨씬 가볍다는 사실이다. 난 너희를 믿는다."라면서 제자들을 응원한다. 응원의 성과인지, 노력의 성과인지 아이들은 대회에서 메달을 휩쓸었다.

행복은 오래가지 않았다. 중앙여고에서 지봉의 지도를 막는다. 선수에게 가장 중요한 전국체전을 무기로 들먹이는 학교 앞에서 지봉은 분하지만 물러설 수밖에 없었다. 그는 후배인 중앙여고 감독에게 훈련 자료와 자세한 주의사항까지 알려주며, 그들을 보살펴달라고 부탁한다. 하지만 감독은 지봉의 제자들을 제멋대로 훈련시키며 폭행까지 한다. 견디다 못한 아이들은 지봉에게 찾아오고, 그때마다 그는 아이들을 다독여서 돌려보낸다. 이런 노력에도 불구하고 감독의 만행에 참지 못한 학생들은 기자에게 감독의 실상을 공개하고, 망신당한 감독은 꼼수를 부려 그들을 궁지로 내몬다. 결국, 합숙소는 폐쇄되고 아이들은 이별하게 된다. 갈 곳이 없어진 영자는 심한 허리통증으로 훈련도 할 수 없었지만, 감독은 꾀병을 부린다며 그녀를 구박한다. 아이들을 다독이며 용기를 주던 지봉은 아이들을 위한 편지를 쓰고 부치러 가다가 급작스러운 심근경색으로 길가에서 죽음을 맞는다.

지봉의 소식이 들리지 않자 걱정된 아이들은 훈련도 빠지면서 계속 그를 찾지만 소식을 알 수 없었다. 실망에 잠겨있던 그녀들은 설상가상으로 지봉의 사망소식을 듣는다. 자신들 앞으로 온 편지를 뜯어보며 오열하는 아이들. 결국, 자신의 역도복에 새겨진 중앙여고라는 이름 대신 이지봉을 적는다. 반항이라고 생각한 감독은 아이들을 무자비하게 구타하지만, 선수들은 굴하지 않는다. 더군다나 영자와 현정은 감독의 협박에도 당당히 대회에서 우승한다. 장례식 날, 아이들은 지봉의 목관을 메고 영자를 신호로 관을 번쩍 들어 올린다.

2008년 베이징 올림픽, 앞선 기회를 다 실패한 영자는 140kg 이상을 들어야 금메달이 가능하다. 주위에서는 135kg을 시도할 것이라고 예상한다. 하지만 그녀는 지봉의 마지막 편지를 떠올리며 140kg에 도전한다. 그리고 끝내 그녀는 당당히 그 무게를 들어 올리고 금메달을 획득한다.

🏋 올림픽 역도 경기에 참가한 영자

3) 해석적 이해

이 영화는 훌륭한 역사를 키운 어느 감독의 실화를 바탕으로 제작되었으며, 실제 역도선수들의 다양한 경험과 지도자들의 조언을 수렴해 진솔하고 감동적인 줄거리로 만들어냈다. 이를 통해 영화 〈킹콩을 들다〉는 단순한 스포츠 영화 이상의 의미를 관객들에게 준다. 즉 아픔이 있는 소녀들을 따뜻하게 안아주고, 지도해주는 진정한 스승과 그 밑에서 올곧게 성장한 제자들의 이야기는 감동뿐만 아니라 이 시대가 필요로 하는 사제 간의 모습을 잘 보여준다.

또한, 심각한 사회적 화두인 '학생 체벌'의 문제가 나온다. 대개 스포츠에서 코치나 지도자가 든 매는 사랑 혹은 교육을 위한 체벌이라고 생각할 것이다. 그러나 이는 단순히 체벌에 쓰이면 안 되는 말이다. 영화 속 아이들이 매를 맞은 아픔을 홀로 삼키며 끙끙거리듯이, 과도한 체벌이 분명한데도 이에 반발하거나 잘못되었다고 생각하지 않는 점은 우리 아이들을 멍들게 한다는 사실임을 암시한다. 한편으로 지봉과 같이 아이들을 잘 이해하는 전문상담교사의 필요성도 생각해 볼 수 있다.

4) 심층적 탐구

(1) 이 영화는 어느 역도감독이 시골의 가난하고 불우한 환경의 소녀들에게 역도를 통해서 삶에 대한 희망의 메시지를 전해주고, 나아가 인생의 멘토가 되는 진정한 스승의 면모를 보여주고 있다. 스포츠에서 '진정한 지도자상'은 무엇인가?

스포츠에서 진정한 지도자란 단순히 우수한 성적을 내도록 기술을 가르치고 훈련을 관리하는 감독이 아니다. 스포츠의 어원이 '자신의 마음을 본래 일에서 다른 곳으로 나른다는 것', 다시 말해 '일에 지쳤을 때에 기분전환을 위하여 무엇인가 하는 것', '삶의 행복한, 또는 슬픈 장면을 떠나서 기분전환을 하는 것'이라는 사실을 고려하면 답은 금방 나온다. 선수 개인의 신체적 특징과 장단점뿐만이 아니라 심리상태, 내적 고통, 주위환경 등을 빠르고 정확하게 파악해 선수들을 편안하게 해주는 것이 중요하다. 올바른 방향을 제시하며, 때로는 친구나 부모님처럼 고민을 상담할 수 있는 믿음과 신뢰감을 줘야 한다. 그리고 승리의 열망과 노력에 대한 자부심을 갖게 해야 한다.

영화에서 편모 가정의 생활 보호 대상자인 여순, 뚱보면서 왕따인 현정, 부모님이 없이 밥을 굶는 영자 등 역도부 소녀들은 어려운 처지에 있는 아이들이다. 중학생이 짊어지기에는 너무나 벅찬 짐들이다. 그런 소녀들을 가르치는 임무를 맡아 스승으로서 이지봉 감독은 그들에게 역도 기술보다 더 중요하고 근본적인 것이 필요하다고 생각한다. 바로 그들이 짊어진 짐을 사랑으로 함께 들어주는 것이었다. 그는 그들에게 사랑과 위로, 희망과 꿈을 심어주었고, 살면서 인내할 수 있는 신념과 의지도 함께 가르쳐주었다. 바로 포기하지 않고 도전해야 하는 이유와 집념을 교육한 것이다. 그것은 바벨을 들어 올리는 기술보다 중요하고 인생을 살아가는 대 필요한 핵심이다.

그리고 그는 갈 곳 없는 영자에게 "영자, 너 내가 책임지고 키워준다!"라고 소리친다. 영자의 인생에서 그렇게 자신을 감싸주었던 사람이 있었을까? 이지봉 감독은 부모의 마음으로 아이들을 돌봤기에 그들의 인생에 영향을 미칠 수 있었고, 평생 그리운 사람이 되었다. 이런 이지봉 감독이야말로 진정한 지도자 아닐까?

결국, 이를 위해서는 지도자의 올바른 의사전달, 지도방향에 대한 확실한 인지와 칭찬, 목표성취에 대한 진취적인 자세, 그리고 인생철학과 높은 도덕 품성을 겸비해야 할 것이다.

(2) 중학교 여학생들이 역도에 입문하는 동기는 무엇이며, 그들의 '꿈과 낭만', '마음의 상처'는 어떻게 묘사되는가?

우선 영자는 가난하고 불우한 환경 때문에 사격 총을 마련할 돈이 없었다. 친구들의 총을 빌렸지만 '총을 사지 못하면 너의 길이 아닌 것 같다.'라는 감독의 말에 사격을 그만둘 수밖에 없었다. 영자는 할머니가 돌아가신 다음 삼촌들에게 더 큰 상처를 입는다. 결국, 이지봉 코치는 고아가 된 영자를 보살피기 위해 역도부 가입을 권유한다. 현정은 테니스부에서 뚱뚱하고 운동신경도 없다는 이유로 부원들의 괴롭힘을 당했고, 감독의 무관심에 상처를 받아왔다. 모범생 수옥은 FBI가 되겠다는 꿈을 갖고 운동도 할 수 있어야 한다며 역도부에 들어온다. 여순은 아픈 엄마를 위해 힘을 길러서 성공하고 싶어서, 끝으로 민희는 역도복의 매력에 빠져서 들어오게 된다.

이렇게 아이들과 인연을 맺은 이지봉 감독은 그들의 꿈과 낭만을 실현시키기 위해 헌신적인 보살핌과 사랑으로 지도한다. 그러나 사회나 가정에서 버림을 받은 학생들은 갈 곳이 없다. 학교에선 공부만을 강요하며 학생들의 삶 이면은 들여다보지 않는다. 학생들에게 진정으로 필요한 따뜻한 말 한마디 해 줄 수 있는 선생님이 없고, 그를 뒷받침하는 제도도 부실하다. 그러다 보니 학생들의 꿈은 제한되고 좌절된다. 그들의 낭만은 '철없음'으로 치부되고 도전은 '바보짓'이라고 부른다. 온갖 마음의 상처를 안고 살아가는 아이들에게 가장 필요한 것은 '희망'

과 '꿈'이다. 그들에게 역도가 바로 새로운 '희망'이자 '꿈'의 역할을 한다. 그들은 역도부에 들어와 친구들과 함께 지내고, 이지봉 감독에게 훈련을 받으며 서서히 희망을 맛보았고, 상처와 짐을 이겨낼 수 있는 용기와 신념을 배운다.

(3) 영화에서 이지봉 감독은 역도에 대해 어떤 '철학과 가치관'을 가진 인물로 그려지는가?

그에게 역도는 경쟁자와 함께 뛸 트랙도 없고, 어디로 튈지 모르는 공도 없기에 단순하고 신사적이며, 자신과 경쟁하는 운동이었다. 역기를 드는 것은 단순히 무게를 들어 올리는 것이 아니라 인생을 짊어진다는 철학도 있었다. 그러나 아무리 세계대회에 나가서 신기록을 세우고 메달을 획득해도 역도 종목에 대한 무관심과 선수생활의 고단함, 부상의 위험이라는 부정적 가치관도 존재한다. 물론 우연한 계기로 인연을 맺은 아이들과 교장, 교감 선생님의 관심과 교육에 대한 열정, 사랑으로 인해 그는 자신의 가치관을 긍정적으로 바꾼다. 즉 역도란 자신과의 외로운 싸움이 아니라 동료들과 함께하는 인생의 희로애락이 담긴 경기라는, 긍정적인 가치관이 살아난 것이다. 또한, 아이들을 역도 실력뿐만 아니라 인성적으로 올바르고 착실하게 키울 수 있다는 용기와 신념도 생겼다.

"수많은 사람이 금메달에 도전한다. 하지만 동메달을 땄다고 인생이 동메달이 되진 않고, 금메달을 땄다고 인생이 금메달이 되지는 않아. 매 순간 끝까지 최선을 다하면 그 자체가 금메달이야.", "내일 너희가 들어 올려야 할 무게는 너희가 짊어지고 온 무게들보단 훨씬 가벼울 거다. 너희를 믿는다.", "영자야 세상에 우뚝 일어서라. 세상을 들고 세상 위에 우뚝 일어서라." 등은 이지봉 감독이 아이들을 가르치면서 한 말이다. 그는 역도를 바벨을 드는 운동이 아니라 자신에 대한 도전이자 최선을 다해 살아가는 인생으로 보았다. 그렇기에 역도 기록이나 성적 보다 최선을 다하는가를 더 중요한 가치관으로 여겼다.

(4) 영화에 나타나는 학교의 운동부 육성정책과 운동선수들의 '실상'은 어떤가?

영화에서는 육성정책 시찰을 오는 장학사에게 전시행정 측면의 운동부와 학교 명예를 위해 우수한 성적에만 초점을 맞추고 있다. 이는 우리나라 엘리트 체육정책의 어두운 이면이다. 재능 있는 인재를 발굴해서 지성과 인성, 실력을 두루 갖춘 엘리트 선수를 키우겠다는 것도, 건강한 신체와 정신을 함양하고 취미생활을 장려하겠다는 것도 아니다. 그들은 다만 우수한 성적을 내는 '스타'를 원할 뿐이다. 이는 영화 속 테니스부나 사격부의 상황, 즉 돈 많고 실력이 좋은 학생들만 코치의 사랑을 받고 학교장의 관심을 받는 모습에서 잘 드러난다.

이런 엘리트 체육은 어린 선수들을 인생의 낙오자로 만들 수 있다. 그들은 외길만 강요받고 다른 재능을 발견할 기회는 얻지 못한다. 결국, 학습권도 제대로 행사하지 못해, 은퇴할 시점에는 진로를 찾지 못하고 방황하는 선수들이 대부분이다. 이뿐만이 아니다. 올바른 인성을 함양해야 할 어린 선수들이 위계질서를 만들고 집단 따돌림을 하는 등 학교폭력 문제를 야기한다. 또한, 그들은 수업을 면제받고 운동에만 매달려야 하며, 때때로 지도자의 불합리한 폭언과 체벌을 견뎌야 한다. 뿐만 아니라 그들의 노력과 열정이 아니라 대회 성적으로 모든 것을 평가받는다.

(5) 고등학교 역도감독의 '폭력성'은 어떻게 나타나며, 이에 대한 의견은?

　그는 두꺼운 나무배트로 폭행과 폭언을 서슴지 않았으며, 칭찬이나 교정·훈육 대신 질타를 하고 학생들의 건강상태를 고려하지 않고 약물 복용을 강요하는 등 정신·신체적 고통을 준다. 이처럼 고등학교 역도 감독은 교육을 위한 체벌이 아닌 감정과 성적에 연연한 폭력을 사용했다. 이는 엄연한 학대이며, 엄중한 처벌이 요구된다. 그러나 아직도 우리 사회에서의 체육부는 불합리한 지도방법의 개선이 느리게 진행된다. 여전히 수동적 교육방식에 익숙할 뿐만 아니라 주변인들은 학생선수들의 훈련과정에는 별 관심이 없다. 성적을 위한 체벌은 악순환이 되어 학생선수들이 성장하면 똑같은 지도자로 탄생할 수밖에 없다. 올바른 가치관을 형성해야 할 시기에 그릇된 훈련과 폭력으로 교육받았기 때문이다. 그것이 일반적이고 불가피한 교육방법이라고 착각하면서 말이다. 아이들을 세심하게 살펴보지도 않고 일률적이고 편파적인 폭력으로 교육하는 방법이 과연 교육일까? 따라서 코치, 특히 학생들을 지도하는 사람은 심리·과학적인 훈련을 할 수 있는 교양과 지적 수준을 갖추는 것이 필요하다. 그러나 가장 중요한 것은 성적에 대한 무분별한 체벌이 아닌 학생의 특성 파악·존중·관심·칭찬, 그리고 훈육과 인내심이다.

(6) 바람직한 감독과 선수들 또는 사제지간의 '진정한 관계'는 무엇인가?

　감독과 선수, 혹은 사제지간의 관계는 아무래도 연장자의 역할이 더 중요하다고 생각한다. 연장자인 코치나 스승은 선수나 제자를 사랑과 이해·신뢰·칭찬하고, 잘못을 하면 감정이 아니라 훈육과 상담으로 지도해야 한다. 그러나 선수나 제자의 태도도 중요하다. 스승을 얕보거나 만만히 보면 안 되며, 예의를 지키고 꾸지람과 훈육에도 귀를 기울여야 한다. 즉 이런 관계에서 가장 중요한 것은 상호신뢰이다. 감독은 선수를, 선수는 감독을 믿어야 한다. 서로 믿음이 없는 관계는 모래성과 같이 작은 충격에도 금방 무너지기 때문이다. 다시 말해 '사엄생경 각진기도(師嚴生敬 各盡其道)'라는 말처럼, 스승은 위엄이 있고, 학생들은 스승을 공경하여 각자 그 도리를 다한다면 진정한 교감을 나눌 수 있을 뿐만 아니라, 사제의 관계를 넘어 진정한 인간적 관계로 발전할 수 있을 것이다.

(7) 이지봉 감독의 애창곡 '이루어 질 수 없는 사랑'의 의미는 무엇인가?

'이루어질 수 없는 사랑' – 양희은 노래

차가운 네 눈길에 얼어붙은 내 발자국
돌아서는 나에게 사랑한단 말 대신에
안녕 안녕 목 메인 그 한마디
이루어 질수 없는 사랑이었기에

밤새워 하얀 길을 나 홀로 걸었었다
부드러운 내 모습은 지금은 어디에
가랑비야 내 얼굴을 더 세게 때려다오

슬픈 내 눈물이 감춰질 수 있도록
이루어 질수 없는 사랑이었기에

미워하며 돌아선 너를 기다리며
쌓다가 부수고 또 쌓은 너의 성
부서지는 파도가 삼켜버린 그 한마디
정말, 정말 널 사랑했었다고
이루어 질수 없는 사랑이었기에

　　그는 역도에 대한 열정과 실력이 있었다. 그러나 3번에 걸친 왼쪽 팔꿈치 수술과 심근경색으로 선수 생명이 끝난다. 한때 역도를 떠났지만, 제자들이 역도를 하는 모습을 보며 그의 열정은 다시 타오른다. 하지만 이제 선수로서의 기회는 없다. 이 노래는 부상 때문에 더 이상 도전할 수 없게 된 이지봉 감독의 애틋한 마음을 담고 있다. 특히 '부서지는 파도가 삼켜버린 그 한마디. 정말, 정말 너를 사랑했었다고. 이루어 질 수 없는 사랑이었기 때문에' 부분에서 그가 얼마나 역도를 원했는지 간절하게 느껴진다. 그러나 달리 생각해보면 이지봉 감독은 끝까지 자기 제자들을 챙겨주지 못할 수 있다는 두려움이 있었다. 고등학교에 진학하고 대학을 가며, 다들 힘든 일 없이 올바르게 자라준다면 그의 입장에서 더 바랄 일이 없을 것이다. 그러나 세상은 그리 녹록치 않다. 언제나 곁에 있는 못해도 아이들이 힘들 때 조언도 하고 같이 울면서 관계를 계속 유지하고 싶은 것이 그의 바람이었을 것이다. 그러나 그는 결국 심근경색으로 먼저 세상을 뜨게 된다. 이 노래는 그의 비극적인 결말을 위한 복선이 아니었을까?

(8) 역도는 단순히 무게를 들어 올리는 운동인가? 이 영화의 '메시지'는 무엇인가?

역도 경기방법과 규칙은 비교적 간단하다. 눈앞에 있는 바벨을 드는 운동이다. 공을 쫓아 달리지도, 선수 간의 몸싸움도 없다. 다른 스포츠처럼 감독이 작전을 지시하는 모습도 볼 수 없다. 그러나 역도선수들은 바벨을 들어 올리는 그 순간을 위해서 많은 연습과 노력을 아끼지 않는다. 역도를 하기 위해서는 먼저 신체와 정신을 단련하여만 한다. 그리고 자신이 얼마를 들겠다는 목표설정을 해야 한다. 이런 과정을 거쳐 자신의 목표를 이루었을 때 느끼는 성취감과 자신감은 이루 말할 수 없다.

주위상황을 끊임없이 파악해서 그 상황에 맞게 다양한 작전을 세워야 하는 다른 운동들과 달리 역도는 자신과의 싸움이다. 앞에 놓인 역도는 단순한 기구가 아니라 연습하면서 느꼈던 노력과 한·슬픔·기쁨 등의 감정이 모두 담긴 인생의 단편이다. 즉 역기를 들어 올린다는 것은 자기 자신을 마주 보고 인생의 무게를 이기는 것이다.

영화에서 이지봉 감독은 아이들에게 "내일 너희가 들어 올려야 할 무게는 너희가 지금껏 짊어지고 온 삶의 무게보다 더 가볍다. 나는 너희를 믿는다."라고 말한다. 이는 지금까지 힘들었던 삶을 당당히 마주하고 이겨낼 정도로 학생들이 성장했다고 믿는 감독의 응원이었다. 또한, 역도는 재미도 화려함도 없는 운동이지만 누군가에게는 꿈과 희망, 그리고 기쁨이 될 수 있다는 사실을 이 영화는 전하고 있다.

(9) 이지봉 감독이 학생들에게 쓴 편지 내용은 무엇인가?

『현정아, 진정한 아름다움은 최선을 다하는 모습에 있다. 너의 땀방울이 언제나 그 결과가 나오지 않을 수도 있지만, 자신의 목표를 향해 최선을 다하는 게 땀 냄새는 그 무엇보다 달콤하다. 현정아, 최선을 다해 경기에 임해, 너의 아름다움을 보여 다오.』

『영자야, 명절이나 특히 기쁜 날 불러보거나 만나볼 부모가 없다는 마음, 선생님은 그 누구보다 더 잘 안다. 하지만 언제까지나 외로워하며 평생 동안 그리워하며 살 수는 없단다. 영자야, 영자의 전성시대는 반드시 온다. 영자야, 세상 위에 우뚝 일어서라. 세상을 들고 세상 위에 우뚝 일어서라. 나는 영자처럼 신념이 강한 선수를 본 적이 없다. 또한, 순진함 그 자체이다. 과연 어디에서 그러한 신념과 의지가 나오는 걸까?』

두 선수의 편지를 보면, 주로 학생의 성격이나 특성을 잘 이해하고 이에 관해 진심 어린 조언과 격려를 해주는 내용이다. 또한, 아이들이 앞으로 세상을 살아가는 데 있어서 필요한 용기와 지혜를 주는 내용이다. 바로 아이들을 향한 애정 어린 진심과 걱정이 담긴 편지다. 그리고 응원의 메시지와 위로의 말을 전한다. 아이들을 대견하게 생각하는 이지봉 감독의 마음이 절절하게 느껴진다. 아이들에게 '세상을 들고 우뚝 일어서라!'며 최선을 다하는 땀 냄새는 그 무엇보다 달콤하다고 전하는 이지봉 감독의 편지 내용은 아이들뿐만 아니라 우리 모두에게 하는 신념의 말이 아닐까?

(10) 영화 제목 〈킹콩을 들다〉의 의미는 무엇인가?

학생들을 데리고 숲 속에서 첫 훈련수업을 할 때 여순이 이지봉 감독에게 시범을 보여 달라고 요청한다. 그는 시작 자세를 취할 때, 갑자기 심장 통증을 느껴 가슴을 쿵쿵 친다. 아이들은 이 모습이 킹콩 같다고 별명을 킹콩이라고 짓는다. 이는 전 역도 동메달 리스트인 그가 가슴을 치며 마음속의 한(恨)을 풀어내는 것이 아닐까? 이는 학생들의 불우한 형편과 부조리한 사회에 대한 항변처럼 보이기도 한다. 말하고 싶고 풀고 싶은 것이 있어도 가슴을 치며 삭히고 살아가는 모습이 진하게 다가온다. 이런 '킹콩'을 든다는 것은 이지봉 감독을 든다는 의미이다.

또한, 바르게 성장한 제자들이 스승의 사랑과 관심에 감사를 표하기 위해서, 그리고 성적지상주의에 불합리한 폭행과 체벌이 빈번한 현실에서도 이런 참교육자가 있다는 것을 세상에 알리기 위해 마음속으로 번쩍 들어 올린다는 의미도 있다. 즉 그가 아이들에게 가르쳐 준 인생에 꼭 필요한 교훈과 사랑·관심 등을 영원히 기억하고 끝까지 실천하겠다는 의미에서 '킹콩을 들다'라는 표현을 쓴 것 아닐까?

(11) 가장 인상이 깊었던 대사나 장면은 무엇이며, 그 이유는?

마지막 장면에서 영자가 허리통증으로 괴로워하고 있을 때 '포기하지 않고 매순간 최선을 다한다면 결국 그 사람 인생 자체가 금메달이 되는 거다. 그 자체로 소중한 가치가 있는 거다.'라고 이지봉 감독의 편지 내용이 나오면서 영자가 마침내 바벨을 들어 금메달을 따는 모습과 고(故) 정인영 코치와 아이들이 웃고 있는 사진이 매우 인상 깊었다. 또한, 역도를 가르쳐 달라는 아이들에게 이지봉 감독이 하는 말도 인상적이었다. "이 길을 선택하는 순간, 많이 외로울 거다. 가슴이 찢어질 거다. 그래도 역도를 선택할래? 이런 바보 같은 새끼들, 그럼 어디까지 망가지나 한 번 해보자. 이 새끼들아!" 이는 역도를 해오며 느꼈던 외로움과 괴로움을 표현하는 동시에 아이들에게 집념을 심어주는 대사이다. 굳이 역도가 아니라도 우리는 지금까지 걸어온 길과 앞으로 선택할 길들이 외로울 수 있기 때문이다. 외롭고 괴로웠던 순간들이 지나왔어도 여전히 그럴 순간들은 남아있다. 결국, 어떤 길이든 선택해야만 살아가는 의미와 이유가 있기 때문이다.

5) 스포츠의 이해 : 역도

(1) 개요

역도는 4m² 경기대 위에서 바벨(Barbell)을 머리 위로 들어 올려 중량을 겨루는 경기이다. 경기는 몸무게에 따라 10체급으로 나누어 같은 체급끼리 승패를 겨룬다. 특히 소련과 동유럽을 중심으로 성행되는 경기로, 체력육성이나 근력양성에 좋은 종목이다.

(2) 도구

공식 바벨은 바의 중량 20kg, 길이 2.2m, 지름 2.8cm이다. 디스크(원반)와 디스크의 간격은 최저 1.31m, 최대 2.2m이며, 바닥에서부터 바의 밑면까지의 높이는 21cm, 가장 큰 원반의 지름은 45cm이다. 디스크 가중은 중량에 따라 색깔이 다른데 25kg은 적색, 20kg은 청색, 15kg은 노란색, 10kg은 초록색, 5kg은 흰색, 2.5kg은 검정색, 1.25kg, 0.5kg, 0.25

kg은 크롬색 등 여러 종류가 있으며, 각각 2장씩(20kg만 4장) 준비된다.

　링은 경기를 하는 대(臺)로서, 4×4m의 크기에 두께 10㎝로 되어 있다. 모든 경기는 경기대 위에서 실시되며, 경기대는 너비 4m, 길이 4m, 두께 10㎝의 정사각형이어야 한다. 경기대는 체육관의 바닥에 직접 설치해도 좋으나 보통은 떡갈나무나 플라스틱 또는 단단한 물질로 만들어 미끄러지지 않는 물질로 덮은 스테이지 위에 설치한다. 경기대 주위의 바닥이 유사하거나 같은 색일 경우에는 경기대 맨 끝 가장자리에 최소 5㎝의 다른 색 선을 그려야 한다. 다리 뼈대는 강관(鋼管), 옆 둘레는 돛베로 덮는다. 스테이지 위에 설치할 경우에는 대의 수평면과 심판의 눈높이가 같아야 하고, 대 위에는 매트를 깔아 바벨을 내던질 때의 충격을 방지하고 예비 바벨을 두는 장소로 한다. 스코어 보드는 선수 전원의 점수를 게시해야 하므로 커야 한다.

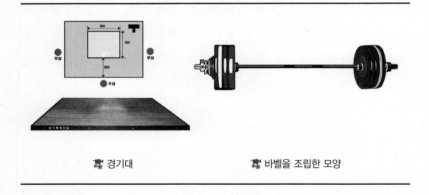

🏋 경기대　　　　　　　🏋 바벨을 조립한 모양

(3) 경기 규칙

　인상(Snatch)은 바를 두 손으로 약간 넓게 쥐고 단숨에 머리 위로 두 팔이 완전히 뻗칠 때까지 수직으로 끌어올린다. 머리 위로 높이 올라갔을 때, 손목을 젖히고 두 팔을 뻗친 채로 다리를 적당한 간격으로 벌린 뒤 직립자세를 유지하여 심판의 '다운' 신호 때까지 움직이지 않는다. 이때 두 팔의 뻗침이 불균등하거나 일시적으로 중단하거나 두 팔을 뻗는 동안 프레스 동작이 있으면 반칙이다.

용상(Clean and Jerk)은 바를 단숨에 어깨 높이까지 가져온 뒤, 두 다리를 굽히고 팔을 뻗치며 두 발을 동일 선상에 되돌린 다음 '다운' 신호를 기다린다. 이때 대퇴부에 팔꿈치가 닿거나 두 다리를 펴는 동안 팔을 밀거나 두 발을 되돌릴 때 뻗쳤던 두 팔을 늦추면 반칙이다. 이밖에 추상이라 하는 프레스가 있는데 용상처럼 2번에 나누어 들어올리기를 시도한다. 즉 먼저 바벨을 어깨까지 들어 올리며 발동작도 자유롭다. 그 뒤 부동의 연속적인 동작으로 팔을 완전히 뻗어 바벨을 머리 위로 들어 올린 뒤 심판의 경기완료 선언이 있을 때까지 똑바로 서 있어야 한다. 그러나 바벨을 어깨에서 머리 위로 들어 올리는 동작에서 다리를 움직이면 안 된다.

🏋 용상(윗쪽 그림), 인상(아래쪽 그림)

세계신기록이나 한국 신기록에 도전할 때는 4번의 번외경기를 허용한다. 시기에서 2차시기에 들어갈 때는 5kg 이상의 중량을 증가시키는데, 선수는 1차시기 때 시작하는 중량을 잘 고려해야 한다. 역도 규정에 따라 2.5kg이라는 최소단위의 중량은 최종시기로 간주되기 때문에 2차시기에 2.5kg을 신청했을 경우 자동적으로 3차시기를 포기한 셈이 된다. 해당 시기에 실패했을 때는 다음 시기에 같은 무게를 유지하거나 무거운 중량으로 변경할 수는 있어도 가벼운 중량으로 변경하는 것은 허용되지 않는다. 그러므로 선수는 1차시기에 도전할 무게를 자신의 평소 실력을 고려해 신중히 결정해야 한다.

역도 경기의 심판진은 보통 3명으로 구성되며, 그들의 판정에 따라 선수가 바벨을 제대로 들어 올리고 내려놓았는지에 따라 성공 여부가 결정된다. 만약 심판들 사이에 의견이 엇갈리면 다수결 원칙에 따라 판정을 내린다. 모든 시기를 마쳤는데 점수가 동점이면 체중이 가벼운 선수가 승자가 된다.

[참고문헌]

1. '역도', 네이버 지식백과(스포츠 백과)
   http://terms.naver.com/entry.nhn?docId=384582&mobile&category Id=1457
2. '역도', 네이버 지식백과(체육학대사전)
   http://terms.naver.com/entry.nhn?docId=452312&mobile&category Id=1457

2. 코치 카터
— 학업을 통해 선수들의 삶을 변화시킨 코치

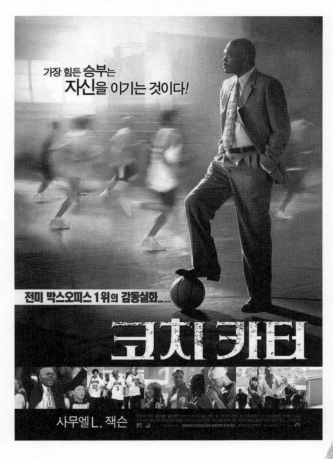

1) 줄거리 요약

영화 〈코치카터〉는 1970년대 초 미국의 한 고등학교 실화를 배경으로 한 영화이다. 새로 부임한 농구코치인 '카터'가 선수들에게 농구뿐만 아니라 학업의 중요성을 강조하며, 인생의 소중함을 스스로 깨닫게 하고 미래에 더 나은 삶을 살도록 이끈다는 교육적 의미가 담긴 작품이라고 할 수 있다. 어린 선수들의 인생에 등불을 지펴준 카터의 지도력은 인생을 살아가면서 좋은 본보기와 지표가 될 것이다. 또한, 코치와 선수 간, 코치와 학부모 간, 그리고 코치와 학교 간에 겪게 되는 사회적 갈등 장면들이 잘 나타나고 있다. 〈코치카터〉가 많은 사람들에게 영감을 주는 과정에서 겪는 좌절과 어려움, 꿋꿋하게 극복하는 모습은 감탄과 감동을 자아낸다.

2) 영화 속 이야기

리치먼드 고교와 프란시스 고교의 농구경기. 경기에 완패한 리치먼드 선수들은 서로에게 책임을 전가하며 싸운다. 경기를 보러 온 카터는 리치먼드 고교 코치직에 부담을 느낀다. 결국, 코치직을 수락한 그는 우선 학생선수들에게 계약서에 서명하고 지킬 것을 강요한다. 그 내용은 학업평점이 2.3점을 넘어야 하고, 모든 수업에 들어가 맨 앞자리에 앉으며, 경기 때는 넥타이를 착용하고 오는 것 등이었다.

하지만 그동안 자유분방하게 살던 학생들은 이를 순순히 따르지 않고, 심지어 '티모 크루즈'는 반항하며 카터에게 주먹까지 날린다. 그러나 카터는 이를 가볍게 제압하며, 연습시간 5분 전까지 도착하지 않

🐾 선수들에게 계약서 내용을 설명하는 코치

으면 지각으로 간주해 엄하게 다스릴 것이라고 선언한다. 그리고 자신이 제시한 규정을 강행하며 공동책임을 묻는다. 연습에서는 슛이나 작전훈련보다 근력강화 등의 기초 트레이닝을 중점으로 가르친다. 물론 선수들의 행동은 금방 교정되지 않는다. 이는 그들이 오래 전부터 불량친구들과 어울리거나, 미래에 대해 고민을 하지 않았기 때문이다. 또한, 학부모들 역시 카터의 지도방식에 강하게 반발한다. 그렇지만 카터는 자신의 생각을 관철시킨다.

한편 프란시스에 재학 중인 아들은 아버지의 지도를 받으려 리치먼드로 전학을 오고 싶지만, 카터는 반대한다. 프란시스가 대학진학에 더 유리하고 리치먼드는 좋은 학교가 아니기 때문이다. 그러나 그의 아들은 아버지의 서약서를 더 엄격히 수정해서 리치먼드에 다니려고 한다. 평점 3.5점에 사회봉사 50시간, 게다가 아버지 몰래 전학수속까지

해 놓은 상태다. 카터는 아들의 진실성을 보고 세부조항을 추가한 후 허락한다. 전학 첫날, 면담으로 늦은 아들에게도 철저히 규정대로 행동하는 카터였지만 언제나 엄격한 것은 아니었다. 자칫 지루할 수 있는 작전훈련을 재밌게 진행한다. 예컨대 누나에게 농구를 배웠고 압박을 잘했기에 1대1 압박수비 작전명 '다이앤', 첫사랑 '딜라일라'는 사악한 여자였기에 1대1 압박수비라는 등 학생들의 관심과 눈높이에 맞춰 설명한다. 이런 훈련성과로 첫 경기는 승리를 거둔다.

승리를 하면서 선수들에게 변화가 생긴다. 불화 대신 서로 칭찬하고, 재입 의사를 밝힌 반항아 크루즈에게 준 엄청난 연습량을 위해 선수들은 다함께 훈련하는 협동심도 보인다. 이를 본 카터는 크루즈를 다시 농구팀으로 받아들인다. 그 후 그는 크루즈에게 "가장 무서운 게 뭐지?"라는 질문을 하지만, 크루즈는 대답하지 못한다.

🐾 정장을 하고 경기장에 입장하는 선수들

연승을 하며 승리를 맛본 학생들은 열심히 하는 것으로 만족하지 않는다. 한편 학교선생들은 선수들이 수업에 잘 나오지 않는다는 사실을 카터에게 알린다. 이때 4명의 3학년이 대학에 갈 수 있다는 희소식이 도착하지만, 카터는 수업에 들어가야만 대학에 갈 수 있다는 사실을 강조하며 특단의 조취를 취한다. 즉 수업에 불참하면 경기를 출전시키지 않겠다는 것, 이에 '주니어 배틀'은 반항하고 팀을 나간다. 카터의 행동을 이해 못하는 건 선수만이 아니었다. 어떤 교사는 API를 들먹이면서 성적평가가 왜 필요한지 따진다. 그러자 카터는 학생들은 교육에 충실해야 한다고 일침을 놓는다. 이후 카터에게 배틀의 어머니가 찾아온다. 전문대학에서 연락이 왔다며 스카우터가 경기를 보러 하기에 아들의 팀 이탈에 사과하러 온 것이다. 배틀은 잘못을 사과하고 다시 팀으로 들어온다.

이어 리치몬드 고교는 큰 경기에 초청받는 쾌거를 이뤄낸다. 팀은 역전승(80:79)을 거둔다. 이에 반한 여학생들은 선수들을 파티에 초대하고, 선수들은 야밤에 숙소에서 이탈한다. 카터는 승리를 축하하려다 없어진 아이들에게 화가나 그들을 찾으러 파티장으로 향한다. 카터는 그들을 끌어내지만, 학생들은 자신이 승리자라며 훈계를 들으려 하지 않는다. 지친 마음으로 돌아온 카터의 앞에 놓인 것은 선수들의 실망스러운 성적표였다.

결국 카터는 도서관에 선수들을 모아서 공부를 시킨다. 그들 모두 평점 2.3점을 넘기까지는 체육관 문을 폐쇄해서 연습도 하지 않고 경기도 불참한다고 말한다. 이에 학부모와 선수들은 크게 반발한다. 크루저는 못하겠다며 팀을 다시 나갔지만, 카터는 꿈쩍도 않는다. 결국, 자신의 행동을 이해시키기 위해 그는 리치몬드의 과거 선수들에 대해서 선수들과 이야기를 한다. 리치먼드 학생 중 50%만이 졸업을 하며, 그 중

6%만이 대학에 진학하고 18-24세 사이 흑인의 33%가 구속된다는 것이다. 대학 진학률보다 감옥에 갈 확률이 80%가 높은 현실이기에 자신의 인생에 대해 고민할 것을 권유한다. 이에 선수들은 대학에 가고 더 나은 인생을 설계하겠다는 생각을 하게 된다. 하지만 사정을 알지 못하고, 이해 못하는 학부모들은 반발한다. 카터의 가게 유리창을 깨고 도망가거나 심지어 카터의 얼굴에 침을 뱉는 사람도 있다.

이런 상황에서 크루저는 사촌이 총에 맞아 사망하는 사고를 계기로 변화한다. 자신을 지켜 줄 사람이 카터밖에 없다고 생각한 크루저는 다시 팀에 합류하고 싶어 울먹인다. 이에 카터는 크루저를 다독이며, 얼마나 그들을 아끼는지 그의 진심을 보여준다. 그러나 아직도 외부와의 갈등은 해결될 기미가 보이지 않는다. 교육위원회를 통해 많은

🎞 폐쇄된 체육관에서 농구 대신 공부하는 선수들

학부모와 시민들은 그의 생각을 반대하고 비난한다. 그는 자신의 생각을 피력하지만, 이를 감명 깊게 들은 사람은 그곳에 숨어든 학생들뿐이다. 결국, 체육관 폐쇄에 관한 투표는 압도적으로 종결된다. 이에 카터는 코치직을 그만두고 짐을 챙기려고 한다. 그러나 학생들은 스스로 농구장에서 계속 공부를 하고 있다. 이를 본 카터는 크루저에게 가장 두려운 것이 뭐냐고 다시 묻는다. 그는 아무것도 못하는 무력함이 아니라 자기 자신이 가장 두렵다고, 카터가 알려주려 했던 대답을 한다.

이후 선수들은 전원 평점 2.3을 넘기는 성과를 거두며 다시 농구를 시작한다. 그리고 모든 경기를 압승하며 얽혔던 일들이 해결된다. 마침내 주 1위 프란시스 고교와 재대결한다. 박빙의 승부지만 점수 차는 점점 벌어지고 있다. 카터는 경기에 끌려가지 말고 우리가 템포를 조절해야 한다고 조언한다. 마지막 힘을 낸 리치먼드 선수들은 추격전을 벌이지만 1점차로 석패한다. 카터는 비록 졌지만 내면의 승리를 이뤄냈다고 격려한다. 그러면서 선수를 지도하러 왔는데 학생을 가르쳤으며, 소년들을 지도하러 왔는데 이미 어른이 되었다고 말한다. 그 후 선수들 상당수는 원하던 명문 대학에 진학한다.

3) 해석적 이해

주위에서 흔히 접할 수 있는 내용이기에 지루할지 모른다는 선입견과 달리 〈코치 카터〉는 색다른 감동을 준다. 이는 코치의 훌륭한 리더십과 능력으로 영웅의 면모만 부각시키는 자전적인 영화가 아니라 학생들이 스스로 깨달아 승리하는 모습을 잘 그려냈기 때문이다. 이 영화를 감상한 많은 사람들은 크게 두 관점에서 의견을 단다. "어려운 현실에서도 꿈을 잃지 않고 열심히 살겠다!"는 선수들의 관점과, "코치 카터처럼 누군가를 이끌어주는 사람이 되고 싶다!"라는 지도자적 관점이다. 비록 주인공은 카터지만, 관객들에게 감동을 준 인물은 팀 선수들이라는 특징이 있다.

한편으로는 한국 스포츠의 교육 상황에 대해서 생각해 볼 계기가 될 수 있었다. 엘리트 스포츠를 지향하는 우리나라에서는 학생선수들의 학습권을 무시한다. 만약 선수들이 범죄를 저지르면 비난하고, 역시 운동선수는 무식하다는 말로 교육제도의 문제가 아닌 운동선수의 인격 문제로 책임을 본인에게 전가한다. 카터가 학생들에게 공부의 중요성을 강조하는 이유가 무엇인지 생각해보자. 운동선수들도 공부를 병행할 이유가 바로 그 안에 있다. 당장의 기록보다 중요한 것은 선수들이 계속 살아나가야 할 현실과 미래이기 때문이다. 그것을 위해서는 조화로운 학습이 필요하다. 결국, 이 영화는 올바른 '교육'이 무엇인지를 일깨워준다.

4) 심층적 탐구

(1) 주인공 카터의 '교육관'은 무엇이며, 이를 어떻게 평가하는가?

그는 선수들에게 경기의 승리에만 연연하지 않는 지덕체(知·情·意)를 갖춘 전인교육을 목표로 한다. 즉 학업·동료애·책임감이 그 바탕이다. 선수라고 농구만 해선 안 되며 일정 수준의 학업을 위해 첫날부터 서약서를 제시한다. 얼핏 성적에만 집착한다고 생각할 수 있다. 그러나

이 내용에는 선수 각자의 책임감도 포함되어 있다. 또한, 그는 누군가가 답을 가르쳐주거나 정해주는 것이 아니라 스스로 알아내야 하는 것이라고 생각한다. 이런 교육관은 겉으로는 자만심에 우쭐하지만, 실제로는 두려움과 불안감을 가진 선수들에게 스스로 극복하고 목표를 설정하도록 도와준다. 결국, 이것은 자기 이익이나 팀 성적이 아닌 학생들을 진심으로 생각하는 자세이다. 그러나 이는 훌륭한 교육관임에는 분명하지만, 시대와 상황을 반영하지 못한 것이다. 만약 카터가 자신의 교육관에 대해 충분히 납득시키고, 지지를 받았다면 어땠을까 하는 아쉬움이 남는다.

(2) 고등학교 농구 선수들에게 농구 이외에 '학업의 중요성'이 강조되는 이유는 무엇인가?

　학생선수들은 운동 기계도, 국익선양을 위한 도구도, 직업선수들도 아니다. 흔히 일반학생에게 학업은 진학을 위한 수단이기에, 학생선수들은 운동이 수단이라고 착각하는 경우가 많다. 그러나 일반학생들은 학업에서 단순히 '점수'만 높이지 않는다. 그들은 사회에 필요한 지식·교양·예절 등을 배운다. 즉 사회에 적응하고, 더 나은 삶을 위해 학업을 지속하는 것이다. 스포츠 선수들은 은퇴 후 방황하거나 사회의 낙오자가 되는 경우가 많다. 만약 그들이 학창시절에 학업도 병행했더라면 이런 병폐는 줄었을 것이다. 학생선수들은 선수로서의 인생만 있는 것이 아니다. 그들은 학생으로서의 인생도 살아야한다. 게다가 어떻게 인생을 살아야할지 모르는 상황을 만나면 선수로서의 인생도 제대로 영위하기 어렵다. 학업으로 인생에 필요한 기초 자양분을 얻고, 더 나은 미래와 현재를 만들어 갈 수 있다. 팀의 유일한 백인인 라일에게 카터 코치가 하는 말이 이를 잘 대변한다. 라일이 아버지가 범죄자라고 하자 코치는 "그것이 네 삶은 아니야. 너는 대학팀에서 뛸 수 있다."라고 말한다. 이 대사의 뜻은 비전을 갖고 공부하자는 것이다. 우물 안 개구리가 아니라 밖으로 나와 뛰자는 것이다. 밖으로 나올 수 있는 수단이 바로 학업이다. 카터 코치는 이 중요성을 잘 알았기에 학업 서약서를 선수들에게 받은 것이다.

(3) 코치 카터와 선수들 간의 갈등과 화해는 어떻게 묘사되는가?

카터와 선수들은 처음부터 갈등을 빚는다. 그것은 학생들이 속한 환경적 요인이 크게 작용하기 때문이다. 빈민가 흑인들이 대부분인 리치몬드 고교에서 선수들은 마치 전통처럼 대강 농구를 하다가 대학진학을 못하고 범죄자가 되는 시스템에 노출되어 왔고, 그렇게 행동을 하면서 살고 있었다. 그런 그들에게 서약서를 작성해서 수업을 듣고 성적을 일정수준 이상 유지해야 하고, 경기장에 넥타이를 매는 등의 의무는 그들에게 분명 어이없는 일이었을 것이다. 카터는 선수들이 조금이라도 규정을 어기면 가차 없이 처벌했다. 이런 혹독한 훈련의 결과로 연승을 하고, 사람들의 기대 덕분에 갈등은 일시적으로 해소된다. 또한, 운동과 교육 외적인 부분에서 문제가 생길 때에는 아이들을 위로하며 다독인다. 이는 조금씩 서로를 알아가며 갈등이 해소되는 듯 보인다. 그러나 오만해진 학생들은 스스로를 낮추는 행동을 보이지 못한다. 이에 카터는 체육관 폐쇄라는 극단적인 조치를 취하고, 선수들은 이러한 조치가 부당한 억압이라고 생각해 다시 큰 갈등을 빚는다.

그러나 자신들을 미워해서가 아니라는 사실과 그의 진의를 알게 되면서 그들은 완전히 화해·화합한다. 카터 코치가 C+ 이상의 성적을 맞아야 한다는 계약을 하면서 이렇게 말한다. "왼쪽 친구를 봐라, 오른쪽 친구도 봐라, 누가 감옥에 가게 될까? 대학보다 감옥에 갈 확률이 80%이다. 오늘 집에 돌아가거든 너희 미래를 내다보고 부모님 인생을 돌아본 후, 지금보다 나은 삶을 살고 싶거든 여기 와라. 분명 약속하지만, 난 모든 수단과 방법을 동원해 너희를 대학에 보내고 말 거다."라는 말은 그의 진심을 보여준다. 그의 지도 결과, 선수들은 이미 성과를 느끼고 있는 중이었다. 결국, 운동 코치가 아닌 인생 코치로 행동한 그의 뜻은 충분히 전달되었다고 생각한다.

(4) 카터 코치가 선수들에게 '자신을 존중하라'고 강조하는 이유는 무엇인가?

자신을 존중하지 않는 사람은 타인에게도 존중받지 못한다. 결국, 남에게 존중받고 싶으면 스스로를 먼저 존중해야 할 줄 알아야 하는 것이다. 그래서 카터는 항상 자신감 있게 행동할 것을 요구하고 당당하고 활기차게 임할 것을 이야기한다. 그래야 주눅 든 실패자의 모습에서 진정한 승리자로 변할 수 있기 때문이다. 리치몬드 교교는 대부분 대학에 진학하지 못하고 범죄자가 되는 어려움에 처해 있었다. 이런 상황에서 선수들은 자신을 돌보지 않고 방치하려고 한다. 자신을 존중하지 않으면 나쁜 짓도, 해가 되는 일도 서슴없이 한다. 결국, 이런 일들이 쌓이면 타인에게 해를 끼치는 일을 하게 된다. 나아가 범법자, 전과자라는 꼬리표를 달거나 하류층으로 살 수 밖에 없는 것이다. 선수들 대부분이 흑인이지만, 그들은 자신들을 '깜둥이(Nigger)'라고 비하한다. 그만큼 자기를 방치한다고도 볼 수 있다.

카터가 제시한 조건들을 참지 못하고 박차고 나가는 것도 결국 자신감이 없는 행동이다. 자신을 바꾸는 자신감, 다른 인생을 살 수 있다는 자신감, 현실을 바꿀 수 있다는 자신감이 부족하다는 뜻이다. 카터는 욕을 금지했고, 경기에 출전할 때는 정장과 넥타이를 입도록 했다. 남에게 욕을 하는 것은 결국 자신에게 돌아오기 때문이고, 시합 날에 정장을 입는 것은 바로 자신을 존중하는 일이기 때문이다. 농구를 잘하는 방법이나 기술 대신 자아존중을 가르치며 선수들을 격려해 좋은 성적까지 거두는 카터. 그는 무엇이 우선인지 아는 사람이었고, 농구만이 아니라 잘 살 수 있는 방법을 알리고자 했던 것이다.

(5) 카터 코치가 선수들에게 강조한 '승리의 결과보다 과정을 중시하라'라는 의미는 무엇인가?

프랜시스 고교와의 마지막 경기에서 1점 차이로 진 장면에서 그 의미를 유추할 수 있다. 모든 선수들은 아쉬워하고 좌절한다. 이때 코치는 선수들에게 이미 승리자이고, 모두 승리자의 면목을 갖추었다고 말한다. 그러면서 지금의 점수보다 그동안의 연습과정에서 이미 승리했다고 말한다. 인생에서 때로는 과정이 결과보다 중요하다. 최선을 다했다면 결과에 승복하고, 노력하는 과정에서 의미를 찾는 것이 진정한 스포츠 정신이자, 인생의 승자가 하는 행동이다. 하물며 경기 자체의 의미도 있다. 승리에만 연연하면 노력의 아름다움과 경기의 재미를 느끼지 못하게 된다. 결국, 그들은 승리의 노예, 경기를 하는 기계가 될 뿐이다. 더불어 카터는 선수들이 자신을 믿고 존중하며, 팀원들을 아끼고 협동하는 경기를 하길 바랐다. 이런 그의 마음을 포괄적 의미로 보자면 과정에서 새로운 것을 배우며, 이미 알던 사실이나 진리를 다시 마음에

새기며, 미처 돌아보지 못했던 사실을 깨닫고, 이뤄낼 수 있다는 점을 강조하고 싶었던 것이다. 결국, 카터 코치는 스스로 자신의 인생을 만들어 가는 방법을 알리려 했다.

(6) 선수들은 어떤 과정을 통해 코치의 교육관을 이해하고 실천하게 되는가?

학생선수들과의 첫 대면에서 코치는 팀에 대한 규율과 포부를 말하며 계약서를 제안한다. 강경하게 나오는 코치로 인해 몇몇 선수는 팀을 나가게 된다. 그러나 농구가 전부라고 생각하는 선수들은 억지로 연습에 참여한다. 연습은 시작되고 혹독한 훈련에 불만을 갖지만 변하는 것은 없다. 이는 승리라는 눈에 띄는 성과와 크루저의 재입을 가져오고, 선수들은 훈련을 함께하면서 코치의 사고방식과 교육관을 어렴풋이 깨닫는다. 그러나 선수들은 카터의 교육관을 완전히 이해하지는 못한다. 그래서 계약을 지키지 않고 마음대로 행동한다. 계약을 지키지 않는 그들을 지켜보던 카터는 체육관을 폐쇄한다. 처음에 강하게 반발하던 선수들은 카터의 친구 이야기와 교육위원회에서 체육관 폐쇄의 이유를 설명하자, 코치의 진의와 진심을 깨닫는다. 카터는 위원회의 판결을 받았을 때 말한다. "계약서도 못 지키는 데 밖에선 어떻겠나? 그들에게 자신들이 법 위에 있다는 메시지를 줘서는 안 된다. 나는 위원회의 메시지를 지지할 수 없다. 농구 경기의 승리가 졸업과 대학 진학보다 중요하다는 메시지는 옳지 않다." 이러한 카터의 말이 옳다는 사실을 선수들은 느끼고 있다. 이는 코치가 직접적으로 지적한 현실이며, 걱정스러운 미래였기 때문일 것이다. 결국, 그들은 서약서를 지키기 위해 자발적으로 책상을 가져다 놓고 다 같이 코치 카터의 뜻을 따르기로 한다.

(7) '바람직한 코치상이나 지도자상'은 무엇인가?

농구와 관련된 경기력은 물론 동기와 즐거움, 자기계발성과 사회적 도덕성에 영향을 줄 수 있다는 점을 감안하면 바람직한 코치상을 알수 있다. 바람직한 코치가 되려면 다음 과제를 충분히 소화해야 한다. 코치는 선수의 소질과 장래성을 발견해야 하며, 선수 개인의 심리 적성을 파악해야 한다. 또한, 연습 의욕을 환기시켜 동기를 유발하고, 합리적이고 효율적인 트레이닝 계획을 세워야 한다. 더불어 믿음을 구축하고 경기외적으로 선수들의 인성을 길러야 한다. 선수들의 고충도 들어줄 수 있어야 한다. 마지막으로 확고한 지도철학이 필요하다. 이는 '문제 상황'에 대한 대처 능력이다. 아무리 선수와 감독의 유대가 좋아도 주위 사람들의 압력을 이겨내지 못하면 팀은 결국 삐걱거리게 된다. 선수들이 오직 운동에만 매진하고 이런 압력에서 벗어날 수 있는 유일한 길은 코치에게 있다. 리치몬드의 교장은 "농구가 그들 인생의 하이라이트다. 그것마저 하지 못하게 하면 옳지 않다."라고 말한다. 그러자 코치 카터는 "그게 문제 같습니다."라고 대답한다. 그들에게 현재 인생의 하이라이트를 주는 것도 좋지만, 코치는 그들이 더 나은 삶을 살도록 도움을 주어 인생 전반에 여러 번의 하이라이트를 주고 싶었던 것이다. 즉 현재의 상황뿐만 아니라 앞으로 제대로 된 길을 걷게 도와주는 곧은 교육관과 철학을 바탕으로 학생들을 잘 이끌 카리스마와 진심을 가진 교육자가 바람직한 지도자상일 것이다.

(8) 가장 기억에 남는 장면이나 대사는 무엇인가?

가장 기억에 남은 장면은 카터가 사퇴하기 위해 체육관에 들어왔다가 학생들을 보았을 때였다. 질서정연하게 책상을 놓고 공부하는 학생들의 모습에서 본인도 벅차오르는 감격을 느꼈다. 비록 학부모들은 그의 뜻을 알아주지 않아도, 지도한 선수들의 행동에서 그의 노력이 수포로 돌아가지 않았음을 확인할 수 있었다. "자란다는 것은 결정을 하고 그것에 대한 책임을 지는 것이야."라는 대사도 인상 깊었다. '책임'이 무엇인지와 그 무게를 느낄 수 있었던 대사였다. 이후 학생들은 계약대로 수업에 만전을 기했고 열심히 경기를 했지만 아쉽게 패배한 후 낙담하는 선수들에게 했던 코치의 대사도 감동적이었다. "동화 같은 결말은 아니었지? 하지만 너희들은 챔피언처럼 싸웠다. 결코 포기하지 않았어. 챔피언은 고개를 숙이지 않아. 너희가 얻은 건 단 몇 줄의 기사로 표현할 수 없는 엄청난 것이다. 남들은 평생을 걸고 찾아다녀도 찾을까 말까 한 승자의 마음을 얻은 것이다. 제군들! 너희가 정말 자랑스럽다. 넉 달 전 내가 처음 마음먹었던 계획은 빗나갔다. 선수를 키우러 왔는데 너희는 학생이 되었고 아이들을 가르치려 했더니 어른이 되었다. 그래서 감사한다."

(9) 영화 속 주인공과 유사한 사례를 주변(국내외)에서 찾아보자.

유사한 사례로 일본 효고현 고시엔 야구장에서 시합했던 간세가쿠인 고교의 이야기가 있다. 많은 사람들의 예상과 달리 간세가쿠인고가 7-3으로 승리하는 이변을 연출했다. 이유는 간세가쿠인고가 명문대 진학을 노리는 모범생들로 구성되었으며, 공부와 운동을 병행한다는 원칙을 철저히 지켰다는 점이다. 선수들은 '할 수 있다.'는 자신감이라는 큰 선물을 얻었다고 한다. 한국에서도 카터 코치와 유사한 사례를 찾을 수 있다. 신곡중 강재관 교사는 운동만하는 엘리트 체육대신 예를 갖추고 성실하게 공부하는 체육부를 이끈다. 그는 검도부 학생들에게 다양한 경험을 권유하고 학습과 운동을 병행하도록 했다. 아침이면 조회를 통해서 하루의 다짐을 하고 계획하며, 타인에게 정중히 인사하고 복장을 제대로 할 것을 기본으로 교육했다. 정규수업을 듣게 하고 방과 후에 검도훈련을 했다. 검도부 학생들의 성적은 담당교사로부터 확인을 받게 했다. 강재관 교사의 이런 교육 방침은 학교를 변화시켰다. 선수들은 더 이상 교실에서 투명인간이 아니었으며, 공부와 동시에 운동에도 최선을 다했다. 결국, 학생선수에 대한 선입견을 바꾸고 학생들 스스로 자신감을 갖게 했다.

(10) 선진국의 경우 학생선수들의 학습권은 어떠하며, 국내의 경우 현재 어떤 변화가 일어나고 있는가?

1905년 미국 루즈벨트 대통령은 학생의 권리와 운동선수의 권리를 동시에 보장하기 위해 미국대학경기협회(Intercollegiate Athletic Association of the United States) 창설을 제안했다. 이는 오늘날 미국 대학농구 경기인 파이널 포(Final Four)로 유명한 '미국대학스포츠협회(NCAA, National College Athletic Association)'의 전신이 되었다. NCAA는 23개 종목에 걸쳐 88개의 챔피언십을 주관하며, 38만 명에 이르는 학생 운동선수를 관리하는 미국 최대 스포츠기구로 자리매김 하고 있다. 또한, 소속과 경기 참여를 위해 최소한의 학업규정을 정해 감시하고 있으며, 만약 최소한의 규정을 채우지 못하면 경기 참가자체를 엄격히 규제하는 정책을 시행한다. 이러한 NCAA의 적극적인 홍보와 철저한 관리,

지원 시스템으로 학업과 운동의 병행은 당연한 것이 되었으며, 학생의 권리와 운동선수의 권리를 '학생선수'라는 이름으로 특별히 보장받아 NCAA 소속 구성원으로 자부심을 갖게 하는 계기가 되었다.

물론 우리나라도 대전시 교육청에서 2007년부터 공부하는 운동선수 육성을 위한 방과 후 학교를 운영하였고 성공을 거두었다. 또한, 국가 차원에서 2010년부터 학생선수 학습권 보장제 시험적용 학교들을 운영하고 있다. 한편 서울시교육청은 2011년 5월 1일부터 학생선수들의 학습권을 보장하기 위한 '학교운동부 선진형 운영시스템 구축계획'을 발표했다. 이는 초등학교 4학년부터 6학년 선수들에게 먼저 적용하고 단계적으로 범위를 확대해 2017년까지 모든 학생선수들에게 적용할 계획이다.

5) 스포츠의 이해 : 미국 NCAA

(1) 미국 NCAA

미국은 국가 차원에서 학생선수들의 학습권을 보호하고 존중하려는 움직임이 활발하다. NCAA는 '자격센터(Eligibility Center)'를 갖추고 선수들의 학업이수에 대해 체계적으로 감독하고 있다. 만약 그들이 지정한 규정을 이수하지 못한 학생선수는 대학 입학 후 NCAA 경기등록 및 활동이 불가능하다. 물론 SAT 점수도 반드시 자격센터에 보고해야 한다. 물론 사전에 지정한 최소한의 SAT 점수를 넘어야 선수로 활동할 수 있다. 하지만 이들은 엄격한 규정만 정해 놓지는 않았다. 이런 규정 뒤에서 학생선수의 공부를 돕는 다채로운 학습 지원프로그램을 가동

한다. 그리고 대학마다 별도의 전담인력을 배치해 학생선수를 위한 개인교사를 소개해 준다. 그리고 그들의 강좌 선택을 돕고 강의실을 돌며 출석여부까지 챙긴다. 학생선수들도 이를 효과적으로 활용해 운동과 학업이라는 두 마리 토끼를 잡고 있다. 2010년 미국대학 학생선수들 졸업률이 사상 최고인 79%(평균 60% 남짓)를 기록했다는 AP의 보도는 이를 잘 반영한다. 실제로 외국은 의학과 경제학 등 분야도 다양해 은퇴 후에도 새로운 인생을 폭넓게 개척한 사람들이 많다. 가장 잘 알려진 인물로는 국제올림픽위원회 위원장 자크 로게인데, 그는 벨기에 요트 국가대표로 1968년부터 76년까지 3회 연속 올림픽에 출전했다. 게다가 세계선수권에서는 금메달 1개와 은메달 2개를 따냈다. 그는 럭비국가 대표로도 활약했다. 그리고 의학박사이며 정형외과 의사이기도 하다.

'전차군단' 독일축구대표팀 골문을 지켰던 올리버 칸은 경제학 과정을 공부해 증권투자가로 활동하기도 했고, 1980년대 브라질 축구 스타였던 소크라테스는 야간대학에서 공부해 의사자격증을 획득했다. 또 피겨여자세계선수권과 US챔피언, 캘거리동계올림픽에서 동메달을 수상했던 데비 토마스는 현재 정형외과 의사로 활동하고 있다. 스탠포드 대학을 졸업한 그녀는 학업과 피겨를 병행한 미국에서도 모범적인 학생선수였다. 외국에서는 이런 인물들이 특별한 경우가 아니다. 미국의 중·고교 운동선수는 총 742만여 명에 달한다. 전체 학생의 54.8%가 학교 운동부에 소속될 정도로 스포츠를 즐기는 생활이 보편화되어 있다. 남자는 미식축구, 여자는 농구부에 소속된 선수가 가장 많다. 하지만 학교 운동부에 들어가려면 자격조건이 있다. 바로 학업에 충실해야 한다. 하나의 예로 캘리포니아 주에서는 학업성적이 4.0 만점에 2.0 이상이어야 하며, 최대 수강신청 과목수의 70% 이상을 수강해야 한다. 이런 환경에서 선수들의 대학진학률은 최고라고 할 수 있다.

(2) 우리 학생 선수들의 교육 실태

반면 우리 학생들의 실태는 사실상 열악하다고 할 수 있다. 학생선수들의 성적은 고학년이 될수록 점점 낮아진다고 밝혀졌다. 체육과학연구원의 조사에 따르면, 중학교 1~3학년 및 고교 1학년 등록선수 1만 8,086명(체육 중·고 제외)의 성적은 심각한 수준이다. 학생선수들의 2008년 1학기 전 과목 석차백분율을 조사한 결과, 중학교 학생선수는 전체의 하위 30%(100명 기준 70등 이하)에 속하는 경우가 76.4%에 달했으며, 이것이 고교 1학년 때는 85.3%로 늘었다. 최하위 10%에 속하는 학생선수의 비율도 중1 때는 19.9%였다가 고1 때는 48.6%로 크게 늘었다. 실제 학생선수들의 대학 진학률 또한 낮다. 2008년 고3 축구선수 1,380명 중에서 647명이 대학에 진학했고, 30명이 프로 및 실업축구로 직행했다.

하지만 최근에 들어서 우리나라도 많은 변화가 있었다. 초·중·고 축구대회 경기방식이 토너먼트에서 주말리그로 바뀌어 공부와 운동을 병행할 수 있게 했다. 서울시교육청에서도 최저학력제도를 이미 부분적으로 도입하였다. 대학농구도 전국대회를 폐지하고 홈 앤드 어웨이 방식의 리그로 운영한다. 정부 역시 리그에 참여하는 대학들에게 시설 개보수를 위한 자금 1억 원을 지원하며 힘을 실어주고 있다. 그 목적은 외국 운동선수들처럼 탄탄한 개인 경쟁력을 갖추기 위해서다. 대구에서는 2010학년도 학생선수 학습권보장제 시험 적용 학교를 지정해 야구선수들의 학습권 보장을 위하여 학생선수들에게 국어, 사회, 수학, 과학, 영어 과목을 대상으로 최저학력기준을 제시한다. 그리고 미달 학생선수들의 학습활동을 지원하기 위해 교과목별 학습지를 통한 출전으로 인한 수업결손 보충, 학급 내 친한 친구 학습 도우미를 통한 배움 나누기, 학교운동부 학생 독서지도 프로그램 운영, 야구부 특별 방과 후 학교 프로그램 운영, 수업결손·기초학력 보충학습 프로그램 운영, 운동부 반부패 청렴운동 등 다양한 활동 프로그램을 운영해 공부하는 운동선수 육성에 학생과 학부모, 지도자가 한마음으로 선진형 학교운동부 육성에 최선의 노력을 하고 있다.

[참고문헌]

1. 미국 대학 스포츠 협회

   http://www.ncaa.com

2. '전미 대학 경기 협회', 네이버 지식백과(체육학대사전)

   http://terms.naver.com/entry.nhn?docId=453821&cid=42876&category
   Id=42876

3. '운동선수의 권익을 보호받는 미국대학교의 학생운동선수(NCAA의 철저한 학생관리)', 스포츠 둥지

   http://www.sportnest.kr/732

4. '운동선수도 명문대학 출신은 대접받는다', 네이버 블로그

   http://blog.naver.com/glendale1306/50081504270

5. '미국 여자 피겨 선수들의 대학 진학은?', 다음 블로그

   http://blog.daum.net/sadprince57/274

3. 애니 기븐 선데이
– 최후의 1인치를 위하여

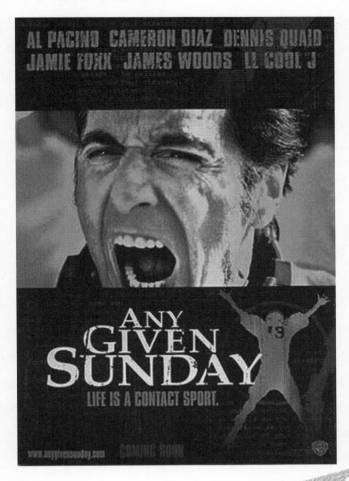

1) 줄거리 요약

영화 〈애니 기븐 선데이〉는 프로 미식축구를 소재로 제작되었는데, 적나라한 경기모습을 통해서 미식축구가 가진 박진감과 생동감을 사실적으로 구현하고 있다. 나아가 현대사회에서 스포츠가 차지하는 위상과 그 이면에 깔린 차별적 이데올로기를 자연스럽게 잘 드러낸다. 특히 미국인들이 왜 미식축구에 열광하는지, 그 이유를 자명하게 보여준다. 그 이유는 본능적이고, 폭력적이며, 거친 이 스포츠를 통해 자신의 감춰진 욕망을 분출할 수 있기 때문이다. 미식축구는 전략적이면서도 야성적으로 임해야 하고, 언제 어디서 부상당할지 모르는 상황은 마치 전쟁과 흡사하다. 미식축구 고유의 강렬한 힘과 에너지가 느껴지고 흥미진진한 미식축구 경기가 긴박하게 전개되는 영화가 바로 〈애니 기븐 선데이〉이다.

2) 영화 속 이야기

'토니 다마토' 감독이 이끄는 마이애미팀의 주전 쿼터백 '잭 캡 루니'가 부상을 당해 경기장에 쓰러져있는 장면으로 영화는 시작된다. 팀은 3연패에 빠졌고, 3경기만 남은 상황에서 플레이오프 진출은 힘든 상황이다. 교체된 세 번째 후보 선수 '윌리 보멘'이 경기를 제대로 리드하지 못하자 팀은 고전한다. 휴식시간에 힘들어하는 윌리에게 감독은 작전은 잊어버리고 패스에만 집중하라고 조언한다. 그러나 이런 감독의 노력에도 팀은 패배한다. 통증 때문에 힘들어하는 잭은 자신을 포기하지 말라고 하고, 감독은 끝까지 그를 믿겠다고 한다. 한편 주점에서 다마토는 자신을 비난하는 방송을 본다. 한물간 구식감독이 그의 현실이다. 집으로 돌아와 이혼한 아내에게 전화하지만 이내 전화가 끊어진다. 또한, 감독은 구단주 '크리스티나 패그니아시'와 팀 운영, 선수 이야기를 하다가 크게 싸운다. 구단주는 잭과 샤크가 노장이기에 해고한다고 말하지만, 감독은 이에 반대한다. 죽은 그녀의 아버지, 전 구단주를 들먹이는 감독의 모습에 크리스티나는 당황해하기 시작한다.

다음 경기에서, 마이애미팀은 두 번째 쿼터백의 실력 부족으로 리드 당하고 있다. 결국, 감독은 월리를 내보내 전방 1인치를 잘 살피라고 지시한다. 월리는 예상외로 빠르고 유연한 모습으로 활약하지만, 작전에는 전혀 부합하지 않는다. 운 좋게 경기는 승리하였고, 월리는 상대 선수를 뛰어넘는 진기한 터치다운 장면을 만들어낸다. 사람들은 새로운 쿼터백의 탄생에 열광하기 시작한다.

크리스티나는 시에서 도와주지 않으면 구단의 연고지를 바꿀 것이라는 암시를 주지만, 여자이고 어리다는 이유로 무시당한다. 월리는 벌

🏈 공중돌기를 하며 터치다운에 성공하는 월리

써 대단한 성공을 해낸 듯 우쭐해 하고, 여자 친구는 자신을 감추는 그의 행동에 불만을 보인다. 결국, 둘은 헤어지게 된다. 이후 원정경기에서 감독은 윌리와 다시 대화를 시도하지만 실패한다. 다행히 팀은 승리하고 윌리는 스포트라이트를 받으며 '증기 뿜는 비맨'으로 인기를 독점한다. 거만해지는 윌리와 불만이 생긴 선수들의 얘기를 들은 감독은 윌리를 저녁식사에 초대할 계획을 세운다. 설상가상으로 팀 닥터들도 갈등이 생긴다. 내과의는 양심적으로 선수들의 상태를 체크해 줄 것을 요청하지만, 정형의는 선수에게 비싼 돈을 들여 검사할 필요가 없다며 제안을 거절한다. 게다가 구단주는 이익을 위해서 정형의와 모종의 계획을 세운다. 그 계획은 샤크를 은퇴시키기 위해 그가 부상을 당했지만 경기에 출전시키고, 상품가치 높은 윌리를 기용하기 위해 루니를 제외시키는 것이었다. 그녀는 다음 계약에 챙겨주겠단 말로 포섭한다. 그리고 약속한 토요일, 윌리는 감독의 집을 방문한다.

식사를 하면서 두 사람은 대화한다. 감독은 작전을 무시하는 것은

🎞 감독의 집에서 대화하는 윌리

경험자들과 희생한 이들에 대한 경멸이라고 말하지만, 윌리는 승리가 중요하며 작전은 고리타분하다고 단정한다. 감독은 경기 자체가 승리 이상의 의미가 있다고 역설하지만, 윌리는 이를 이해하지 못한다. 이에 감독은 플레이오프에서 캡을 주전으로 임명하겠다고 하며, 캡의 지도력과 협동력을 높게 평가한다. 그러나 윌리는 반성은커녕 오히려 감독을 비난한다. 감독은 리더는 희생을 해야 하는 자리이며, 쿼터백은 가장 높은 자리에 있는 리더임과 동시에 실패를 책임져야 하는 자리이라 선수들에게 믿음을 주고 믿게 만들어야 한다고 말한다. 자리를 박차고 나온 윌리는 동료의 파티에 가서 팀을 분열시키는 발언을 한다. 결국 윌리는 선수들 사이에서 고립되고, 그 불화로 인해 경기에 패한다.

내과의는 샤크의 상태를 솔직히 말한다. 결국 샤크는 포기각서를 쓰고 경기에 임하고, 정형의는 선수를 위해 숨긴 것이라고 변명하면서 팀을 떠난다. 그리고 윌리는 다른 선수에게 남자는 인생을 되돌아볼 때, 모든 것이 자랑스러워야 한다는 충고를 듣게 된다. 한편 루니는 실패의 두려움으로 경기를 포기하려고 하지만, 감독의 격려에 결국 플레이오프에 출전하기로 한다. 감독은 잭이 주전이라 윌리를 트레이드하겠다고 한다. 이에 크리스티나는 자신이 구단 경영을 맡은 이유가 감독이 배짱이 없었기 때문이라고 한다. 직설을 들은 감독은 충격을 받게 되고, 그녀 또한 마음이 편치 않다. 그녀는 우연히 아버지 사무실에 갔다가 어머니와 감독의 대화를 듣는다. 감독은 자신의 두려움을 이야기한다. 리드하고 통제할 것이 없으면 두렵다는. 어머니는 크리스티나가 팀을 팔 것이라며, 그를 원망한다.

그리고 결전의 날, 경기시작 전 감독은 3분의 연설을 한다. 오늘은 모든 것이 결판나는 가장 큰 전투이며, 인생은 1인치의 게임이라는 것이다. 풋볼도 마찬가지로, 모든 일은 몇 인치가 문제이며, 그렇기에 우리는 그 1인치를 위해 싸워야 한다고 말한다. 만약 팀을 위해 희생하지 못하면 일개 개인으로 죽어야 하는 것이 풋볼 게임이라고 피력한다. 그리고 모든 팀원들은 이 연설에 고무된다.

경기시작 후 지고 있는 상황에서, 잭이 터치다운을 성공하지만, 어지러움을 호소한다. 그는 뛸 수 있다고 하지만 감독은 윌리를 한번만 믿어보라며 교체한다. 이에 윌리는 제멋대로 굴었던 것을 사과하고 다시 팀원들은 뭉치게 된다. 그들의 분전으로 35:31로 이기는 상황에서 4쿼터가 시작한다. 그때 위기상황을 맹수비로 막아선 샤크는 일어나지 못한다. 의식을 잃은 샤크는 먹구름이 끼여 있던 경기장에 햇빛이 들어오자 정신을 차린다. 그리고 55초 남은 상황에서 윌리가 나온다. 그는 터치다운을 극적으로 시도하지만, 반칙으로 홀딩이 된다. 결국 10초도 남지 않은 상황에서 코만치 작전이 나오며, 기적적으로 터치다운을 성공해 승리한다.

경기 후, 감독은 70년대의 훌륭한 쿼터백 이야기를 윌리에게 한다.

🏉 경기에서 승리한 후 환호하는 선수들

그는 투지 있는 사내였으며 1인치, 1인치를 위해 싸웠다고. 그리고 진정 그리운 것은 인기나 환호가 아니라 작전모임에서 그를 쳐다보던 11명의 동료들이라고 전한다. 비록 팀은 우승을 못했지만, 크리스티나는 마이애미에서 계속 팀을 운영하기로 결정한다. 그리고 감독은 은퇴한다. 마지막 기자회견에서 풋볼이 자신의 전부였고, 행복했으며, 그리울 것이라고 말한다. 하지만 새로운 도전을 위해 그는 다른 팀의 감독을 맡았고, 윌리를 데려가겠다고 하면서 웃으며 퇴장한다.

3) 해석적 이해

감독이 말했던 1인치에 대해서 생각해보자. 실제 인생은 한 발만 잘못 내딛어도 나락으로 빠질 수 있다. 이는 사람들에게 다가오는 사소한 잘못이나 소중한 기회일 수 있다. 자만했다가 영영 추락할 수도 있고, 사소한 잘못으로 돌이킬 수 없는 실패에 빠져들 수도 있다. 반대로 이 1인치를 주시한 사람들은 크게 성공을 거두기도 한다. 감독은 인생에서 이런 사소한 1인치를 위해 자신을 가다듬고 주시해야 한다는 말을 하고 싶었던 것이다.

최근 스포츠계에 팽배한 상업주의에 대해서도 생각해 볼 수 있다. 훌륭한 선수지만, 노장이란 이유로 은퇴를 종용하거나 인기 있는 선수를 기용하려 하고, 선수를 상업적인 광고에 이용하는 모습은 오늘날 우리 사회의 스포츠 문화와 유사한 점이 많다. 물론 구단의 입장은 이해할 수 있다. 이익을 창출해야 하기 때문이다. 하지만 관람객에게 수준 높은 경기를 보여주고 윤리적인 문제없이 깨끗한 선수운영과 경기를 하는 것이 아니라 화려한 플레이와 상업적 가치가 있는 경기, 구단의 이익만을 위해 선수를 기용하는 경기를 하는 구단은 장기적으로 볼 때, 그러한 비윤리적인 운영이 언젠가 탄로가 나게 된다. 스포츠에 상업성이 적절하게 섞이면 오히려 플러스 효과를 낼 수 있다고 생각한다. 사람들이 편안하게 경기를 관람할 수 있는 시설과 이벤트, 여가시간 등의 상업적 전략 등으로. 그러나 영화에서 나왔던 상업성 위주의 경기는 결국 경기의 질을 떨어뜨리고 팬들을 떠나게 만들 수 있다.

4) 심층적 탐구

(1) 토니 다마토 감독의 행동에 대한 평가는?

미국에서 풋볼은 엄청난 인기 스포츠이고 해당 프로팀은 뛰어난 실력을 갖췄다. 수많은 팀들 중에 한 감독이 전미풋볼 우승을 두 번이나 했다는 사실은 그 자체만으로도 높이 평가되어야 하고 위대한 업적이라 할 수 있다. 그러나 시간은 흐르는데 감독은 옛날 방식만을 고집한다. 이런 그를 사람들은 구식이라 비난한다. 심지어 젊은 여자 구단주에게서도 비난을 듣게 된다. 물론 다른 팀들의 전략, 현재의 동향을 잘 파악해서 이에 맞는 전술을 준비하는 것도 감독의 일이다. 따라서 언제까지나 변화가 없다면 결국 도태될 수밖에 없다. 온고지신이라는 말처럼 과거의 전략과 방법을 잘 습득하고 이용하여 시대에 알맞은 새로운 전술로 만들어 내는 일은 감독의 필수 덕목 중 하나이다. 그러나 자신의 확고한 열정과 신념도 감독에게 꼭 필요한 다른 덕목이다. 자신의 신념과 열정이 없는 변화는 다만 누군가를 흉내 낸 것에 불과하다. 얼핏 생각하면 노익장의 옹고집 같지만, 그의 열정과 신념에서 나오는 용병술은 이와 본질적인 차이가 있다. 그의 철학은 경기의 본질적인 부분에 대해 오랜 경험과 신념을 바탕으로 한 것이다. 분명 스포츠에서 승리는 매우 중요하고, 이를 위해서는 알맞은 전술을 짜야 하지만, 감독은 승리를 넘어서 미식축구에 대한 신념을 선수들과 관객에게 보여준다.

예컨대 감독의 선수 파악 능력과 관리 능력은 단연 최고이다. 구단주의 반대 의견에도 확고한 신념으로, 결국 승리를 일궈낸 것은 타인으로 하여금 고개를 끄덕이게 한다. 물론 감독은 불안정한 모습으로 다가오기도 한다. 스포츠 정신 속에서 자선과 협력을 추구하는 그의 가치관은 본받을 필요가 있고 존경스럽지만, 개인적인 인생은 매우 황폐해 보였기 때문이다. 감독은 가정을 못 지킨 것에 대한 회한이 커 보였으며, 인생을 허무하게 느끼고 있다. 그가 진정으로 인생을 돌아보았을 때 '한 곳을 쳐다보는 11명의 동료들'도 의미 있겠지만, 사실은 자신을 진심으로 아껴주는 가족에게 둘러싸여 있고 싶었던 게 아닐까?

(2) 팀 닥터의 '거짓 진단'에 대한 의견은?

의사에게는 환자의 보호와 치료가 가장 우선시 된다. 그러나 치료받는 선수들은 한 구단에 소속되어 있고, 경기에 출전해야만 연봉을 받는 프로선수들이다. 그들은 출전한 경기수와 실적으로 가치가 결정된다. 그래서 자신의 가치를 높이기 위해 더 큰 위험을 무릅쓰고 경기에 나간다. 이런 입장에서 부상 때문에 경기출전을 포기하는 것은 나약함 때문에 스스로의 가치를 낮추라는 말과 일맥상통한다. 그렇기에 의사는 이런 선수의 사정을 이해해야 한다. 그러나 이해했다고 거짓 진단을 내려서는 안 된다. 선수가 자신의 가치를 높이기 위해 경기에 뛰어야 한다면 의사도 지켜야 할 윤리적 지침이 있다. 그가 거짓 진단을 내리는 행동은 '나의 환자의 건강과 생명을 첫째로 생각하겠노라.'라는 히포크라테스 선서를 무시하는 행동이다.

이렇듯 환자를 보호해야 하는 의사의 의무도 있지만, 풋볼이라는 거친 경기에서는 작은 부상이 자칫 재기할 수 없는 큰 부상, 사망으로도 이어질 수 있다는 점을 상기해야 한다. 이를 감안하면 의사의 거짓 진단은 선수의 생명을 위협하는 일로 도덕적으로 비난받고 법적으로 처벌받아야 한다. 단적으로 선수들의 건강은 의사에게 달렸다고 볼 수 있다. 이런 책임을 져버리고 사리사욕 때문에 거짓 진단을 한 것은 명백한 잘못이다.

(3) 신인 쿼터백 윌리 보멘의 행동에 대한 평가는?

그는 갑자기 팀의 리더인 쿼터백이 된다. 무명선수였던 그에게는 최고의 기회가 분명했다. 승리만을 위해 경기하는 그는 자신을 제외한 다른 동료들을 무시하고 마치 자신만 최고인 것처럼 행동한다. 이는 신인으로, 그리고 청년으로 경험이 부족한 사람에게 흔히 나타날 수 있는 자만이나 오만이다. 물론 선수 개인의 실력도 팀 전력에 매우 중요한 요소이다. 그러나 팀 경기에서는 선수 간의 소통과 협동, 협력이 가장 중요하다. 자신의 실력과 인기에 도취된 윌리는 이런 기본적인 사실을 잊고 있었다. 결국, 그는 팀원들의 신임을 받지 못하고 고립된다. 더욱이 그가 맡은 쿼터백은 공격 포메이션의 모든 결정권을 책임지는 역할로 선수들의 믿음이 필요한 포지션이다. 이런 상황에서 감독의 말을 무시하고 독단적으로 게임을 이끄는 것은 결과가 좋더라도 비난받을 행동이다. 자신의 잘못을 깨닫고 고치려면 상당한 용기와 겸손이 필요하다. 결국, 그는 뼈아픈 경험을 하면서 승리를 넘어 인생의 중요한 사실을 배운다.

(4) 젊은 여성 구단주 크리스티나 패그니아시의 구단 '경영철학'에 대한 평가는?

구단 경영이란 이윤 창출을 목적으로 한다. 그러나 젊은 여성 구단주의 경영은 이윤 창출은 고사하고 감독과 불협화음까지 빚는다. 크리스티나는 아버지의 경영철학을 무시하고, 자신의 철학에 맞게 구단을 이끈다. 그녀는 아버지의 경영철학이 시대에 뒤떨어지고 너무 고지식하다고 생각했다. 그러나 다른 사람의 눈에 그녀의 경영철학은 이기적이며 성급하고, 돈이 되면 뭐든 한다는 사고방식으로 보였을 것이다. 그녀는 아버지가 이뤄놓은 구단을 번성시키기 위해 조금 더 인기 많은 선수, 부상당한 선수를 출전시켜야 했다. 그러나 과유불급이라는 말처럼 순리 없는 무분별한 이익추구는 잘못된 판단으로 이어진다.

구단 경영을 통해 경제적 이익만 얻으려는 것은 언젠가는 한계에 부딪힌다. 선수와 코치진을 진실하게 대하지 않고 돈으로만 해결하려는 그녀의 모습은 우리가 살고 있는 스포츠 자본주의의 폐해를 보여준다. 누구나 경영에서 이윤 추구를 우선으로 꼽지만, 그 밑바탕에는 신뢰가 필요하다는 점을 이 영화는 잘 보여준다. 최근 기업들의 생존기간이 점점 짧아진다는 것만 봐도 알 수 있다. 팀에 대한 충성심이나 협력보다 돈이라는 이기심에 지나치게 치우치면 진정 의미 있는 일을 하지 못하기 때문이다. 많은 사람들이 돈을 눈앞에 보이는 경제적 이익으로만 따지지 않고 사람 간의 관계에 주목한다면, 이 세상은 더욱 살기 좋은 사회가 되지 않을까?

(5) '최후의 승패를 가르는 1인치, 그 작은 차이에 목숨을 내
  던지는 것이 삶이다.'에 대한 생각은?

  어떤 일이나 열정은 그 자체로 박수 받아야 한다. 열심히 하면 분명
최고는 아니지만, 여러 경쟁자들과 비슷한 수준까지 오를 것이다. 그때
경쟁자들과의 차이는 분명 한 끗의 차이일 것이다. 승리하려는 목표의
정점에서는 1인치의 차이가 승패를 가린다. 그렇게 피땀 흘리는 노력
끝에 1인치를 위해 목숨을 내던지는 것은 우리들이 살면서 추구해야 하
는 일이다. '티끌 모아 태산'이라고, 작은 것이 하나하나 합쳐지면 결국
큰 것이 된다. 영화 속의 플레이오프에서 팀 분열 속에서도 그는 자기
신념을 선수들에게 전한다. 분명 이것은 어떤 전술보다 선수들에게 큰
힘을 주었다. 마지막으로 "최후의 승패를 가르는 1인치, 그 작은 차이
에 목숨을 내던지는 것이 삶이다."라는 말에 대해 나 자신은 어떻게 살
아왔는지 반성했다.

  (6) 영화에 나타나는 '폭력성과 약물중독'은 어떻게 묘사되고
  있는가?

  영화 전반에서 폭력성과 약물남용은 적나라하게 표현되고 있다.
운동선수가 파티를 열어 향락을 즐기거나 마약을 하는 선정적인 장면
들이 많았다. 또 경기에 앞서 진통제나 여러 약물을 상습적으로 복용하
는 모습도 볼 수 있었다. 이는 놀랍기보다 자연스럽고 당연하며 놀랍지
않은 분위기로 묘사 되었다. 약물의 힘을 빌리지 않으면 경기에 뛸 수
없을 정도로 몸이 망가지며, 마약을 하고 창녀들과 파티를 하는 모습들
은 프로선수로 생각할 수 없을 만큼 퇴폐적인 모습이었다. 프로는 자

신의 몸 관리가 최우선인데 마약에 찌들고 약물이 아니면 경기를 뛸 수 없는 그들의 모습이 과연 프로의 모습인가 의문이 생긴다. 돈, 마약, 섹스는 미국 영화에서 전형적인 비윤리적인 모습이다. 스포츠 자체보다 돈을 위해 경기에 임하고 영웅이면서도 마약을 하고 방탕한 성생활을 즐긴다. 스포츠가 상업화되면서 선수들은 그에 따른 부수적인 혜택인 돈을 많이 벌게 되었고, 어쩌면 이것이 정신적 비극의 시작이 아니었을까? 지나친 자아도취에 빠져 경기가 없는 시간에는 마약과 섹스로 기분을 유지하는 듯 보이는 이들의 모습은 더욱 충격적이었다.

물론 미식축구경기가 몸에 무리와 스트레스를 많이 주는 운동이기 때문에 선수들은 약물을 남용할 가능성이 높다. 그러나 약물로 해결하는 방법은 앞에서 언급한 신체적인 이유 외에 도덕적인 이유 때문에도 반대한다. 잠깐 약물의 도움으로 문제가 해결 될 수 있지만, 그것이 근본적인 해결책은 되지 않는다. 폭력적으로 경기에 임하기보다 상대 팀과 규칙을 지키며 신사적인 모습으로 임하려는 노력이 필요하다. 그리고 다시 말하지만, 그들은 많은 이들이 자신들을 동경하고, 지켜보는 공인이라는 사실을 잊어서는 안 된다.

(7) 현대사회에서 미식축구는 어떤 스포츠 요소들을 포함하는가?

미국에서 풋볼은 개척 정신과 도전 정신을 대표하고 있어 인기가 높다고 한다. 그 이유는 운동 자체의 거친 면과 득점을 하고 수비수들을 따돌릴 때의 쾌감에서 비롯된다고 예상할 수 있다. 첨단장비 동원은 게임의 질을 높이고 다른 종목과는 차별화된 느낌을 준다. 현대사회는 빠르게 지나가고 순간순간이 바뀐다는 면에서 미식축구와 일맥상통하는 면이 있다고 생각한다. 미식축구는 자신을 희생해야만 좋은 결과를 가져올 수 있는 경기이다. 자신을 희생해서 동료에게 패스할 곳과 받을 곳을 마련해주고 길을 내어준다. 게다가 팀플레이를 하지 않으면 경기는 이길 수 없다. 이는 이기적으로 변해가는 현대사회에서 꼭 배워야 하는 교훈이라고 생각된다. 각자의 위치에서 최선을 다하고 희생할 줄 알고 협동하는 모습으로 팀플레이를 해야만 승리할 수 있는 정신은 우리 사회도 배워야 하지 않을까?

5) 스포츠의 이해 : 미식축구

(1) 미식축구에 대한 이해

영어로는 아메리칸 풋볼(American Football)이라고 하지만, 미국에서는 풋볼이라고도 한다. 축구가 인기를 끌 무렵인 1823년 영국의 럭비고등학교에서 럭비가 생겼다. 이때 럭비풋볼과 구분해 정통 축구를 '어소시에이션 풋볼'이라고 불렀다. 1869년 11월 프린스턴대학교와 러트거스대학교가 뉴저지 주 뉴브런즈윅에서 치른 경기가 최초의 미식축구 공식경기로 인정되는데, 이 경기는 25명의 선수가 팀을 이루었다. 이후 1874년에 캐나다로부터 럭비가 소개되어 경기 규정이 채택되었다. 1876년 11월에는 컬럼비아대학교, 하버드대학교, 프린스턴대학교, 예일대학교 등이 중심이 되어 전미축구연맹을 창설하고, 규칙을 개정해 새로운 축구의 형태로 발전시켰다. 이때 계란형의 가죽공을 사용하면서 축구와 다른 형태의 스포츠로 발전된 것이다.

그리고 1880년 '미식축구의 아버지'라고 불리는 월터 캠프(Walter

Camp)는 지금과 같이 팀당 주전선수를 11명으로 정했고, 4차례 연속공격을 채택하는 등 획기적으로 규칙을 개정하면서 기초를 다졌다. 그리고 연차적인 규칙 개정, 용구(用具) 개량과 경기 방법의 변화에 따라 국민성에 맞는 미국 최초의 스포츠가 되었다. 미식축구시즌은 9월~11월 말까지이다. 그 사이에 각 지역에서 시합이 진행되어 지역별 우승팀은 시즌오프(주로 1월 1일)에 거행되는 챔피언전 출전 자격을 얻는다.

(2) 경기방식

미식축구는 공격·수비 11명씩의 선수가 상대 지역으로 전진하면서 점수를 얻는 경기다. 공격 팀에는 4차례 공격에서 10야드를 전진할 기회가 주어지며, 실패했을 때는 공격권을 상대에게 넘겨준다. 공격 팀은 라인맨 5명, 쿼터백 1명, 러닝백 2명, 리시버 3명으로 구성된다. 라인맨(Line Man)은 센터 1명을 중심으로 양쪽에 각각 2명의 가드와 태클이 있는데, 이들은 공격 팀 최전방에서 수비 팀을 저지하며 공격이 원활하도록 지원한다. 볼을 들고 플레이는 하지 않으며 주로 몸이 크고 몸싸움에 능한 선수들이 맡는다. 러닝백(Running Back)은 쿼터백으로부터 볼을 전달받아 전진하는 역할을 한다. 리시버(Receiver)는 쿼터백이 앞으로 던진 볼(Forward Pass)을 받아 전진을 한다. 쿼터백(Quarter Back)은 센터로부터 볼을 전달받아 러닝백에게 볼을 전달하거나 리시버에게 볼을 던져주는 역할을 한다. 대부분 쿼터백은 팀의 리더이다. 모든 플레이는 쿼터백의 구호나 볼을 스냅 하라는 카운트로 시작된다. 쿼터백은 달려드는 수비(Rusher)들을 피해 패스를 하기 위해 빠르고 강력한 어깨를 가져야 하며, 수비 태클에 견딜 만큼 강인하고, 발생하는 상황에 민첩하게 대응할 수 있는 판단력을 갖추어야 한다. 수비에는 4-5명의 수

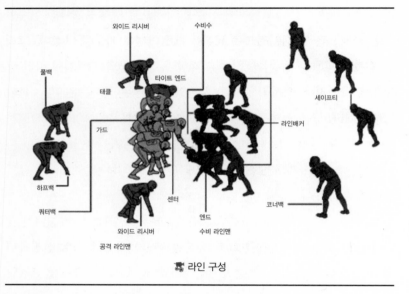

라인 구성

공격 라인맨	
풀백	
태클	와이드 리시버
가드	타이트 엔드
하프백	
쿼터백	센터
와이드 리시버	엔드

수비수

세이프티

라인배커

코너백

수비 라인맨

비 라인맨(Defensive Lineman)과 3-4명 정도의 라인백커(Linebacker), 2-3
명 정도의 디팬스 백(Defensive Back)으로 구분된다.

(3) 경기장

NCAA 규정에 따른 미식축구 경기는 전체 길이 360피트(120야드,
109.7m), 너비 160피트(53.3야드, 48.7m)의 직사각형 필드오브플레이에
서 진행되며, 양쪽 끝에 각각 길이 30피트(10야드, 9.1m)의 엔드존이 있
다. 필드오브플레이를 3등분해 자기 진영 골부터 40야드 이내의 방어
지역, 방어지역 끝에서 상대편 진영 40야드까지의 중앙지역, 상대 진영
40야드까지의 공격지역으로 나뉜다. 엔드존은 공격 팀 선수가 볼을 가
지고 들어가 득점을 하는 곳으로, 엔드라인 위에 골포스트가 세워져 있
다. 미식축구에서 10야드는 퍼스트다운을 획득하기 위한 필수 전진 거

리(4회 공격으로 전진한 총 거리)이며, 경기장에 10야드씩 표시되어 경기 진행에 중요한 지표가 된다. 골포스트는 높이 20피트(6.6야드, 6m) 이상이며 엔드라인 선 위의 중앙에 위치하고, 너비 23피트 4인치 7.7야드 (7.1m) 되는 크로스바가 연결되어 있다.

(4) 용구

헤드기어와 헬멧은 머리부상을 방지하기 위해 착용하는 장비로, 헤드기어 외부는 플라스틱이나 합성수지로 이루어졌고, 내부는 스펀지와 가죽으로 외부 충격을 방지한다. 얼굴 마스크는 헤드기어 앞부분에 설치되는데, 얼굴, 눈, 코, 입 부분을 보호하며, 플라스틱이나 쇠구조물에 고무코팅으로 만들어졌다. 숄더패드는 어깨 부분을 보호하는 장비로 스펀지와 플라스틱, 강철로 만들어졌으며, 충격방지를 위해 3겹이다. 그 밖에 체스트 패드, 힙 패드, 타이 패드, 니 패드 등의 보호 장비를

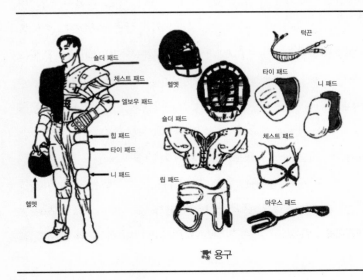

용구

갖추고 경기를 치른다. 볼은 봉합선 이외에는 주름 및 요철자국이 없는
표면을 오톨도톨하게 만든 4장의 가죽으로 만들어져 있다.

[참고문헌]

1. 대한 미식축구 협회
   http://www.kafa.org/
2. '미식축구', 네이버 지식백과(스포츠 백과)
   http://terms.naver.com/entry.nhn?docId=384393&mobile&category
   Id=1429

제4장 스포츠와 도전정신

마지막 4장에서는 '스포츠와 도전정신'이라는 주제로 리더십, 도전정신, 자아탐구, 인간승리 등을 소개한다. 여기서 언급할 영화들은 〈주먹이 운다〉, 〈슈퍼스타 감사용〉, 〈루디〉, 〈베가 번스의 전설〉 등이다. 이 영화들을 통해서 이러한 특성들이 어떻게 나타나는지 그 의미를 분석하고 해석한다.

1. 주먹이 운다
– 과거의 상처를 담고 내뻗는 주먹

1) 줄거리 요약

영화 〈주먹이 운다〉는 실패한 인생을 살아가는 두 남자가 복싱을 통해 새로운 삶의 의미를 발견해가는 과정을 그린 작품이다. 최선을 다했다면 패자에게도 희망이 있다는 감동의 메시지를 전하고 있다. 주인공인 태식과 상환이 복싱이라는 스포츠를 통해 그들의 '한' 서린 마음의 응어리를 표출하고 가족의 사랑을 확인하는 과정은 눈물겹지만 희망적이다. 만약 복싱이라는 존재가 그들의 삶에 찾아오지 않았다면 자아정체성의 각성 및 확인, 회복, 가족구성원으로서의 자신의 위치를 알아차리지 못했을 수 있다. 그래서 로드무비처럼 무거운 이 영화는 마냥 어둡지만은 않다. 그 속에 '사랑'이라는 희망과 '거의 미칠 정도의 열정'이라는 방법이 있기 때문이다. 사연 없는 사람은 없듯, 이 영화를 통해서 또 다른 링 위에 서있는 우리를 발견할 수 있을 것이다. 그들이 싸울 상대가 링 위의 상대가 아닌 자기 자신이듯이.

2) 영화 속 이야기

상환은 할머니와 살며 싸움을 일삼고 돈을 뺏는 불량배이다. 아버지는 집에 잘 오지 않는다. 오랜만에 부자는 경찰서에서 재회한다. 아들 상환이 사고를 쳤기 때문이다. 아버지는 합의금을 준비하지만, 상환은 자기가 내겠다고 큰소리친다. 그러나 합의금을 위해 동네 일수쟁이를 강탈하고 만다. 반면 태식은 무허가 공장이 방화로 전소되고, 아는 동생이 돈을 돌려주지 않아 빚더미에 앉아 가족과 떨어져 판잣집에 살게 된다. 징역 5년을 살게 된 상환은 아버지의 면회를 거부하고, 시

🏸 인간 샌드백 노릇을 하면서 힘겹게 살아가는 태식

비를 건 징역수와 싸우기도 한다. 이런 악바리 모습을 눈여겨 본 교도관은 상환에게 권투를 권하고, 태식은 먹고 살기 위해 인간 샌드백이 된다.

하지만 자존심 때문에 쉽게 일을 하지 못하는 태식은 이를 본 우동가게 사장과 친해진다. 자신이 왕년에 잘나가는 프로복서였으며 아시안게임 은메달리스트라고 자랑하며 술에 취한 태식. 따로 사는 아내와 아들의 집 근처까지 찾아가지만, 만나지 못하는 자신의 모습에 용기를 내서 인간 샌드백 일을 적극적으로 시작한다. 한편 상환은 처음으로 간 권투장에서 자신과 싸운 징역수와 마주친다. 마구잡이로 덤벼보지만, 상환은 무참하게 KO패 당한다.

잠깐 쉬는 동안 태식은 아이들이 눈앞에서 뛰놀자 아들이 생각나서 신발 끈을 고쳐 매주고 음료수도 나눠주지만, 아이 엄마가 눈살 찌푸리며 데리고 가버린다. 이때 눈앞이 어질어질해지는 태식. 하지만 그런 느낌을 받은 것도 잠시, 아는 동생이 취재팀을 데리고 와서 벌어놓은 푼돈까지 갖고 가버린다. 그리고 방송 때문에 빚쟁이들이 찾아오고, 옛날 후배라는 조직폭력배까지 그를 찾아내 아시안 게임 은메달을 빼앗아간다. 단조로운 교도소 생활을 하던 상환에게 뜻밖의 소식이 전해진다. 아버지가 사고로 공사장에서 숨을 거둔 것이다. 이에 상환은 충격을 받고, 장례식에 참여하기 위해 특별 외박을 노리고 전국체전에 나가겠다며 운동을 시작한다.

♟ 특별 외박을 위해 운동에 매진하는 상환

어느 날, 태식에게 아들이 찾아와 가정통신문 한 장을 건네고 돌아간다. 아빠와 함께하는 수업이었다. 그는 아들을 실망시키지 않기 위해 정장을 입고 아들 학교로 가서 나름대로 열심히 수업을 하지만 가방끈이 짧은 그는 학교를 발칵 뒤집어 놓고 온다. 결국 아들에게 창피하다고 무시당한 그는 아내에게 이혼하자는 말을 듣는다. 자신보다 잘난 남자와 재혼하겠다는 아내와 카페에서 말다툼을 벌인다. 결국 아무 것도 해결하지 못한 채 술에 취해 자신이 '강태식'이라고 외치며 세상을 원망한다. 집 보증금을 뺀 돈으로 술을 마시자며 우동가게 사장에게 주정을 부리다가 "이 세상에 사연이 있는 사람은 너 하나만 아니다."라는 소리를 들으며 그는 마음을 다잡는다. 계속되는 현기증과 이상증세로 찾아간 병원에서 그는 권투를 해서 뇌에 이상이 왔다는 의사의 진단을 듣는다. 집 보증금까지 빼고 삶의 희망을 잃은 그는 지하철에서 노숙을 한다. 이때 그의 눈에 들어온 커다란 광고는, 바로 복싱 신인왕을 뽑는다는 광고였다.

한편 아버지 사건의 충격이 채 가시기도 전에 상환은 할머니가 쓰러졌다는 소식을 듣는다. 물론 교도소 측은 상환을 내보낼 수 없다는 입장을 취하지만, 복싱코치의 도움으로 결국 그에게 잠깐의 외출이 허락된다. 외출을 한 상환은 병원에서 할머니를 뵙지만 정신이 오락가락하는 것을 보고 오열한다. 할머니는 무리하게 새벽기도를 하고 일을 하다 쓰러진 것이며 수술비와 입원비는 교회와 자선단체에서 많은 도움을 줘서 잘 해결될 것이라는 말을 듣는다.

반면 태식은 장사를 접고 어떻게 할까 고민한다. 이때 아들이 다시 찾아온다. 그러나 그는 아들에게 가라고 소리를 지르고 아내는 아들을 데리고 사라진다. 아들은 미안하다는 사과를 하러 그를 찾아왔지만 태식은 이를 알 리 없다. 이때 친한 동생이 그를 다시 찾아오고, 태식과 교도소에 있는 상환은 같은 시간에 신인왕 대회에 도전하려고 마음먹는다. 죽어도 하겠다는 의지를 불태우는 두 사람을 보며 코치와 친한 동생은 두 손을 든다. 친한 동생은 태식을 위해 자신의 자존심까지 버리며 그를 돕는다.

두 사람은 피나는 노력을 한다. 대회에 참가하기 전 두 사람은 각각 빚을 진 상대에게 멋지게 갚는다. 태식은 자기 메달을 뺏어간 후배에게, 자신의 잘못을 모른 채 타인의 탓으로만 모든 것을 돌리던 과거의 자신과 똑같은 후배를 멋지게 눕히고 메달을 찾아온다. 상환은 연습 시합에서 자신을 놀리던 패거리의 우두머리를 이기면서 신인왕전 경기를 할 수 있게 된다. 이때 할머니는 손자를 위해 재활훈련을 시킨다. 주위 사람들의 응원과 마음속에 담아두었던 빚이 해결되어서인지, 두 사람은 파죽지세로 결승전을 향해서 올라간다. 그리고 대망의 결승전 전날, 상환은 아버지의 납골당에 처음으로 찾아간다. 아들의 결승전이나 보고 가시지라며 투정을 부리며 불안한 속내를 혼자 말한다. 혹시 우승을 못하면 어떻게 하지라며 안타까운 속내를. 이때 태식은 아들과 함께 목욕탕에 가고 맛있는 음식을 사주며 자신의 인생담을 들려 준다. 그러나 아직 아들이 이해하기에는 너무 어려운 이야기였다. 그는 아들과 하룻밤을 보내며 자신의 은메달을 아들에게 걸어준다.

마침내 다가온 대망의 결승전. 태식의 아들 서진은 어머니와 새아버지가 될 사람과 함께 집을 구경하다 아버지의 결승전 경기를 보기 위해 홀로 지하철을 타고 경기장으로 향한다. 또 상환의 할머니도 그의 경기를 보기 위해 어렵사리 병원에서 외출한다. 그리고 그들의 경기는

🎬 결승 경기에서 치열한 난타전을 펼치는 태식과 상환

라운드를 거듭할수록 점점 상대방을 때려눕히는 싸움이 아니라 자신의 불운과 울분을 가라앉히고 자기 자신과 싸우는 경기가 된다.

　　마지막 라운드가 종료되고 피투성이 된 아버지를 붙들고 우는 서진과 이를 보며 눈물짓는 아내. 심판들의 판정은 2:1로 상환의 승리. 우승 트로피를 받아야 하지만 상환은 트로피를 무시한 채 할머니를 끌어안으면서 영화는 막을 내린다.

3) 해석적 이해

　　영화를 보면서 태식을 응원하는 사람도, 상환을 응원하는 사람도 있을 것이다. 태식의 편을 들었다면 40세가 넘은 나이에서 나오는 체력적인 불리함보다는 연륜, 전직 은메달리스트로서 쌓아왔던 경기 경험, 인간 샌드백을 하면서 기른 맷집을 생각하기 쉽다. 또한, 최근 구조 조정과 명예퇴직, 젊은 사람들과 경쟁에서 오는 상황을 힘들어하는 아버지들이 조금이라도 자신감과 희망을 얻기를 바랐을 것이다. 상환의 편을 들었다면 20대의 왕성한 체력과 악바리 정신, 야생적인 감각, 그리고 자신의 잘못을 뉘우치고 이제라도 가족들에게 떳떳한 몫을 하려는 상환의 용기에 박수를 보냈을 것이다. 이 영화를 보면서 잘못은 타인과 사회의 탓이 아니라 자신 안에서 자라나고 있었다는 사실을 반성할 수도 있다. 잘못을 주어진 환경 탓으로 돌리면 그 순간에는 자책을 하지 않아서 편하다. 그러나 계속 반복되면 상황은 바뀌지 않고 남 탓만 하면서 점점 자신은 나락으로 빠져 들어가 어느 순간부터는 빠져나올 수 없다. 누구라도 조금만 생각을 잘못하거나 상황이 여의치 않으면 그런 길로 떨어질 수 있다는 사실을 직시해야 한다. 그러나 자신을 돌아보고 이겨낼 의지가 있으면 이런 상황도 충분히 극복할 수 있다.

4) 심층적 탐구

(1) 주인공 태식과 상환에게 복싱이 주는 '인생의 의미'는 무
엇인가?

영화 초반부에 태식에게 복싱은 자신의 지나간 인생의 가장 큰 발
자취였으며 자만심을 충족시켜주는 대상과 동시에 돈벌이 수단이다.
인생이라는 거창한 말을 할 만큼 복싱에 큰 의미가 있지는 않았다. 그
에게 복싱은 과거의 영광이며 선전 효과, 팔아도 돈이 되지 않는 것, 아
무도 알아주지 않는 무의미한 기록이다. 그러나 대회 출전을 결심한 그
에게 복싱은 '재기'와 '희망'이며, 잊어버렸던 인생의 근원이다. 비록 가
정을 잃는 인생의 참담함을 경험했으며 많은 어려운 일을 겪었지만 그
는 복싱을 통해 새롭게 도전하기 위해 다시 일어섰다. 하지만 상환에게
복싱은 그냥 교도관이 권유해서, 그리고 자신에게 시비를 걸었던 상대
가 복싱을 하기 때문에 복수하기 위해서 하는 것이었다. 그러나 복싱을
하면서 상환은 조금씩 달라진다. 처음으로 상환은 무의미한 주먹다짐
이 아닌 자신의 한과 울분을 규칙에 따라 정당하게 풀 수 있는 계기를
찾았다. 복싱은 그에게 자신의 인생을 들여다 볼 수 있는 거울과 같은
역할을 한다. 두 사람 모두 가족을 위해(가족을 되찾기 위해, 혼자 남은 할
머니와 돌아가신 아버지에게 부끄럽지 않은 아들이 되기 위해) 신인왕전에 출
전한다.

이들에게 복싱의 또 다른 의미는 '좀 더 나은 자신이 되는 것'이다.

인생이란 원래 힘들고, 좌절하고 싶어도 계속 도전하고 앞으로 나아가는 것이다. 이들은 그 의미를 몰랐기에 계속 밑바닥 인생을 전전했는지 모른다. 하지만 복싱은 그들이 다시 살아갈 수 있도록 꺼지지 않는 희망을 품을 수 있고, 소중한 가족들 앞에서 떳떳한 사람으로 우뚝 설 수 있게 해준다.

(2) 주인공 각자에게 '가족'의 의미는 무엇이며, '진정한 가족상'은 무엇인가?

태식에게 가족은 반드시 지켜야 하는, 자신의 손으로 꼭 지키고 싶은 소중한 존재이다. 자존심을 굽히고 은메달리스트라 선전까지 하면서 인간 샌드백으로 돈을 벌어서 지키고 싶은 소중한 것이다. 아들만 아니라면 벌써 한강에 뛰어들었을 거라는 그의 대사, 어지러움과 심한 고통을 느끼면서도 아들 서진의 학부모 수업에 가는 모습에서 이런 점이 잘 드러난다. 가장이기에 지켜야 하는 의무감도 있겠지만 그에게 가족은 무엇과도 바꿀 수 없는 소중한 존재, 살아가는 이유인 것이다. 반면에 상환에게 가족은 어리광을 부릴 수 있고, 평범하게 사랑받고, 사랑하며 함께하고 싶은 존재이다. 그가 가족을 귀찮아하는 모습도, 사고를 치는 것도, 아버지의 면회를 거부하는 것도 자기를 사랑해달라는 방식이며, 이렇게 해도 할머니와 아버지가 자신의 응석을 다 받아준다는 어리광에서 비롯된 것이다. 즉 태식과는 반대의 상황이다. 그러나 아버지가 돌아가시면서 그에게 가족이란 부끄러운 모습보다 열심히 살아가야 하는 모습을 보여줘야 하는 존재가 되었다. 또한, 잘못된 행동으로 인해 마음에 낸 상처를 살면서 갚아야 하는 존재가 되었다.

내가 생각하는 진정한 가족상은 한 쪽이 다른 한 쪽에게(보통 부모가 자식에게) 일방적인 사랑을 주고, 자식을 관리하고 이끄는 수직적 관계가 아니라 부모가 자식, 자식이 부모와 사랑을 주고받는 수평적 관계로 기쁨을 함께 하고, 슬픔을 나누는 모습이다. 태식처럼 혼자 가족을 지키려 하거나 상환처럼 어리광 부리는 것은 진정한 가족상이 아니다.

(3) 두 주인공이 실패한 인생이지만 살아가는 이유는 무엇이며, 그들의 삶의 모습이 우리 사회에 제시하는 메시지는 무엇인가?

실패한 인생이지만 살아가는 이유는 크게 두 가지로 나눌 수 있다. 먼저 사회적 이유로 두 사람이 가방끈이 짧다. 즉 많이 못 배운 사람, 사회의 비주류라는 말이다. 하지만 배우지 못한 사람들이 모두 이런 인생을 사는 것은 아니다. 나름대로 자신의 인생에 충실한 사람도 많은데 왜 이들은 이런 실패한 인생을 살까? 두 번째 이유는 자신에게 있다. 영화 초반부에 두 사람 모두 자신이 선택하고 한 일의 결과가 나빴다는 생각은 하지 않고 타인, 더 나아가 세상 탓으로 모든 것을 돌리려고 한다. 바로 이런 행동에 문제가 있다. 이들의 삶은 우리에게 자신의 잘못을 인정하고 성실하게 살아가야 한다는 메시지를 남긴다. 한때는 잘나가는 스포츠 스타였던 태식의 실패와 엄마 없이 자란 상환의 비행은 많은 점을 시사한다. 국민적 영웅으로 받들어지며 승승장구할 것 같은 태식은 서서히 국민들에게 잊혀지고, 심지어 버려졌다고 느낀다.

미국 극작가 아서 밀러의 『세일즈맨의 죽음』에 나오는 유명한 대사가 생각난다. "오렌지 속만 까먹고 껍질은 내다버리실 참입니까? 사람은 과일 나부랭이가 아니지 않습니까!"라는. 단물만 쏙 빼먹고 버린다는 뜻이다. 그것이 바로 태식의 삶 아닌가? 우리의 위상을 떨치게 했던 그가 처절하게 살도록 방치하는 사회, 개인에게만 책임을 돌리는 사회는 어찌 보면 비정하고 무서운 사회이다. 이것은 가장들의 회복하기 힘든 현실을 의미한다. 상환도 행복한 가정에서 컸다고 보기 힘들다. 어머니의 부재 때문이다. 자식에게 어머니라는 존재는 대단히 큰 존재이다. 그 존재가 없다면 영원히 매울 수 없는 결핍을 갖고 살아가는 것이다. 그러나 사람들은 이런 가정에게 따뜻한 위로는커녕 칼날과 같은 비수를 꽂는다. 손가락질하면서 문제 있는 가정이라고 욕한다. 앞으로는 근거 없는 편견과 공감할 수 없는 두려움에 손가락질 하기보다 자연스럽게 함께 웃고 사랑으로 손을 잡고 함께 걸어갈 수 있도록 서로 도와야 할 때라고 생각한다.

(4) 영화의 배경 음악

영화의 배경음악은 26곡 정도이다. 그러나 가장 많이 사용된 배경음악은 질랜드 마오리족의 노래인 'Pokarekare Ana'이다. 이 노래는 여러 버전으로 배경음악으로 사용되는데 아들과 아내를 만나지 못하고 돌아서는 태식의 뒷모습에서는 쓸쓸한 느낌으로 이 민요가 배경에 깔렸으며, 영화 종반부에 태식과 상환의 마지막 승부에서는 이 노래가 다른 느낌으로 흘러나온다.

와이아푸의 바다엔 폭풍이 불고 있지
그대가 건너갈 때면
그 바다는 잠잠해질겁니다

그대여, 내게로 다시 돌아오세요

너무나도 그대를 사랑하고 있어요

그대에게 편지를 써서
반지와 함께 보냈어요
내가 얼마나 괴로워하는지
사람들이 알 수 있도록 말예요

그대여, 내게로 다시 돌아오세요
너무나도 그대를 사랑하고 있어요

뜨거운 태양 아래에서도
내 사랑은 마르지 않을 겁니다
내 사랑은 언제나
눈물로 젖어있을 테니까요

그대여, 내게로 다시 돌아오세요
너무나도 그대를 사랑하고 있어요

　특히 마지막 경기 1라운드에서는 음악을 주지 않아 단순히 경기를
관람하는 느낌을 주었지만, 2라운드에서의 잔잔한 음악은 게임에 진전
이 없다는 느낌을 준다. 3라운드에서는 하모니가 점점 커지면서 이 시
합을 위해 그들이 얼마나 노력하는지 여실히 보여준다. 특히 6라운드
에서 이 노래는 이전의 쓸쓸함이나 우울한 느낌과는 달리 밝고 고운 목
소리로 흘러나온다. 이는 두 사람이 우승을 위해 싸우는 것이 아니라
인생의 목표를 찾고 자신의 울분과 한을 풀어내기 때문일 것이다. 참고

로 'Pokarekare Ana'는 우리나라에서는 '연가'라는 제목으로 불리지만 원제를 직역하면 '영원한 밤의 우정'이다.

(5) 영화 후반부에 나오는 두 주인공 사이의 '마지막 승부'에 서 처절한 경기 모습은 무엇을 의미하는가?

마지막 경기 모습은 두 사람의 파란만장한 인생과 그 속에 담긴 울 분과 한을 의미한다. 태식은 왕년에 잘 나가는 복서였지만 사업에 실패 하고, 재산은 빚쟁이들에게 압류 당했다. 아내와 아들과 함께 살 수 없 고 판자촌에서 살 수 밖에 없어, 결국 친구와 아내에게도 버림받은 밑 바닥 인생이다. 상환은 동네 아이들과 싸우고 돈을 뺏는 불량한 행동을 일삼다가 교도소까지 들어간다. 설상가상으로 아버지는 불의의 사고로 돌아가시고 할머니는 무리하다가 쓰러져서 수술하고 병원에 입원까지 하는 절망적인 상황에 몰린다. 이런 삶을 살았던 두 사람의 마음속에 맺힌 한과 울분의 크기는 경험해보지 않은 사람은 상상할 수 없을 것이 다. 그리고 이런 한, 울분을 링 위에서 마주했을 때 상환과 태식 두 사람 이 이를 이겨내고 극복하려고 얼마나 노력을 하는지 보여주는 것이 바 로 처절한 경기 모습이다. 그들의 앞에 있는 사람은 상대 선수가 아니 라 바로 자신의 가장 나약한 모습이며, 내면에 쌓여 있던 세상에 대한 분노와 울분이다.

(6) 두 주인공의 마지막 승부에서 '진정한 승리자'는 누구인 가?

영화에서는 상환이 2:1 심판 판정으로 승리했다. 하지만 진정한 승리자는 두 사람 모두 아닐까? 그들은 이 경기를 통해서, 혹은 참가하고 준비하는 과정에서 자신을 짓밟고 괴롭혔던 상대를 뛰어넘을 수 있었다. 태식은 주차장에서 건들거리는 후배를, 상환은 영화 초반부에 급식소에서부터 자신에게 시비를 걸었던 같은 복역수를 링 위에서 물리쳤고, 나중에 진정한 가족애를 깨닫게 된다. 중풍에 걸린 할머니는 친구의 부축을 받아서, 그리고 아들은 스스로, 아내는 이런 아들을 쫓아 신인왕 타이틀이 걸린 경기장으로 온다. 경기가 끝나고 가족들은 극적 상봉을 하면서 가족 간의 사랑을 다시 한 번 확인한다. 더구나 두 사람은 밑바닥에서 여기까지 올라왔다. 자신의 의지로 새로운 출발선에 서서 새롭게 의지를 다지고 결승전까지 올라온 두 사람을 보는 관객들에게 경기 승패는 무의미하다. 영화 마지막이 판정승으로 끝난 이유는 두 사람 모두 승자지만 무승부란 존재할 수 없기 때문이 아니었을까? 한 사람이 KO패를 당했다면 그 사람은 상대방에게 완전히 패한 것이 되고, 한 쪽의 인생이 다른 한 쪽보다 우월하다는 것을 의미하므로, 복싱이 인생을 담고 있다는 말과 모순되기 때문이다.

(7) 현대 스포츠에서 복싱이나 종합격투기 등 '폭력 스포츠'의 사회적 위상은 어떠한가?

복싱에 대한 사회적 편견은 대강 '야만적이고 폭력적이며 비문명적이다'로 요약할 수 있다. 하지만 다른 경기들과 달리 복싱은 오늘날 사회적 위상이 달라지는 추세이다. 1960∼70년대 배고프고 힘들었던 시대에 복싱은 희망을 주는 탈출구 역할을 했었다. 하지만 생활수준이 개선된 현대 사회에서 복싱은 찬밥 신세였다. 특히 90년대 3D 기피 현상이 복싱 인기하락의 가장 큰 원인이 되었다. 일반인과 선수들 모두 힘든 복싱을 피하면서 간판급 대형스타가 나오지 않았다. 이로 인해 국민들의 관심도 복싱에서 멀어졌다. 국민들의 관심이 멀어지자 후원자가 사라지고 선수들은 더욱 복싱을 기피하는 악순환이 되풀이된 것이다. 하지만 이런 복싱이 우리나라에서 약 10년 전부터 생활체육으로 인기를 끌고 있다. 복싱 다이어트, 스트레스를 풀기 위한 복싱으로. 그리고 무한도전에서 여자복서들의 경기를 방영하고, 여배우 이시영이 아마추어 복서로 데뷔하면서 복싱에 대한 시선의 변화가 있었다.

미국에서는 〈밀리언달러 베이비〉가 상영되고 나서 취미생활로 복싱을 즐기는 사람의 수가 현저하게 늘었다고 한다. 하지만 아직도 폭력 스포츠라는 사회적 편견에서 벗어나지 못하고 있다. 왜냐하면 폭력 스포츠 출신의 유명 선수들이 저지르는 범죄가 종종 발생하기 때문이다. 대표적으로 2006년 2월 21일, 리 머레이(전 종합격투기 선수)는 대대적으로 은행을 털었으며 복싱황제라 불리던 플로이드 메이웨더 주니어는 전 애인을 폭행했다는 이유로 기소되었다. 이런 사건이 반복되며 사람들이 폭력 스포츠는 야만적이고 말 그대로 폭력적이라는 생각을 갖는 악순환을 낳았다.

(8) 복싱은 상대와의 싸움인가 자신과의 싸움인가? 복싱에서 진짜 상대는 누구인가?

복싱은 상대와의 싸움이다. 혹자는 복싱을 '사각의 링에서 자신과 벌이는 싸움'이라고 정의한다. 하지만 이 영화에서 그 말의 의미는 후반부 태식과 상환의 챔피언 결정전에서 너무나 잘 드러난다. 두 사람은 처음에는 승리를 위해서 주먹을 날린다. 그러나 중반이 지나고 후반에 가까워질수록 상대가 아니라 보이지 않는 자신을 향해 주먹을 날리게 된다. 복싱에서 승리를 위해서는 링 위에 있는 상대방을 쓰러뜨려야만 한다. 하지만 상대방은 진짜 적이 아니다. 적은 내 안에 있는 또 다른 나 자신이다. 내 안에 있는 또 다른 나는 바깥으로 표출되지 못하고 내부에 잠재되었던 화와 울분을 비롯한 여러 감정들이다. 복싱은 이런 감정들을 담은 채 주먹을 뻗어 누군가를 상처 입히거나 범죄를 저지르지 않는다. 링이라는 정해진 공간에서, 정해진 규칙에 따라 자신을 성찰하고 주먹을 뻗으면서 자신과 정정당당하게 맞서서 울분을 푸는 것이다. 물론 스포츠뿐만 아니라 우리 인생도 비슷하다. 어떤 상황에 처해도 항상 가장 강력한 라이벌이나 상대를 만나게 된다. 그것이 사람이든 어떤 형상이든. 그리고 우리는 바로 자신의 한계를 뛰어넘기 위해 도전한다. 이런 점을 감안하면 복싱의 진정한 상대는 상대방이 아니라 마음속에 있는 그림자, 즉 자신의 울분과 분노 같은 감정과 한계라고 할 수 있다.

(9) '사연 없는 사람이 어디 있겠는가?' 라는 대사는 무슨 의미인가?

사람들은 자신이 불행하고 비참한 삶을 산다고 생각하고 절망한다. 하지만 주위를 둘러보면 자신보다 더 비참하고 불행한 삶을 사는 사람이나 비슷한 상황에 놓인 사람도 많다. 모든 이들이 인생을 포기하진 않는다. 이러한 아픔, 고난, 상처, 시련을 자기 마음속에 꼭꼭 담아둔 채 어떻게든 이를 극복하고 자신이 살 길을 마련하고 열심히 살아보려고 노력한다. 더 나아가 사회에서 더 힘들고 더 어려운 사람도 많지만 그들도 주저앉아 있지 않다. 이 말은 신세한탄만 하지 말고 얼른 일어나서 더 나은 삶을 위해 노력하라는 의미가 담겨 있다. 그러나 사연도 없애려 하고, 구겨졌는데 억지로 펴려면 더 힘들어 질뿐이다. 그것은

자신을 속이며, 내 모든 것을 받아들이는 자세가 아니다. 그저 있는 그
대로 인정하고 받아들여야 하지만 교훈을 깨닫고 내게 알맞은 방법으
로 좀 더 나은 사람이 되려고 노력해야 된다. 때로 태식처럼 술로 현실
도피도 하고 상환처럼 할머니에게 한 잘못을 후회하더라도 그것은 과
거일 뿐이다. 영원히 과거의 사연에 파묻혀 산다면 현재와 미래를 살아
갈 자신에게 죄를 짓는 것이다. 그러므로 '사연 없는 사람이 어디 있겠
는가?'라는 대사는 '카르페 디엠(Carpe Diem, 현재를 살라, 즐겨라)'이라는
말과 서로 통한다.

(10) 영화 제목 〈주먹이 운다〉는 무슨 의미인가?

원래 '주먹이 운다'는 관용어로 '마음 같아서는 주먹으로 처리하고
싶으나 참는다.'라는 뜻이다. 이 영화에서 주먹은 자신의 마음속에 있
는 한과 울분, 적개심과 분노 그 자체이며 동시에 이 감정을 시원하게
해소할 수 있는 방법이다. 그러나 영화 초반에 두 주인공은 자신의 한
을 사회 통념에 어긋나지 않는 정당한 방법으로 풀 수 있는 방법이 없
다. 영화 초반에는 이런 상황이 바로 '주먹이 운다'의 뜻이다. 그러나 영
화 후반에서 이 말은 폭력 스포츠 선수 즉 '주먹'이라 대표할 수 있는 두
남자(태식과 상환)가 링 위에서 자기 자신에게 주먹을 날리며 마음속 한
과 울분을 다 풀었음을 의미한다. 영화 초반에 상환이 사용했던 마구잡
이 폭력이나 어떻게든 자위하려 했던 태식의 알량한 자존심이 아니라
정당한 복싱이라는 방법을 통해서 그들은 푼다. 자신의 마음속에 쌓여
있던 울분과 적개심, 그림자 같은 감정을 다 풀고 인생을 제대로 살아보
겠다는 두 남자의 포효가 바로 영화 후반의 '주먹이 운다'의 의미이다.

가장 인상이 깊었던 대사나 장면은 무엇이며, 그 이유는?

가장 기억에 남는 장면은 마지막 결승전 전날 아버지의 납골당에 찾아가서 '이렇게 갈 거면 아들이 결승이라도 올라가는걸 보고 가지.'라고 투정을 부리는 상환의 모습이다. 끝까지 면회를 거부하며 속을 썩이고 말썽을 부리던 아들은 결국 복싱이라는 자신의 길을 찾았다. 그러나 이런 사실을 가장 행복하게 생각하고 흐뭇해야 할 가족이 이 세상 사람이 아니라는 사실이 너무 슬프게 다가왔다. 멀리 떨어져 있어도 부모와 자식의 정은 끊을 수 없다는 사실을 알기 때문이다. 사실 나도 많이 방황했기 때문에 항상 효도를 마음에 두고 있다. 그러나 효도는커녕 부모님 속을 상하게 하고 있다. 만약에 계속 이런 식으로 불효한다면 상환처럼 나중에 후회를 하는 것이 아닐까 두려워졌다. 그리고 후회하는 상환의 심정을 알 것 같아서 기억에 남는다.

5) 스포츠의 이해 : 복싱

(1) 복싱의 개요

복싱은 양손에 글러브를 끼고 주먹만 사용해 상대방의 얼굴, 몸통 등을 가격하고 방어하며 진행하는 투기 종목의 하나이다. 우리나라에서는 권투(拳鬪)라고도 부른다. 투기 종목 중 스포츠가 된 지 매우 오래된 전통적인 스포츠이다. 프로·아마추어 경기가 있으며, 아마추어 경기는 올림픽경기 정식종목이다. 경기자 연령은, 아마추어는 시니어가 15

세 이상(올림픽에서는 17세 이상)이고 프로는 17세 이상이다.

(2) 경기방법

경기시간은 3분 경기 1분 휴식으로, 이것이 1라운드(1회전)이다. 아마추어와 세계선수권대회, 올림픽 경기, 지역선수권대회에서는 3회전으로 제한하지만, 월드컵대회는 2분 5회전을 한다. 프로는 4·6·8·10·12·15회전의 6종류가 있다. 한국 선수권은 10회, 동양 타이틀전은 12회, 세계 타이틀전은 15회로 규정되어 있다. 경기는 5명의 심판이 채점하며, 심판은 링 가까이 관중들로부터 떨어진 곳에 착석한다. 채점은 프로에서는 5점(동양에서 채택)과 10점이 쓰이고(둘 다 감점법), 아마추어는 20점으로 정해져 있다. 아마추어는 각 회마다 채점(우세한 선수는 만점, 열세인 선수는 감점)하여 시합 종료 후 합계를 해서 점수가 많은 쪽이 승자가 되며, 무승부는 없다. 따라서 총점이 동점이라도 어느 한쪽을 승자로 결정한다. 채점 기준은 정확하고 유효한 가격, 유효한 공격(가격을 앞세운 공격), 교묘한 가격, 재치 있는 시합 운영 등이다. 만약 유효한 다운이 있으면 프로는 2점 차를 주지만, 아마추어는 다운의 특수성보다 단순히 유효타로 간주한다. 시합 판결의 종류로 프로에서는 KO(녹아웃), TKO(테크니컬 녹아웃), 판정, 무승부, 파울(반칙이 심한 경우), 경기 무효 등이 있다. 반면에 아마추어에서는 판정승, 기권승, RSC승이 있다. 판정승은 시합이 끝난 다음 심판의 채점으로 승자를 결정하는 것이다. RSC승은 주심의 의견으로 한 선수가 일방적으로 더 이상 과도한 가격을 받을 필요가 없다고 생각되었을 때 경기를 중단시키고 상대편 선수의 승리를 선언한다. 실격승은 한 선수가 실격되면 상대편 선수를 승자로 선언한다. KO승은 한 선수가 다운되고 10초 이내에 경기를 계속하지 못하면 상대편 선수가 승자로 선언된다. TKO승은 주심이나 링 닥터가 더 이상 방어할 수 없다고 판단할 때, 심한 상처를 입었을 때, 선수나 세컨드가 경기를 계속할 수 없다고 결정할 때 선언된다.

(3) 체급

복싱은 라이트플라이급부터 슈퍼헤비급까지 12체급이 있다. 각 체급은 라이트플라이급(48kg 미만), 플라이급(48kg 이상~51kg 미만), 밴텀급(51kg 이상~54kg 미만), 페더급(54kg 이상~57kg 미만), 라이트급(57kg 이상~60kg 미만), 라이트웰터급(60kg 이상~63.5kg 미만), 웰터급(63.5kg 이상~67kg 미만), 라이트미들급(67kg 이상~71kg 미만), 미들급(71kg 이상~75kg 미만), 라이트헤비급(75kg 이상~81kg 미만), 헤비급(81kg 이상~91kg 미만), 슈퍼헤비급(91kg 이상) 등이다.

(4) 시설 및 용구

복싱 경기장은 넓이 4.88㎢ 이상 6.10㎢ 이하, 링 바닥에는 펠트 등을 깔고 그 위에 캔버스가 덮여 있다. 로프와 바깥쪽의 플랫폼의 너비는 61cm 이상, 조명은 적어도 4KW 이상이어야 한다. 경기 장소는 실내든 옥외든 관계없다. 프로의 링 규정은 정사각형의 네 구석에 지주(支柱)를 세우고, 링 바닥의 높이는 건물 바닥(옥외의 경우는 지면)에서 91cm 이상, 1.22m 이하이다. 글러브는 아마추어의 경우 67kg 이하의 선수는 8온스(약 227g), 67kg 이상의 선수는 10온스(약 284g)를 사용하고, 프로의 경우 웰터급까지는 6온스(약 170g), 미들급 이상은 8온스를 사용한다. 링 로프는 3~5cm의 굵기여야 하며, 링에는 3~4가닥의 로프를 친다. 주먹에 감는 붕대(Bandage)는 너비 5cm, 길이 9.14m(아마추어는 2m) 이하의 부드러운 헝겊(주로 붕대)을 쓰고, 너비 2.5cm, 길이 7.5cm 이하의 접착성 테이프(아마추어는 반창고)로 안정시켜도 괜찮지만 너클 파트에는 사용할 수 없다. 복장은 스파이크가 없는 유연한 신발을 신고, 넓적다리 반쯤까지 닿는 트렁크(경기 때 입는 팬티)를 입어야 한다(단, 순백색 트렁크 금지). 그리고 하복부 보호를 위해 반드시 노 파울 컵(No Foul Cup)과 마우스피스를 착용해야 한다(다만 아마추어는 자유롭게 할 수 있다). 아마추어의 경우에는 반드시 헤드가드를 착용한다. 프로는 상반신을 벗지만 아마추어는 러닝셔츠를 입어야 한다. 얼굴, 목, 팔 등에 바셀린을 바르거나 유해물질이나 악취를 풍기는 약용유(藥用油)를 발라서도 안 된다.

[참고문헌]

1. '복싱', 네이버 지식백과(스포츠 백과)
   http://terms.naver.com/entry.nhn?docId=384481&mobile&category
   Id=1450
2. '복싱', 네이버 지식백과(한국민족문화대백과)
   http://terms.naver.com/entry.nhn?docId=576909&mobile&category
   Id=1641

2. 슈퍼스타 감사용
– 빛과 희망의 마운드

1) 줄거리 요약

영화 〈슈퍼스타 감사용〉은 '감사용'이란 선수의 실화를 바탕으로
했다. 제목이나 소재만 보면 관객들은 단순히 실존 인물의 성공스토리
정도로 생각할 수 있다. 그러나 이 영화는 동시대에 살았던 천재 박철
순이 아닌 평범한 회사원에서 투수가 되었던 감사용의 열정과 노력, 도
전정신을 잘 그린 영화이다. 야구라는 스포츠에 대한 지식이 없어도 그
재미를 실감할 수 있는 화면과 촌스러운 배경과 장발머리, 80년대 프로
야구팀의 모습 등의 재연, 실존인물을 바탕으로 하고 실명을 사용한 캐
릭터들과 주·조연의 감칠맛 나는 연기까지 자칫 딱딱할 수 있는 이야
기를 유연하고 흥미롭게 보여주고 있다. 무엇보다 〈슈퍼스타 감사용〉
은 영화 내내 잔잔한 휴머니즘으로 마지막까지 관객들에게 과장되지
않은 웃음과 따뜻한 감동, 가슴 아린 메시지를 전달하고 있다. 제목처
럼 감사용이란 인물에 대해 포커스를 맞추기보다는 감사용과 가족들,
그리고 삼미 슈퍼스타즈라는 야구팀 모두의 이야기를 적절하게 섞음
으로써 관객들은 감사용이란 인물의 야구에 대한 열정과 피나는 노력,
전형적인 가족애, 팀원들 간의 끈끈한 의리와 연대감, 감사용의 짧지만
풋풋한 로맨스까지 다양한 감정을 체험할 수 있다.

2) 영화 속 이야기

제3회 인천시장배 직장인야구대회에서 삼미 팀은 감사용의 활약으
로 우승을 거머쥔다. 아마추어치고 괜찮은 실력과 야구에 대한 열정이
있었지만 그는 어려운 집안 사정 때문에 취미 생활로 야구를 할 뿐이

다. 독학으로 투수의 꿈을 키워가던 어느 날 그는 삼미 기업에 프로야구팀이 생긴다는 소식을 접한다. 그러나 직장상사의 '사람이 주제를 파악해야지.'라는 말에 그는 착잡해진다. 마음의 갈피를 못 잡고 방황하던 그는 아침운동을 하기 위해 조깅을 하다 우연히 프로야구단 삼미 슈퍼스타즈 투수를 모집한다는 포스터를 본다. 드디어 기회가 찾아왔다고 생각한 그는 어머니께 프로야구팀에 들어가고 싶다는 의사를 밝히지만 그녀는 이해하지 못한다. 결국 화를 내며 집을 나서는 사용. 어머니도 마음이 편치 않다. 출근을 해서도 계속 시계만 보며 갈등하던 감사용은 결국 몰래 오디션을 보기로 한다. 투수 오디션을 보러 온 사람들 중 상당수는 야구를 모르는 것 같은 사람이었다. 감독은 이런 식으로 선수를 뽑는 게 시간낭비라고 생각한다. 자질 없는 지원자를 걸러내

🎬 삼미 슈퍼스타즈 투수 채용 오디션을 보는 감사용

면서 드디어 감사용의 차례가 다가왔다. 지각했지만 그는 아슬아슬하게 오디션을 본다.

숨을 헐떡이며 그가 마운드에 섰을 땐 감독이나 코치는 오디션에 관심이 없었고, 타자도 빨리 내려갈 생각만 한다. 포수가 사인을 보내지만 그는 계속 거부한다. 결국 포수가 이유를 묻기 위해 마운드로 올라가고 사용은 생각을 말한다. 실력 없는 투수들만 봐왔던 포수는 그를 응원해주고, 사용은 공을 던진다. 방심한 타자는 두 번이나 헛스윙을 한다. 감독과 코치도 그제야 주의 깊게 본다. 3구는 안타깝게 안타였으나 그는 당당히 투수 오디션에 합격한다.

삼미 슈퍼스타즈는 정식 프로야구단이 되고 1982년, 프로야구 개막식이 열린다. 안면이 있던 국가대표 선수들이 담소를 나누는 가운데 삼미 선수들은 아무도 거기에 끼지 못한다. OB 김우열, 해태 김성한, MBC 백인천, 롯데 노상수 등 쟁쟁한 선수들을 보며 부러움과 질투 섞인 시선을 보내는 삼미 선수들. 그 가운데 박철순 선수는 가장 많은 관심을 받고 있었다. 이를 부러워하는 감사용. 이름과 달리 삼미는 연패를 한다. 프로리그는 계속되지만 감사용은 벤치만 지킨다. 시간이 지나면서 감독도 플레이에 짜증내는 지경에 이르며, 선수들도 단합하지 못한다. 상반기 꼴등은 맡아놓은 상황에서 성난 팬들 때문에 버스도 못타는 삼미 팀. 한 선수의 묘안으로 그들은 마스코트 탈을 쓰거나 변장을 해서 위기를 모면한다. 그때 우연히 박철순의 앞에 간 감사용은 들고 있던 공을 뺏겨 사인을 받게 되고, 그만 공을 던져버린다. 그리고 그 공을 은하가 줍는다. 아들이 야구한다고 타박하는 어머니에게 형 삼용은 동생을 위해 거짓말을 한다. 처음엔 껄끄러워하던 사용도 어느덧 형의 거짓말에 장단을 맞춘다. 그는 이야기를 거짓으로 지어낸다. 그리고 삼미 선수단 팬 사인회. 팬도 적을 뿐더러 벤치만 지키는 사용에게 오는 팬은 없다. 자신의 상황을 애써 긍정적으로 생각하는 사용. 이때 매표소에서 일하는 아가씨가 사인을 받으러 오고, 그는 그녀의 이름이 박은하라는 사실을 알게 된다.

팀은 연패를 거듭했고, 사용은 경기에 첫 출전한다. 그러나 그는 선발도 마무리 투수도 아닌 패전처리용 투수로 등판한다. 착잡한 마음을 숨기고 마운드로 나가지만 아무도 관심이 없고 방송도 종료된다. 그 이후에도 감사용은 패전투수로만 등판한다. 팀이 패할수록 선수들은 비난을 받고, 그는 실망감을 감추면서 어머니에게 거짓말한다. 박철순의 OB와의 경기가 잡힌 전날, 시합이 끝나자 삼미 선수들은 술을 마신다. 언론에서는 시합 전인데도 박철순의 20연승을 예감하고 있었다. 모든 투수들은 제물이 되기 싫다며 자기들의 1승이 세상 사람들에게는 중요하지 않다며 한탄한다. 이때 감사용은 감독에게 선발로 뛰고 싶다는 의사를 밝힌다. 그러나 감독은 처음부터 그를 선발로 쓸 생각이 없었다면서 어떤 위치든 최선을 다하라고만 말한다.

경기 날, 우울해진 사용의 투구에 심판이 자꾸 볼을 선언하자, 삼용이 경기장에 난입해 소란을 피운다. 그의 창피함과 동료의 빈정거림은 분노로 바뀐다. 여러 감정이 뒤섞여 집에 왔을 때, 어머니가 감기에 걸리고서도 일을 나간 것을 알게 된다. 미안함과 경기 생각으로 그동안 쌓였던 감정들이 폭발한 사용은 괜한 성질을 낸다. 이때 우연히 동료선수가 홀로 연습하는 모습을 본 사용은 부끄러움을 느끼고서 마음을 다잡는다. 이런 그에게 선발등판의 기회가 온다. 다른 투수들이 박철순과의 시합을 꺼리자, 사용은 감독에게 자원한다. 아무도 등판할 사람이 없었기에 결국 박철순과의 대결이 성사된다. 그의 의지에 감동한 하늘의 선물인지, 삼미는 오랜만에 승리하며 분위기가 한껏 고조된다. 휴식시간을 이용하여 사용은 어머니 가게를 도우러 간다. 자신을 위해 사놓은 옷을 보며 괜히 툴툴거리던 사용은 어머니 서랍에서 경기 입장권을 본다. 어머니는 세상 사람이 다 변해도 항상 너의 팬이라며 용기를 불어넣는다.

박철순과 감사용의 대결에 많은 OB팬들이 경기장을 찾았다. 그러나 그 와중에도 삼미를 응원하는 소수의 팬을 보고 감사용은 미소 짓는다. 결국 경기는 시작되었고, 득점 없이 1회 초 종료. 1회 말 그는 예상외의 호투를 하며 분위기를 살린다. 비록 0-2로 뒤지고 있지만 삼미 선수들의 표정은 밝다. 그들은 박철순을 한번 울려보자며 서로 응원하면서 최선을 다한다. 이후, 1사 1루에 양승관 타석. 치고 달리기 작전 성공으로 드디어 귀중한 한 점을 삼미가 따낸다. OB팬들은 실망하고 삼미 팬들은 마치 역전승을 이뤄낸 양 기뻐한다. 그리고 수비. 사용은 1루로 뛰는 주자를 못 보고 부딪친다. 귀중한 아웃카운트를 잡아낸 후 잠시 그는 기절했다가 깨어난다. 이때만큼은 많은 관중들이 감사용의 이름을 연호하며 그를 응원한다. 게다가 금광옥이 기적적인 역전 홈런을

🎬 경기 중 감독과 이야기를 나누고 있는 감사용 선수

치면서 분위기를 끌어온다. 이후 삼미의 수비. 체력이 떨어진 사용은 2사 1, 2루 위기를 맞는다. 결국, 감독은 마운드로 올라와서 할 말이 있냐고 묻는다. 이에 사용은 "끝까지 던지고 싶다."고 말한다. 이대로는 분명 승리를 장담할 수 없는걸 알면서도 감독은 "조금만 더 힘내"라는 말로 그를 믿어준다.

안타깝게도 그는 끝내기 역전홈런을 맞았고 선수들은 실망해서 돌아선다. OB선수들이 나가던 중에 박철순은 혼자 덕아웃에 앉아 있는 그에게 정중히 인사하고 떠난다. 눈물을 보이는 감사용. 이때 은하가 다가와 "공 가질래요?"라며 그의 사인볼을 준다. 그리고 평온한 일상. 마지막으로 감사용은 구덕야구장에서 벌어진 롯데와의 경기에서 그토록 원하는 1승을 챙겼으며, 1983년 삼미는 초반부터 파란을 일으키며 전기리그 2위라는 돌풍의 주역이 된다.

3) 해석적 이해

다른 스포츠영화와 달리 시작부터 끝까지 '비약적인 발전'이나 '승리의 기적'은 없다. 실제로 박철순 선수는 22연승을 거뒀고 23연승을 저지한 팀은 롯데이며, 삼미 슈퍼스타즈는 18연패, 동시에 1할대 승률을 기록한 최약체 팀이었다. 1983년에는 돌풍의 주역이었지만 1982년에는 꼴찌 팀이었을 뿐이다. 그렇다면 왜 '삼미 슈퍼스타즈', 그것도 '감사용'이라는 투수의 이야기를 영화로 만든 것일까? 세상에는 1%의 엘리트가 있다. 달리 말하면 나머지 99%는 비엘리트들이다. 우리는 1%의 성과를 보며 부러워하고, 그들의 땀과 눈물에 열광하며 감탄한다. 그러나 이런 스포트라이트를 받지 못하는 곳에서 누구보다 열심히 노력하고, 땀 흘리며 웃고, 우는 사람들이 있다. '슈퍼스타 감사용'은 이런 모든 사람들에게 격려의 박수를 보내는 동시에 좌절한 비엘리트들에게, 다시 한 번 노력하라는 응원의 메시지를 담은 영화이며, 승패의 결과가 아니라 노력하는 과정이 중요하다는 교훈을 담은 영화이다.

4) 심층적 탐구

(1) 주인공 감사용 선수의 진정한 인생의 꿈은 무엇인가?

감사용 선수의 진정한 꿈은 자기가 진정으로 하고 싶은 일인 야구를 하고, 마운드에 등판해 사람들에게 인상 깊은 경기를 보여주는 실력 있는 투수가 되는 것이다. 그의 방 천장에 투수 포스터가 붙어있으며, 야구가 하고 싶다는 이유로 어머니에게 반항할 뿐만 아니라 직장이 아닌 특별한 보장이 없는 프로세계에 뛰어든다는 사실로 이를 유추해 볼 수 있다. 그래서 그는 단순히 야구선수가 된 것에 만족하지 않았고, 다른 모든 선수들이 피하는 박철순 선수와의 맞대결에서 등판하겠다고 감독에게 당당히 말할 수 있었다.

(2) 프로야구 선수의 꿈을 이루었으나 계속 벤치 신세만 지고, 게다가 팀 패전 처리 투수의 위치로 전락한 주인공, 감사용은 이를 어떻게 극복하는가? 이에 대한 의견은?

그에게는 그동안 기회가 없었지만, 언젠가 올지 모르는 기회를 위해 꾸준히 노력한다. 형의 강요로 그는 어머니에게 거짓말을 했지만,

어느 순간부터 그 거짓말이 스스로를 위로하는 용도, 그리고 미래를 향한 꿈 이야기로 바뀌었다. 지금은 패전처리를 하지만 언젠가는 사람들에게 이름을 날리는 투수가 되리라는 꿈으로. 분명 왼손잡이라는 희소성 때문에 일반인 감사용은 프로의 세계에 뛰어들었다. 하지만 일반인이 엘리트 선수들을 따라잡기는 불가능하다. 사실 그는 따라잡는다는 생각보다 자신에게 찾아올지도 모르는 기회를 기다린다. 물론 자신을 선발로 써달라고 감독에게 직접 부탁하는 모습도 있고, 힘들어 하는 모습도 보이지만 그는 포기하지 않고 자기가 맡은 역할에 충실한 모습을 보인다. 김진영 감독의 말처럼 '자기가 맡은 자리에서 최선을 다하는' 모습이 진정한 프로 아닐까?

(3) 상대 투수 박철순 선수의 20연승의 제물로 선택된 주인공인 감사용 선수. 이 영화는 그가 등판해 활약하는 경기에 상당한 시간을 할애한다. 여기서 나타나는 주인공의 '희망'과 '좌절'은 무엇을 의미하는가?

다른 투수들은 여러 핑계를 대면서 20연승 기록의 제물이 될 등판을 꺼린다. 박철순의 20연승은 거의 확정적이었기에 누구나 싫었을 것이다. 그러나 감사용은 선발투수로 등판하겠다고 감독에게 자원한다. 결국 감독은 그를 기용하였고, 예상과 달리 9회까지 박철순과 박빙의 경기를 하며, 그에게 이길 수도 있다는 '희망'을 준다. 그러나 9회 말 위기, 감독은 투수를 교체하려고 했으나 감사용은 끝까지 경기를 책임지겠다고 계속 마운드에 남았고, 결국 끝내기 3점 홈런을 맞고 패한다. 그는 박철순의 20연승을 저지하지 못했을 뿐만 아니라 프로 입문 후 첫 1승까지 날리는 '좌절'을 맛봐야만 했다. 하지만 이런 좌절과 안타까움은 장기적으로 봤을 때 그에게 희망이다. 당대 가장 뛰어난 투수 중 한명이었던 박철순과 대등하게 던진 무명의 투수. 그리고 영화의 마지막 자막에서 나왔듯이 이후 귀중한 1승을 롯데에게 챙기는 쾌거를 이룬다. 좌절과 실패는 성공의 밑거름이 된다. 특히 감사용에게 그날 경기는 정말 많은 것을 배우고 익힌 경기일 것이다. 바로 일보전진을 위한 순간의 좌절이라 할 수 있다.

(4) 박철순 선수와의 경기에서 9회말 주인공이 흔들리는 모습을 보일 때 감독은 그를 신뢰하며 계속 경기를 뛰게 했다. 그러나 결국 2사후 주자 1, 2루, 풀카운트에서 상대편의 유두열 선수에게 홈런포를 맞는다. 만약 당신이 감사용 선수의 감독이었다면 이 상황에서 어떻게 했을까? 그리고 그 이유는?

옛날 미국의 한 감독은 퇴장을 자주 당했다. 왜냐하면 심판에게 자주 거세게 항의하였기 때문이다. 이유를 궁금해 했던 사람들이 물어 보았을때 그는 이렇게 말했다. "누가 봐도 선수 잘못이라고 해도 나는 선수 편을 들어줘야 한다. 내가 설령 퇴장 당하는 한이 있더라도. 내 선수를 믿어줄 사람은 나 밖에 없으며 내가 자기를 믿어줬다는 사실을 알 때 내 선수는 힘을 낸다."라고. 누구보다 선수를 믿어주고 선수들이 자신을 믿어준다는 생각을 주는 사람들이 바로 그 팀의 코치진이다. 그러나 감독은 사사로운 정에 휘말려서는 안 되는 직책이기도 하다. 선수를 믿는 것도 중요하지만 선수의 컨디션, 불펜 상황 등을 고려해 결정을 내려야 한다. 특정 선수를 믿어주는 일이 많은 선수들의 사기와 선수 본인의 사기까지 꺾는 일이 되어서는 안 된다. 특히 영화에서 감사용은 이 경기에서 어깨에 부상을 입었을 뿐만 아니라 승리 투수의 요건도 충분히 갖추고 있었다. 만약 내가 삼미 슈퍼스타즈 감독이었더라면 선수를 믿는 의미가 아니라 보호 차원에서 그를 내렸을 것이다. 선수는 한 번 쓰고 버리는 일회용 패가 아니라 믿고, 아끼고 보호해야 할 사람이기 때문이다. 비록 한두 번으로 선수의 몸이 망가지는 건 아니지만 감독은 믿음과는 별개로 선수의 고집을 잘 다독이는 능력도 있어야 한다.

(5) 당시 프로 야구 최대의 영웅 박철순 선수를 다룬 영화보다 아무도 주목하지 않는 무명 투수 감사용 선수의 영화가 탄생한 의미를 어떻게 평가하는가?

어떤 사회라도 엘리트는 1% 뿐이다. 숫자로 계산하면 결코 적은 수가 아니지만 비율로 따지만 극소수이다. 게다가 엘리트가 되려면 능력뿐만 아니라 환경 지원과 약간의 운도 따라야 한다. 그러나 그 중 하나 이상 부족한 사람이 세상의 99%이다. 즉 엘리트라는 이름으로 스포트라이트를 받지 못하는 사람들이 더 많다. 이는 영화 마지막 자막에 나오는 1승도 올리지 못한 투수가 300명을 넘는다는 말에서도 알 수 있다. 이런 사회에서 감독은 비 엘리트도, 눈에 띄는 승리나 우승, 메달 같은 성과가 없어도 꿈과 희망이 있는 사람이라면 칭찬 받아 마땅하다는 것을 관객들에게 알려주고 싶었을 것이다.

(6) 주인공은 야구에 인생 모두를 걸고 도전한다. 영화 주인공처럼 스포츠에 인생 모두를 걸만한 가치가 있다고 생각하는가?

몇 년 전부터 초등학교에서는 직업 교육을 받고 흥미·적성검사를 받는다. 미래의 직업을 찾기 위해 흥미와 적성을 어렸을 때부터 알고 있으라는 의미인 동시에 직업에는 적성과 흥미가 모두 필요하다는 사실을 가르쳐주고 있다. 만약 적성과 재능이 있다면 인생을 스포츠에 투자할 가치는 충분하다고 생각한다. 과거와 달리 오늘날에는 스포츠도 특출한 재능이라고 생각하며 선수로 활약한 많은 사람들을 스타, 혹은 공인의 대열에 올려놓는다. 그러므로 부와 명예를 생각하면 스포츠에 투자할 가치는 충분하다. 그러나 모든 일이 같겠지만, 스포츠 분야에서도 모든 사람들이 성공하지는 않는다. 충분한 재능과 흥미가 필요하다. 흥미가 있어야 고된 훈련을 참고 견딜 수 있기 때문이다. 반면 흥미가 많고 스포츠가 좋아도 재능이 없으면 직업으로 선택할 수 없다. 스스로에게 후회 없는 삶이 가장 어려운 삶이며 동시에 인간이 추구해야 하는 이상적인 삶이다. 그러나 미래를 생각하지 않는 흥미는 위험할 수 있다. 자신의 적성과 흥미를 살릴 수 있는 직업 선택이 가장 바람직하다.

(7) 가장 인상 깊었던 장면은 무엇인가?

"꼭 이기고 싶었는데…"라며 눈물을 글썽이는 장면이다. 박철순 선수의 22연승 신화가 롯데와의 경기에서 깨진다는 사실을 이미 알고 있으면서도 영화를 보면서 감사용 선수가 이기는 게 아닐까 순간적으로 기대도 했다. 그러나 기적은 없었다. 내가 느끼는 실망감이 감사용 투수가 느낀 실망감에 비할 바는 아니지만 그 당시 영화를 보던 많은 사람들은 아마 큰 실망감을 맛보았을 것이다. 특히 "꼭 이기고 싶었는데…"라는 대사에서 기대하던 어떤 일에 실패한 다음, 최선을 다해 노력했음을 알면서도 밀려오는 안타까움이 너무 잘 묻어 있어서 오래 기억에 남는 것 같다.

(8) 이 영화를 더 재미있게 감상하려면 어떤 점을 알면 좋을까?

1982년 개막한 프로야구의 배경을 알고 나서 보면 좋다. 그리고 당시 야구가 얼마나 인기 있었나, 유명선수들(박철순, 윤동균, 김우열, 양승관, 김경문, 금강옥 등)은 누구였는지 아는 것도 필요하다. 삼미 슈퍼스타즈는 왜 최약체 팀이 될 수밖에 없었는가에 대한 배경 지식도 필요하다. 당시에는 지역연고제가 있어서 고등학교를 졸업한 지역에 홈그라운드를 둔 팀은 해당 지역 고등학교 졸업자만 뽑을 수 있었다. 고교야구에서 유명했던 선수들은 대부분 부산-경남권(부산고, 경남고), 대구-경북권(대구상고, 경북고), 대전-충청권(공주고, 천안북일고), 서울(덕수상고, 신일고), 광주-전라권(광주일고, 군산상고)이었기에 삼미는 지역 고등학교로 인천 동산고 정도밖에 없어서 선수조달에 어려움을 겪었을 것이다.

이미 한국에서는 프로야구 개막 전 고교야구가 선풍적인 인기를 끌고 있었다. 당시에는 실업야구팀이 있어서 직장과 야구를 병행하는 감사용과 달리 월급을 받으며 야구만 계속했던 선수들도 있었다. 이런 고교 야구선수들, 그리고 실업야구 선수들을 모아 6개 구단(OB, 삼성, 롯데, 청룡, 해태, 삼미)을 창설했을 때 사람들은 열광하지 않을 수가 없었다. 또한 당시의 정권은 국민의 관심을 정치에서 돌리기 위해 프로야구를 도입했었다고 한다.

5) 스포츠의 이해 : 한국 프로야구

(1) 한국 프로야구 발전사

한국 프로야구는 국민들의 정치적 관심을 분산하기 위해 3S(Screen, Sex, Sports)정책의 일환으로 출범됐다. 1982년 OB 베어스, MBC 청룡, 해태 타이거즈, 롯데 자이언츠, 삼성 라이온즈, 삼미 슈퍼스타즈 등 6개 구단으로 출범한 한국프로야구는 이후 1986년 빙그레 이글스가 출범하면서 7개 팀으로 늘어났다. 1990년 MBC 청룡을 LG가 인수하면서 LG 트윈스로 이름을 변경했다. 1991년에는 전북을 연고로 하는 쌍방울 레이더스가 출범하면서 프로야구는 8개 구단으로 늘어났다. 1994년엔 빙그레 이글스가 한화 이글스가 됐으며, 1999년엔 OB 베어즈가 두산 베어스로 팀명을 변경했다. 이후 2000년에는 SK가 쌍방울 레이더스를 인수하며 SK 와이번스가 되었으며, 2001년엔 기아가 해태 타이거즈를 인수해 기아 타이거즈가 되었다.

한편 한국 프로야구는 1999년부터는 8개 팀이 전년도의 성적순으로 양대리그로 나눠 경기에 참가했지만, 2001년부터는 단일리그로 변경돼, 2012년 현재 한국 프로야구는 9개 구단 단일리그로 진행되고 있다. 2010년 8개 구단은 두산 베어스(서울), 한화 이글스(대전), SK 와이번스(인천), LG 트윈스(서울), KIA 타이거즈(광주), 롯데 자이언츠(부산), 삼성 라이온즈(대구), 넥센 히어로즈(서울) 등이다. 2011년 창원을 연고지로 한 NC 다이노스가 창단되었고, 2013년부터 1군 리그에 참여했다. 프로야구 경기는 페넌트레이스, 준플레이오프, 플레이오프, 한국시리즈, 올스타전으로 치러진다.

(2) 1982년 프로야구 배경

우리나라의 프로야구는 미국과 일본의 영향을 받아 탄생했다고 볼 수 있다. 미국 최초의 프로야구팀은 1869년에 창단된 신시내티 레드 스타킹(Cincinnati Red Stocking)인데, 이들의 활약과 인기가 높아지면서 1876년에 내셔널리그가 탄생하였고, 뒤이어 1900년에 아메리칸리그가 생기면서 미국 프로야구는 뿌리를 내리게 되었다. 1873년에 미국으로부터 야구를 도입한 일본은 1934년에 프로야구를 출범시켰으며, 지금은 퍼시픽리그와 센트럴리그를 두고 미국 프로야구와 흡사한 경기방식으로 운영하고 있다. 우리나라에서 프로야구가 탄생된 것은 1982년이며, 샌프란시스코에 거주하는 재미실업가 홍윤희에 의해 1976년 2월 한국프로야구준비위원회가 결성되었으며, 회장은 홍윤희가 맡고 김계현, 이호헌, 허종만, 장태영, 박현식, 정두영, 허정규 등 8명의 준비위원으로 본격적인 사업에 착수하였다. 그러나 대한야구협회와 정부의 반대에 부딪혀 좌절되었다. 그 뒤 1981년 5월 문화방송(MBC)에서는 창사 20주년 기념사업으로 프로야구팀 창설 계획을 마련하였으며, 여기에 이용일과 이호헌이 관여하면서 같은 해 12월 11일 한국프로야구위원회 창립총회를 열었다. 혼란과 격동 속에서 출범한 제5공화국이 국민의 관심과 시선을 정치에서 멀어지게 하려고 서둘렀기 때문에 순조롭게 출발하였고, 1982년 3월 27일 역사적인 개막경기가 열렸다.

초대 한국야구위원회(KBO) 총재는 서종철이었으며, 경기방식은 전기리그와 후기리그로 치르기로 결정했다. 전기리그 우승팀과 후기리그 우승팀이 다시 대결하는 것을 한국시리즈(코리안시리즈, 7전 4승제)라고 하였으며, 여기서 승리하는 팀이 한국 프로야구의 챔피언을 차지했다. 전기리그와 후기리그에서 한 팀이 모두 우승하면 한국시리즈 없이 그대로 챔피언이 확정되는 방식을 택했으나, 그것이 단조롭다는 주장에 이후 전기리그 1·2위 팀과 후기리그 1·2위 팀이 한국시리즈 진출권을 가리는 플레이오프제를 도입하였다. 그러나 그 역시 문제가 있어 1989년 시즌부터 단일시즌제로 하면서, 1위는 자동적으로 한국시리즈에 진출하고 3·4위 팀이 준플레이오프를 가졌다. 이긴 팀은 다시 2위팀과 플레이오프를 거쳐서 한국시리즈에 진출하는 경기방식을 채택하고 있다. 즉 팀당 상대팀과 18회 경기를 하고, 총 126회 경기를 치르며 레이스 전체로 보면 504회 경기를 한다. 우승팀은 페넌트레이스 1위 팀과 플레이오프전 승자 간의 7전4승제 한국시리즈로 가려진다.

(3) 1982년 프로야구 출범 당시의 3S 정책

1979년 12·12 군사 쿠데타로 집권한 전두환 정권은 국민의 정치적 관심을 다른 곳으로 돌리기 위해 소위 "3S" 정책을 이용한다. 1981년 당시 전두환 대통령은 청와대 수석비서관 회의에서 국민정서, 여가선용에 대한 이야기를 하다가 "프로스포츠를 한 번 해보라."는 지시를 내렸고 실무를 담당한 이상주 당시 대통령 비서실 교육 문화수석 비서관은 대통령의 지시대로 대한야구협회와 대한축구협회에 프로화 타진을 하면서 당시 야구인이었던 이호헌과 이용일은 18쪽 분량의 "프로야구 창립계획서"를 만들게 된다. 축구계가 프로화에 막대한 비용이 든다고 보고한 것과는 달리 야구계는 "정부 보조 한 푼 없이 프로야구를 출범시킬 수 있다."고 보고했고, 이 제안이 당시 집권자들의 구미를 당기게 되었다. 이후 각 지역을 연고지별로 분할하고 창단 기업 물색에 착수했다. 프로야구에 참여할 기업선정에서 모기업의 조건은 재무구조가 건실한 상시노동자 3만 명 이상의 대기업이었고, 초기 기획단계에서 연고지 배정은 서울은 럭키금성(現LG), 인천, 경기, 강원은 현대, 광주는 삼양사, 부산은 롯데, 대전은 동아건설이었다. 삼양사와 동아건설은 서울지역 연고권을 계속 요구하다 거절당했고, 현대와 럭키금성(現LG)은 손실이 큰 프로야구단 운영을 꺼렸으며 한국화약그룹에도 프로야구 참여의사를 타진했으나 거절당했다. 프로야구 창설이 위기에 봉착하자 정치인들은 자신의 혈연과 지연, 학연들을 총동원해 대기업 그룹 총수들을 설득하기에 이르렀고, 그에 비해 두산그룹은 자사 주류회사인 OB의 이름을 내걸고 충청지역으로 들어온다. OB는 3년 후 서울지역으로 연고지 이전을 약속 받은 상태로 프로야구에 입문한다.

🏆 프로야구 원년인 1982년도 티켓

그리고 정계인물들과 관계가 돈독했던 해태 박건배 회장이 전라도 지역에 해태를 참여시킨다. 사고 지역으로 분류되던 인천, 경기, 강원 지역은 의외로 신진 기업인 삼미가 참여하면서, 1981년 12월 11일 삼성 라이온즈, 롯데 자이언츠, MBC 청룡, OB 베어스, 해태 타이거즈, 삼미 슈퍼스타즈 등 6개 구단이 회원으로 참여해 프로야구 창립총회가 열리면서 구체화되었고, 1982년 3월 27일 서울 동대문운동장에서 MBC 청룡과 삼성 라이온즈의 개막전 경기를 시작으로 대한민국 프로야구가 본격적으로 출범하게 된다. 프로야구 출범이 우리나라 스포츠에 끼친 영향은 프로스포츠의 활성화와 발전, 국민의 여가선용, 86 아시안게임과 88 서울 올림픽을 통한 스포츠의 국제화 성공과 야구, 축구 등 타 스포츠의 비약적인 발전에도 계기를 마련한다.

[참고문헌]

1. '한국 프로야구', 네이버 지식백과(시사상식사전)
   http://terms.naver.com/entry.nhn?docId=934465&mobile&category
   Id=1425
2. '프로야구', 네이버 지식백과(한국민족문화대백과)
   http://terms.naver.com/entry.nhn?docId=531784&mobile&category
   Id=1641

3. 루디
– 불가능한 꿈, 노력에 의해 현실로

1) 줄거리 요약

영화 〈루디〉는 실화에 근거해서 만들어졌으며, 미국 시골의 작은 마을에 사는 평범한 소년 '루디'가 꿈에 그리던 노틀담 대학 미식축구선 수가 되기까지의 과정을 감동적으로 묘사한 작품이다. 이 영화는 주인 공이 역경을 딛고 스타성을 발휘해서 인생 역전하는 내용의 일반적인 스포츠 영화의 주된 소재인 성공기와 다르다. 주인공 루디는 거창한 꿈 은 아니지만 초지일관 자신의 꿈을 잃지 않고 부단히 노력해 결국 꿈을 이룬다는 점에서 현실에 안주하는 삶을 살고 있는 현대인들과 용기가 없어 꿈을 향해 도전하지 못하는 청춘들에게 깊은 감동과 교훈을 준다. 고난과 역경을 끝내 이겨내는 루디의 집념과 용기는 오늘날의 모든 사 람들에게 귀감이라 할 수 있다.

2) 영화 속 이야기

소년 루디는 어려서부터 가족 및 친구들과 미식축구를 하면서 성 장했다. 그러나 키가 작고 몸집이 왜소했던 루디는 자신이 원하는 포지 션을 맡지 못했고 그마저 잘하지 못해 넘어지기 일쑤였다. 그러나 루디 는 미식축구를 사랑했고, 노틀담 대학에서 풋볼을 하겠다는 꿈이 있었 다. 물론 가족들은 허황된 꿈이라며 비웃지만 루디는 아랑곳하지 않는 다. 세월은 흘러 루디는 꿈을 이룰 초석도 마련하지 못한 채 고등학교 를 졸업하고, 아버지가 운영하는 철강회사에서 4년이라는 시간을 보낸 다. 그의 여자 친구를 비롯한 대부분의 주변 사람들은 아직 꿈을 포기 하지 못한 그를 이해하지 못한다. 특히 여자 친구는 루디와 평범한 미래를 계획하며 가정을 꾸려 살자고 은근히 강요한다. 그러나 절친 피터만 유일하게 그의 꿈을 존중하고 응원한다. 어느 날, 공장에서 사고가 나서 기계가 제대로 작동을 하지 않아 피터는 죽음에 이른다. 친구의 죽음에 힘들어하던 루디는 결국 사우스벤드로 가기로 결정한다. 그의 결정을 이해하지 못하는 여자 친구는 작별을 고한다. 혼자 떠나려던 찰나, 아버지는 그에게 2주간의 휴가를 주겠다는 말로 현실을 직시하게 해서 마음을 돌리려 하나 그의 결심은 확고했다. 결국, 반대를 무릅쓰고 도착한 노틀담에서 그는 한 신부님을 만나 상담한다. 이야기를 들은 신부는 '홀리크로스' 대학에서 수강한 후 성적이 좋으면 편입하는 방법을 알려준다. 루디는 이를 따르기로 한다.

홀리크로스 대학에 입학한 그는 우연히 조교인 디밥을 알게 되고, 여자를 소개시켜 주는 대신 개인교습을 받기로 한다. 그는 노틀담 풋볼연습장에서 기본급만 받으면서 일을 하기로 한다. 공부도 하고, 디밥에게 소개해 줄만한 여자도 물색하고, 운동장 관리도 하면서 그는 바쁜 나날을 보낸다. 아직 집을 구하지 못한 그는 관리실에서 잘 생각으로 몰래 창문을 열어놓는다. 그러나 관리인은 이를 눈치챘다. 이후 그는 처음으로 라커룸에 들어가서 어린아이처럼 열광한다. 어렸을 때 피터 앞에서 했던 것처럼 감독의 작전을 그대로 시연한다.

학업과 일을 병행하며 심신의 피로가 누적되던 어느 날, 그는 노틀담 아이리쉬의 경기를 보러갔다. 그러나 경기의 인기가 높아 암표도 구하지 못한다. 쓸쓸히 길을 걷는 그의 옆으로 보이는 노틀담 경기장 벽은 한없이 높다. 결국 경기가 끝난 후 홀로 경기장에 앉아 그는 하염없이 경기장을 본다. 울적한 마음으로 관리실에 몰래 들어온 루디는 관리인이 갖다놓은 침구에 다시 기운을 차린다. 첫 학기에 루디는 한 과목은 A, 다른 과목은 모두 B의 성적을 받는다. 신부는 그를 칭찬하지만 루

🏃 라커룸에서 경기장 관리인과 대화하는 루디

디는 자신이 최선을 다했는가에 의문을 갖는다. 얼마 후, 노틀담 대학으로부터 불합격 통보를 받은 그는 실망한 채 집으로 돌아간다. 그러나 가족들은 따뜻한 위로와 격려가 아닌 냉담한 반응을 보인다. 노틀담 경기를 보러오라는 그의 말에 TV로 보겠다며 거절하는 아버지와 짜증을 내는 형, 게다가 자신의 여자 친구는 그의 형제인 잔과 결혼하였다. 가족들의 냉대와 전 여자 친구의 배신에도 그는 굴하지 않는다. 2번째 편입 시도를 했지만 그는 불합격한다. 그는 다음 학기에도 불합격 통지를 받고 실망감에 가득 차서 신부님을 찾아간다. 힘들어하는 그의 모습에 최선을 다했다면 곧 하늘의 뜻을 알게 될 것이라는 말로 신부는 루디를 위로한다. 그리고 마지막 기회에 당당히 노틀담 대학 편입에 성공한다. 합격 통지서를 받아든 루디는 고향으로 내려가 이를 자랑한다. 아버지는 루디를 자랑스러워하지만 미식축구 선수로는 인정하지 않는다. 단지 그는 비웃거나 허황되다고 반대하지 않을 뿐이다.

이듬해 편입생으로 입학한 루디는 풋볼 연습생 시험을 본다. 실력은 없었지만 누구보다도 노력하는 점을 눈여겨 본 코치에 의해 그는 선발된다. 매우 기뻐하던 루디는 이 사실을 가족이 아닌 관리인에게 가장 먼저 알리며, 지금까지 사용하던 관리실 열쇠를 반납한다. 그리고 첫 경기에 응원하러 가겠다는 약속까지 받는다. 그러나 재능이 너무 없기에 그는 연습생을 벗어나지 못한다. 다치면서도 싫은 내색 하지 않고 아르바이트와 풋볼연습을 겸하는 루디. 감독과 코치들은 그를 본받으라고 선수들에게 잔소리를 한다. 이런 충고가 선수들 사이에서는 적대감으로 싹튼다. "왜 루디처럼 못하니?"라는 말에 신물이 난다는 비난을 들으면서도 그는 포기하지 않는다. 어려움은 동료와의 불화만이 아니다. 가족들은 그가 노틀담 아이리쉬의 연습생이라는 사실을 믿지 않는다. 결국, 루디는 감독을 찾아가 한번만 경기에 뛰게 해달라고 부탁

🎞 코치에게 자신의 유니폼을 반납하는 선수들

한다. 불가능을 말하는 모든 사람을 위해서 경기에 나가고 싶다는 말에 감독은 자격이 있다고 하면서 딱 한 경기만 뛰라고 약속한다. 그러나 변수가 생긴다. 감독이 사퇴하게 된 것이다. 루디는 감독이 바뀌자 기회를 놓칠까 불안했지만 최선을 다한다. 늘 명단에는 없어도.

불안은 적중한다. 졸업 마지막 경기까지 선발명단에서 제외된 그는 결국 포기할 생각을 한다. 그러나 동료들은 지금껏 노력한 그가 포기 하겠다고 하자 화를 낸다. 특히 관리인은 자신의 이야기를 해주면서 그를 연습장으로 돌아가게 한다. 연습장에서 선수들은 그를 따뜻하게 환영해준다. 게다가 주전선수들이 감독을 찾아가 루디를 자기 대신 선발해달라고 요청하며 그들의 유니폼을 반납한다.

이에 결국 감독은 루디의 출전을 허락한다. 그는 형에게 전화를 해 아버지가 응원하러 오게 해달라고 부탁한다. 마침내 경기 당일. 친구들과 아버지는 경기를 보러 온다. 물론 그는 경기장에 입장만 했을 뿐 경기에 출전하지 못한다. 졸업반을 다 내보내라는 감독의 말에 코치는 루디를 어떻게 할지 물어본다. 그러나 감독은 절대 안 된다고 대답한다. 이때 루디의 이름을 외치는 선수들과 이를 들은 관중석에서 루디의 이름이 경기장에 울려 퍼진다. 결국 선수들은 그가 몇 초라도 경기장에서 뛸 수 있도록 감독의 작전을 무시하면서 8초라는 짧은 기회를 루디에게 준다.

팀원들 덕분에 루디는 경기장에 나오고, 관중들은 루디의 이름을 연호하며 그를 아는 사람들은 모두 그의 출전에 감격한다. 그리고 그는 8초 동안 경기를 뛰고, 경기는 노틀담의 승리로 끝난다. 그를 응원하고 인정하는 가족들과 기뻐하는 관리인의 모습. 결국 루디는 노틀담 대학 미식축구팀의 영웅이 되어 목마를 탄 채 운동장을 한 바퀴 돈다.

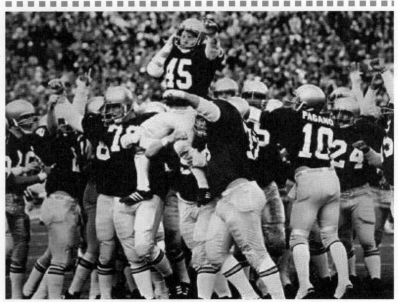

🏃 경기 종료 후 루디를 태운 채 운동장을 돌며 환호하는 선수들

3) 해석적 이해

　　현대 사회는 '총알 없는 전쟁'이라고 표현될 만큼 냉정하고 가혹한 분위기가 팽배하다. 미래에 대한 불안감과 초조함, 매일 남들과 경쟁하고 비교하며 느끼는 상대적 박탈감으로 인해 좌절하며 일상을 그늘에서 보내는 사람들이 많다. 정작 자신의 목표에 대해 최선을 다했는가는 생각하지 않는다. 심지어 목표가 불확실한 사람들이 많고, 있다 해도 다른 사람이 정해준 허울 좋은 목표일뿐이다. 그나마 목표와 꿈을 향해 가는 도중에 장애물들을 만나면 용기가 사라져 방황하는 청춘들이 대부분이다. 하지만 루디는 진정 도전하는 삶을 추구하였다. 오랜 시련

끝에 편입에 성공하고, 연습선수로 최선을 다했고, 비록 종료 직전 27초 동안 경기장에 출전했지만 그는 꿈을 이루었다.

영화를 본 사람들은 틀림없이 과연 나는 그동안 얼마나 많은 노력을 하고 살았을까 하는 질문을 던질 것이다. 이 영화는 자신의 진정한 꿈이 무엇인지 생각해 보는 좋은 기회를 제공한다. 과연 내가 원하는 것은 무엇일까? 이는 뜻 깊은 시간이 될 수 있다. 어떤 선택을 할지는 모르겠다. 신념을 위해 먼 길을 돌아갈까, 아니면 적성을 살릴까? 어느 쪽이 성공이라고 판단할 수 없다. 사회는 꿈과 희망으로만 살아가는 곳이 아니기 때문이다. 다만 꿈이 없는 안락한 인생은 성공한 인생이라고 말할 수 없다. 꿈과 적성을 다 살릴 수 있는 일이 가장 바람직하지만 만약 둘 중 하나를 선택해야 한다면, 적성이나 돈이 아니라 항상 꿈을 먼저 생각해보고, 이를 위해 실천하라는 메시지를 가슴에 담아야 한다.

4) 심층적 탐구

(1) 이 영화는 주인공 루디가 새로운 삶을 개척하고 꿈을 실현하기 위해 온갖 역경을 극복하고 매진하는 삶을 미식축구를 통해 보여준다. 루디에게 미식축구는 무슨 의미인가?

루디는 어릴 때부터 미식축구를 매우 좋아했다. 미식축구 중계에 나오는 대사를 모두 외울 정도였고, 가족들에게 노틀담 대학에서 풋볼을 하는 꿈을 얘기했지만 가족들은 그저 웃어넘겼다. 그러나 이런 멸시와 수군거림에도 그는 자기 꿈을 위해 노력한다. 이런 그에게 미식축구의 의미는 그토록 이루고 싶은 꿈이며 남들이 비웃더라도 나중에는 자신의 신념을 입증할 방법이었다. 또한, 자신과의 싸움을 펼치고, 스스로 성장했음을 보며 만족과 깨달음을 얻을 수 있는 인생의 무대였다. 그러나 이런 감상은 3자의 입장에서 하는 말이다. 그에게 미식축구는 자신의 인생과 열정을 다 바쳐도 아깝지 않을 정도로 사랑하는 대상이다. 미식축구를 위해서 자신의 모든 것을 포기할 정도로. 결혼까지 눈앞에 두었던 여자친구, 안정적인 직장, 가족들도 대신할 수 없는 꿈을 찾는 것이다. 그는 꿈을 위해서 온갖 힘들고 궂은일을 마다하지 않고 묵묵히 해낸다. 그는 미식축구를 하면서 자신도 무엇인가를 할 수 있음을 사람들에게 보여주었으며, 자신이 진정으로 원하는 것을 실천해 자아를 실현했다. 더 나아가, 미식축구를 통해서, 자신의 목표를 이루는 데 있어서 불리한 조건을 가진 사람들을 위해, 그리고 그에게 할 수 없다고 했던 모든 이들에게 시간이 오래 걸리는 것뿐이지 할 수 없는 건 아니라는 사실을 증명했다.

(2) 루디에게 인생의 '짐'과 '꿈'은 무엇이며, 그는 꿈을 달성하기 위해 무거운 인생의 짐을 어떻게 짊어지고 나가는가?

인생의 꿈은 많은 짐을 동반한다. 그의 꿈은 노틀담 대학 미식축구 선수가 되는 것이며, 짐은 자신을 둘러싸고 있는 신체·소질·가정이다. 그러나 역설적으로 '꿈'은 그에게 짐이 된다. 현실적으로 어려워서 남들보다 몇 배, 몇 십 배의 노력을 거듭해야 했기 때문이다. 그러나 그는 약점을 극복하기 위해 부단히 노력하고, 꿈을 꼭 이루고 싶고, 이룰 수 있다는 희망을 갖고 매사에 열정적으로 생활한다. 그는 공부도 못했고,

미식축구 선수로서 적합한 신체도 갖추지 못했다. 게다가 비협조적인 가족들만 있었다. 홀리크로스 대학 신부에게 하는 루디의 말에서 이를 알 수 있다. "어렸을 때부터 노틀담 대학에 가고 싶었어요! 어렸을 때부터 늘 안 될 거라는 말을 들었어요! 사람들은 내가 할 수 있는지 없는지를 얘기했죠! 난 그들의 말을 믿었고, 항상 듣기만 했죠! 이젠 그게 싫어요!" 그는 모든 사람들의 부정적 시선이나 불리한 조건에 더 이상 귀 기울이지 않고 자기 꿈을 좇고 싶어 했다. 그리고 이런 '비난'과 불리한 '조건', 불우한 '환경'이라는 짐을 짊어지고 오랫동안 포기하지 않고 최선을 다했다. 목표인 노틀담 대학 미식축구가 되기 위해 '재능'은 부족하지만 '자세'로 무장해서 꿈을 이루었다. 선천적 재능은 우리가 바꿀 수 없다. 기회 역시 필요할 때 찾아오지 않는다. 그러나 스스로 결정할 수 있는 '자세'나 '태도'가 있다. 이 근면함으로 루디는 기회를 잡았고 목적을 달성했다. 그는 연습생부터 시작해 모두가 인정하는 선수로 거듭 났다. 비록 10여초의 짧은 시간이었지만 루디는 노틀담 대학 미식축구 팀 선수로서 당당히 출전하였고, 자신의 꿈을 이루었으며, 인생의 진정한 승자가 되었다.

(3) 루디에게 가족들은 어떤 관계로 인식되는가?

루디와 가족들은 흔하게 볼 수 있는 관계이다. 그의 가족들은 루디를 미워하진 않는다. 그저 꿈에 관한 루디의 열정을 가볍게 생각하고 그를 무시한다. 이런 행동, 혹은 사고방식의 이면에는 루디가 실현가능하고 그에게 어울리는 꿈을 갖길 바라는 마음이 있었을지도 모른다. 친구의 죽음을 계기로 노틀담으로 향할 때, 가족들 특히 아버지가 진심으로 그를 만류하는 장면에서 이를 알 수 있다. 당시 상황에서 편한 길을 두고 어려운 길을 가려는 자식을 위한 진심어린 충고였다. 그러나 이러한 점들은 오히려 어린 루디에게 반드시 자신의 꿈을 실현시켜 모두에게 보여주겠다는 동기를 부여한다. 마지막 루디의 경기에 평소 자주 다투기만 했던 큰 형이 아버지와 어머니, 다른 가족들과 함께 경기장에 온 모습은 루디에게 큰 감동이 되었고, 역시 그의 가족 모두 루디의 위대한 도전에 마음 깊이 진심어린 응원을 보내주고 있었음을 알 수 있다.

(4) 루디의 삶에 긍정적이거나 부정적 영향을 미친 인물들은 누구이며, 이들은 각각 어떠한 모습으로 묘사되는가?

역설적으로 그의 삶에 부정적 역할을 했던 인물은 가족들이었다. 루디의 꿈이 허황되었다고 생각하며 응원하지 않았다. 가족들은 남들처럼 그가 평범하게 살기를 바랐다. 특히 아버지는 "허황된 꿈은 이룰 수 없고 타인의 인생을 괴롭게 만든다."고 충고한다. 고등학교 선생님도 부정적 영향을 끼친 인물이다. 노틀담에 견학을 가려 하자 그는 대학을 가기에 성적이 너무 좋지 않다고 그를 만류한다. 그러나 이들이 루디를 사랑하지 않은 것은 아니다. 아버지는 조상이 했던 잘못을 아들이 그대로 반복할까봐 걱정했다. 반대로 긍정적인 역할을 한 인물로 친구 피터를 들 수 있다. 루디를 언제나 믿고 제철소에 4년 동안 일하고 있을 때도 그는 자기 아버지의 "꿈이 있는 사람만이 삶의 의미가 있다."는 말을 들려주며 루디에게 꿈을 잊지 말라고 조언한다. 이런 격려와 응원에 루디는 언제나 힘을 낼 수 있었다. 친구의 죽음을 계기로 루디는 꿈을 이루기 위해 결단을 내린다. 홀리크로스 대학에서 만난 카바라 신부도 노틀담 대학에 진학하는 방법을 알려주면서 힘들 때면 항상 격려하고 응원한 사람이다. 미식축구장 관리인 포츈도 그런 루디의 모습에 말없이 응원을 한다. 그는 갈 곳이 없는 루디를 위해 사무실 열쇠도 내어주고, 특히 주전선수로 뽑히지 못해서 포기하려고 할 때, 자기 과거를 언급하면서 포기하지 말라고 용기를 준다. 그의 대사이다. "얼빠진 녀석! 넌 키도 작고 잘난 게 없잖아. 한마디로 운동선수로는 부적격자야. 그런데 넌 대학 최고 팀에서 2년이나 견뎌냈어! 장차 노틀담 대학 학위도 받을 거고. 다른 누가 아니라, 자신에게만 증명하면 돼. 아직도 그걸 이루지 못했다면 평생 불가능한 일이지. 그만 돌아가거라. 지금 관두면 평생 후회하게 될 거다."

(5) 루디가 공격수 연습 상대로 팀에 합류한 초반에는 감독 및 동료 선수들과 갈등을 겪지만, 결국, 그들은 점차 루디를 이해하고 팀 동료 및 선수로 인정한다. 그들이 변화하는 이유는 무엇이며, 이러한 모습을 어떻게 평가하는가?

연습 상대로 팀에 합류했을 당시 실전과 같이 훈련하는 루디의 모습은 많은 동료선수들의 반감을 산다. 사실 처음 팀에 합류시키는 과정도 순탄치 않았다. 왜냐하면 그는 미식축구에 전혀 어울리지 않는 체격이었고 운동신경도 썩 좋지 않았기 때문이다. 어떤 감독도 그를 팀에 합류시키는 것을 원치 않았다. 그러나 그가 보여준 투지와 열정에 코치들은 마음을 바꿨고, 그로 인해 감독의 입에서 루디만큼만 하라는 이야기까지 나오게 된다. 이는 동료선수들의 반감과 질투심을 일으킨다. 그러나 루디는 자신의 노력과는 달리 계속 연습생으로 남아 있었다. 실망할 법도 했지만 루디는 이런 상황에서도 포기하지 않고 항상 최선을 다했다. 노틀담에 입학해서 미식축구팀에 들어온 뒤, 정식경기는 출전하지 못했지만 누구보다도 선수다웠고 부족한 부분은 수용하며 노력했다. 부정적인 주변 사람의 마음을 돌린 이유도 바로 이런 노력이라고 생각한다. 2년이라는 짧지 않은 기간 동안 한 번도 거르지 않고 힘들고 모진 훈련들을 이겨내고 인내하는 루디. 그를 옆에서 직접 본 동료들과 감독은 그의 태도에 감동을 받는다. 결국, 그는 자신뿐만 아닌 주변까지 바꾼 것이다.

(6) 루디와 당신의 공통점과 차이점은 무엇인가?

루디와 나의 공통점이라면 꼭 이루고 싶지만 주위에서는 반대하는 꿈이 있었다는 점이다. 루디는 풋볼선수를 꿈꿨고 나는 음악가가 되고 싶었다. 그리고 루디와 내게는 각각 꿈을 응원해주는 좋은 친구가 있었다. 그에게는 피터, 나에게는 고향에 있는 친구가. 그러나 차이점이라면 루디는 주위의 반대를 무릅쓰고, 자신의 모든 것을 포기하면서 결국 원하는 바를 이뤄낸 반면, 나는 현실과 타협해 일반 대학에 들어가서 다른 꿈을 찾았다. 결국, 그는 영웅이 되었지만 나는 그와 비슷한 졸업 직전 상황임에도 언젠가 다시 공부를 시작할 것이라는 막연한 계획만 세우고 있었다. 그와 상황은 비슷하지만 선택도 결과도 정반대였다.

(7) 스포츠에서 '영웅'은 무엇이며, 그 위상은 어떠해야 하는가?

영웅의 사전적 정의는 지혜와 재능이 뛰어나고 용맹하여 보통 사람이 하기 힘든 일을 하는 사람이다. 그러나 스포츠 영웅은 이런 의미와는 차이가 있다. 그들은 시대정신을 반영하고, 시대정신은 고유한 특성을 지닌다. 그러므로 스포츠 영웅은 시대와 사회 가치에 따라 변한다. 현대사회에서 스포츠 영웅은 단순히 승패를 놓고 따지면 팀의 승리, 혹은 팀의 우승에 큰 공헌을 한 선수이다. 이런 상황에서 유추할 수 있는 현대 스포츠 영웅의 특징은 기본적으로 다른 선수들보다 뛰어난 운동 능력을 바탕으로 명성을 얻은 선수, 이들이 갖는 상업적인 가치로 인해 대중매체에서 중요시하는 최고의 운동선수, 사회가 요구하는 가치를 대중에게 쉽게 전파시킬 수 있는 스포츠 선수이다.

그러나 관중들은 이런 영웅이 과거에 어려운 일이 있었고(예를 들어 연습생 선수였다든지, 부상으로 인해 재기불능이라는 판정을 받고 재기했다든지, 팀에서 방출 당했다든지), 핸디캡이 있지만 이를 극복했다는 스토리에 더 관심을 갖고 그를 영웅시한다. 이런 특수한 환경적, 신체적 열세를 극복하고 영웅이 된 경우를 언더도그(Underdog)라 부르며, 사가린(Sagarin, 1970)은 이를 크기, 힘, 인종 등 선천적인 핸디캡을 가졌지만 승리한 사람으로 정의한다. 그러므로 스포츠에서 영웅은 실력, 성적도 좋아야 하지만 언젠가 한 번은 남들이 대단하다고 생각할 만한 큰 위기나 핸디캡을 극복해야 한다. 오늘날 매스컴이 발달하면서 사생활 관리도 철저히 해야 한다. 실력도 좋고 위기도 극복했지만 사생활에서 사람들에게 실망을 주는 순간 영웅은 단순히 잘하는 선수로 전락하기 때문이다. 따라서 정리를 하면, 스포츠 영웅은 전통적인 영웅에게 요구되는 도덕성과 압도적인 능력을 필요로 하며, 성실성, 통찰력, 금욕적인 생활, 철저한 체력관리 등 많은 덕목을 실천해야 한다.

(8) 영화 마지막 장면에 루디가 단 한 번 잠시 선수로 경기에 나가는 감동적인 장면을 보고 느낀 점은 무엇인가? 그의 동료 선수들은 왜 그를 영웅시 했는가?

그는 졸업 전 단 한 번, 잠깐이었지만 모두 불가능하다고 생각했던 자신의 꿈을 이루었다. 이건 행운이 아니라 그가 흘린 피땀의 결과이라는 사실을 잘 알고 있기에 그의 노력에 보상이 주어진 셈이다. 이는 마치 내가 루디가 된 것처럼 만족스러웠다. 동료들이 그를 영웅시 한 것은 클랩(Klapp, 1969)의 영웅상을 잘 반영하는 예라고 할 수 있다. 그가 정의한 영웅이란 특별히 선한 어떤 사람이 아니라 스스로 할 수 없는 일이나 자신의 꿈을 실현시킬 수 있는 사람인 것이었다. 그가 가지고 있는 '노력'이라는 재능이 바로 할 수 없는 일, 꿈을 실현시킬 수 있는 사람에 부합했던 것이다. 힘든 상황에서도 포기하지 않고 달려온 루디를 보며 그들은 존경과 동시에 루디를 인정했고, 그에게 자극을 받아 포기하지 않았을 것이다. 그러니 모든 선수들에게 루디는 노력의 영웅이고, 우상일 수밖에 없으며 동시에 그들의 롤 모델이었던 것이다.

(9) 내가 영화 속의 주인공 루디라면 어떻게 행동했을까?

나는 좋게는 현실주의자, 나쁘게는 타협하는 편이다. 루디와 비슷한 상황을 겪었던 적이 있다. 대개 남들도 진로 문제로 부모님과 갈등을 겪듯이. 그러나 나는 결국 부모님과 주위의 뜻에 따랐다. 타인이 내 인생을 살아주는 것은 아니지만 나름대로 좀 더 나에게 맞는 조언을 부모님이 했음을 알기 때문이다. 만약 그의 입장이었으면 풋볼에 알맞은 신체적 조건도, 이런 결점을 커버할만한 재능도 없다는 사실을 알게 되었을 때 시간낭비 하지 않고 나에게 정말로 맞는 일을 찾아서 했을 것이다. 노틀담에 꼭 들어가 선수로 출전하겠다는 생각은 접고 미식축구를 취미로 했을지도 모른다. 그래도 미식축구를 포기하지 못하겠다면 이와 관련된 다른 직업을 찾았을 것이다. 분명 후회를 할 수도 있겠지만 인생은 단 한 번뿐이기 때문에 합리적으로 살아야 한다고 생각한다. 그러나 이는 개인적 관점일 뿐, 루디의 선택이 잘못이거나 나쁘다는 뜻은 아니다. 가치관의 차이일 뿐이다.

(10) 주인공 루디는 어떤 모습으로 다가오는가?

존경과 안타까움이 교차했다. 자신에게는 미식축구밖에 없다며 힘든 길을 갔기에, 다른 재능은 살리지 못했다는 생각이 들었다. 좋아하는 감정만큼 중요한 것은 재능 아닌가? 결국, 마지막에 꿈을 이뤘다는 사실은 다행이었다. 그러나 그동안의 노력을 생각하면 어떤 일을 했어도 그가 성공했을 것이라는 생각도 들었다. 물론 진심으로 하고 싶은 일이기 때문에 그렇게 노력할 수 있었다는 사실을 잘 알고 있다. 노력에 의한 보상이 합당한가는 당사자의 주관적인 판단에 맡길 수밖에 없다는 것도. 그러나 3자가 보기에는 노력으로 맺은 결실은 대단하지만 안타깝기도 했다. 이 영화는 분명히 '실화'를 바탕으로 재구성했다고 들었는데, 루디가 행동하고 생각하는 모습이 만화의 열혈 주인공 같은 느낌을 받았다. 힘든 훈련장면에서, 자신보다 훨씬 큰 선수들을 상대로 부딪치고, 긁히고, 피터지게 연습하고, 여기저기 뒹구는데도 포기를 모르고 계속해서 덤비는 모습에서. 영화에서 루디는 혹독한 훈련뿐만 아니라 주변 사람들과의 마찰이나 경제적인 여건 같은 힘든 상황에서도 다시 일어서서 묵묵히 '꿈'을 향해 갔다. 비록 주전선수가 되지는 못했지만, 모든 사람들에게 감동을 주는 진정한 '영웅'이 되는 모습에, 오뚝이 같은 그 마음가짐이 영화를 보는 내내 큰 감동이었다.

(11) 명대사 및 명장면들은 무엇이며, 이 영화의 핵심적인 메

시지는 무엇인가?

"물론이지, 이 순간을 위해 평생을 준비해 왔어." 마지막 30초를 뛰기 위해 노력한 루디에게 경기장에 나가기 전 동료선수의 물음("준비됐어? 챔피언")에 대한 답이 가장 인상 깊었다. 이 영화는 스포츠 영화지만 성장영화에 더 가깝다는 생각이 든다. 예상할 수 있는 줄거리지만, 한 인간이 불리한 조건들과 넘을 수 없는 장애물들을 극복하며 꿈에 다가가는 모습은 보는 사람으로 하여금 진한 감동을 느끼게 한다. 번번이 입학을 거절당하지만 계속 지원하고, 거구의 선수들로부터 수많은 태클을 당해서 쓰러지지만 일어서는 모습에서 '이것이 포기하지 않는 인간의 모습이구나!'라는 생각이 들었다. 그래서 내 모습을 반성하게 된다. 조그만 장애물에도 힘들다고 너무 쉽게 포기하지는 않았는지, 과연 목표를 위해서 최선을 다했는지, 모든 걸 바쳤는지, 나약한 정신을 갖고 살고 있는 것은 아닌지 돌아보게 된다. 스포츠는 단순하지만 그 단순함 속에 많은 인생의 진리들이 있다. 진정한 노력은 언젠가 보상받고, 포기하지 않는 자에게 언젠가 기회가 온다는 교훈이다. 경기 마지막 장면도 인상적이었다. 새로 부임한 감독이 경기가 끝나도록 루디를 출전시키지 않자 한 선수가 "루디, 루디"라고 외치기 시작한다. 그 외침은 온 경기장으로 퍼져나갔고 결국 루디는 경기에 출전한다. 사람들의 가슴 속에 아직도 '희망'이 있음을 느낄 수 있어 가장 인상적인 장면이었다.

5) 스포츠의 이해(미국 대학 미식축구)

(1) 미국 대학 미식축구의 탄생

1869년 11월 6일에 미국 동부 뉴저지주에 위치한 럿저스(Rutgers) 대학과 프린스턴 대학 간에 최초의 미식축구가 개최되었다. 경기 결과는 6:4로 럿저스 대학이 승리했는데, 이 경기에서 양 팀 선수들은 각각 25명이었고 볼은 단지 발과 어깨 그리고 머리로만 플레이를 할 수 있었다. 미국대학 명예의 전당(Hall of Fame)에는 이 경기를 미식축구의 효시로 인정하고 있다. 그 후에 1870년대에 콜롬비아 대학이, 2년 후에는 예일 대학이 대회에 참가했으며, 경기의 일관성과 대회 준비 등이 필요해져서 각 대학 대표들은 1873년에 뉴욕시에서 모임을 결성하게 되었다. 이 자리에서 각 대학 선수들은 머리를 맞대고 아이디어를 짜내 미식축구의 경기방법 및 규칙을 만들어 냈지만 근본적으로 축구(Soccer)의 틀을 벗어나지 못하고 있었다.

(2) 초기 발전 과정

처음 미식축구는 영국식 축구 방식에서 출발해 럭비 방식으로 바뀌었으며, 1880년부터 미국식 경기로 방향이 전환되기 시작했다. 이때 처음으로 스크리미지 라인(Scrimage Line)이 경기에 도입되었고, 경기장은 길이 110야드 폭 53⅓야드로 좁혀졌으며, 선수도 11명으로 줄었다. 스크리미지 라인은 자연히 쿼터백(Quarter Back, 처음 스냅Snap을 받는 선수)을 탄생시켰으며 다양한 작전과 신호 시스템(Signal System)이 경기에서 사용되기 시작하였다. 1882년에는 경기를 빨리 진행시키기 위해 3

번 다운(Down)에 5야드 전진 제도가 규칙으로 제정되었는데, 주 원인은 1881년과 1882년에 프린스턴 대학이 예일 대학과의 경기에서 소위 "블록 게임(Block Game, 비기기 위해 볼을 가지고 전진하지 않고 시간을 끄는 전술)"이라고 불리는 전술을 사용하면서, 이를 방지하기 위해서였다.

태평양 지역에서는 캘리포니아(California) 대학이 1886년에, 남서부에서는 텍사스(Texas) 대학이 1893년부터 미식축구를 시작했다. 당시의 경기스타일은 매우 거칠어 한마디로 "야만적인 경기"라 불렸다. 모든 수단을 동원해서 앞의 수비를 밀치고 볼을 잡고 전진하는 것이 주요 작전이었다. 물론 선수 교체는 허용되지 않았고, 일주일에 한 번 이상 경기를 치루기도 했다. 당시 강팀으로는 동부의 예일, 하버드, 프린스턴, 펜실베이니아 등을 꼽을 수 있었지만, 1890년대에 들어서 중서부 지방의 미시간, 시카고, 미네소타와 같은 대학들이 강호로 부상했다.

1920년대에는 각 대학에서 배출된 수많은 스타들이 관중의 흥을 더욱 높여 바야흐로 미식축구는 황금기를 맞이했다. 이 시대의 유명한 스타로는 스탠퍼드 대학의 어니 너버스(Ernie Nevers), 노틀담 대학의 조지 기프(George Gipp), 미네소타 대학의 브롱코 나거스키(Bronko Nagurski, 일리노이 대학의 레드 그레인지(Red Grange)를 꼽을 수 있다.

1930년대의 강팀으로는 미네소타 대학을 들 수 있는데, 1934년에서 1938년 사이에 4번의 Big 10 타이틀을 획득했을 뿐만 아니라 1936년, 1940년, 1941년에는 전국 타이틀도 차지했다.

(3) 오늘날의 발전 과정

1980년대의 대학 미식축구 선수들은 전보다 크고 빠르며 거의 프로 수준이었고, 이런 우수한 선수들은 여러 대학으로 골고루 분산되어 특정 대학이 항상 우승하는 시대는 지나갔다. 더욱이 매스컴의 발달로 대학에서의 스타는 졸업 후 백만장자로 가는 지름길이었기 때문에 예전의 만능선수 시대는 사라졌고 몇 가지만 집중 훈련하는 선수들의 전문화 현상이 두드러지고 있다. 한마디로 미식축구라는 거대한 기계 속에 선수들은 잘 돌아가는 부품으로 전락하고 있다. 반면, 경기 수준은 더욱 높아지고 관중 수준도 높아 예전에 스타는 공격선수 일변도였으나 수비선수도 스타로 떠오르고 있다.

규칙은 프로팀과의 직·간접적인 경쟁 때문에 공격 측에 유리한 방향으로 바뀌고 있으며, 매스컴 관련 규정이 많이 추가되고 있다. 따라서 경기 수입도 상당해, 많은 대학들은 미식축구로 벌은 돈을 그 대학의 비인기 종목 육성에 투자하는 등 매우 긍정적인 면을 보여주고 있다. 정규시즌 경기 방식은 지역별로 조직된 콘퍼런스(Conference) 별 상호 리그 방식으로 챔피언을 결정하며, 정규시즌 후에는 포스트 시즌(Post Season) 경기로 콘퍼런스 챔피언들을 두 팀씩 초청해 소위 "볼 게임(Bowl Game)"을 개최한다.

미국 내에서 유명한 콘퍼런스로 빅(Big) 10, 펙(Pacific) 10, 사우스이스턴(Southeastern), 대서양 콘퍼런스(ACC, Atlantic Coast Conference), 사우스웨스트(Southwest), 아이비리그(Ivy League)를 들 수 있고, 반면 노틀담, 해군사관학교 같이 어느 콘퍼런스에도 속하지 않은 소위 "무소속 Independent" 학교들이 있다.

유명한 경기로는 오렌지 볼(Orange Bowl, 마이애미), 슈거 볼(Sugar Bowl, 뉴올리언스), 코튼 볼(Cotton Bowl, 댈러스), 로즈 볼(Rose Bowl, 패서디나), 피에스타 볼(Fiesta Bowl) 등을 들 수 있다.

(4) 인기와 시장 규모

미국에서 대학 미식축구는 가장 인기 있는 스포츠이다. 1년에 4,000만 명의 팬이 경기장을 찾는다. 이는 NFL, NBA, MLB등의 인기 프로스포츠보다 두 배 이상 많다. 47개 대학이 매 경기 평균 5만 명 이상의 팬을 불러 모으고 있으며, 미시건 주립대, 펜실베이니아 주립대, 오하이오 주립대, 텍사스 주립대 같은 대학은 평균 관중이 10만 명을 넘는다. 프로스포츠 팀들과 달리 대학들이 위치한 도시들의 인구가 적게는 5만 명 안팎인 곳도 많은 점을 감안하면 대학 미식축구가 얼마나 사랑받는지 쉽게 알 수 있다. 미식축구가 대학 및 지역사회에 미치는 경제적인 파급 효과도 매우 크다. 120여개의 1부 리그 팀들은 평균 100억 원이 넘는 수입을 미식축구를 통해 거두고 있으며 상위 10개 학교들은 1년에 1,000억 원이 넘는 수입을 올리고 있다. 미식축구를 통해 얻는 수입 규모가 이렇게 크다보니 미식축구팀을 위해 공사비 수백억 원의 실내 연습경기장을 짓고 유능한 감독들에게 연봉 50억 원을 지급하는 것이 대학들에게는 자연스러운 투자라고 할 수 있다. 최근의 경제 분석 기사에 따르면, 네브라스카 주립대 미식축구팀은 대학이 있는 링컨(Lincoln) 지역사회에 2,000여 개 일자리와 함께 1,500억 원이 넘는 경제적 가치를 창출하고 있다.

(5) 대학 동문의 자부심

학생들과 지역 주민들에게 대학 미식축구팀은 좋아하는 스포츠 팀 이상의 의미를 갖는다. 많은 학생들이 자기 대학 미식축구팀에 대단한 자부심을 느끼고 있으며, 이는 자기 학교에 대한 소속감과 애교심에 많은 영향을 끼친다. 미식축구팀은 지역사회 주민에게도 비슷한 영향을 끼친다. 특히 많은 미국 대학들이 대도시보다 중소도시에 위치하고 있는데, 대학과 대학 미식축구팀의 존재는 지역주민들에게 자신들이 살고 있는 도시가 대도시에 비해 못할 것이 없음을 보여주는 지표가 된다. 결국 미식축구는 지역주민들이 대도시가 아닌 중소도시에 거주해야 하는 이유를 부여하고 있다. 또한, 팀에 대한 애정과 자부심은 지역사회에 대한 소속감과 자부심을 강화하는 긍정적인 효과를 끼친다. 따라서 대학 미식축구는 학교 간, 지역 간 격차 해소에도 기여한다고 볼 수 있다.

(6) 다양한 화젯거리

미국인들의 일상대화에서 빠지지 않는 주제가 미식축구이다. 미식축구에 대해 잘 알면 영어가 유창하지 않은 외국인들도 미국인들과 즐겁게 대화를 나눌 수 있지만, 그렇지 않은 사람들은 대화에 끼지 못해 당황하는 것을 종종 목격했다. 어느 대학이 우승할지, 누가 최우수 선수로 뽑힐지, 어떤 고등학교 유망주가 어느 학교에 관심이 있다는 소식까지 많은 미국인들이 미식축구를 소재로 대화를 이끌어가며 미국 언론들은 끊임없이 대학 미식축구에 대해 다양한 화젯거리를 제공한다. 이는 미식축구의 높은 인기에서 비롯된 것이지만 미식축구에 대한 관심을 증폭시키는 중요 요인이기도 한다.

(7) 가족문화

대학 미식축구를 포함해서 미국 스포츠는 가족이 함께 즐기는 여가활동이다. 대학 미식축구 관중을 살펴보면 대학생들을 제외하면 가족 단위로 관람하는 모습을 볼 수 있다. 많은 미국인들에게 대학 미식축구는 가족 모두 함께 즐기는 스포츠이며, 각 팀들도 가족 단위 팬들에게 할인을 해주거나 각종 이벤트를 마련하고, 편의시설을 마련하는 등 가족 단위 관람을 적극 권장한다. 이러한 분위기는 미식축구를 가장 적극적으로 즐기는 남성들이 가족의 눈치를 보지 않고 즐길 수 있게 배려하지만, 가장 중요한 효과는 어린 세대들이 미식축구에 노출되고 특정 대학팀에 대한 애정을 키워나간다는 점이다. 이렇게 어린 시절부터 경험하는 미식축구와 팀에 대한 애정은 어른이 되어서도 좀처럼 변하지 않는다.

[참고문헌]

http://blog.naver.com/kjw2190/120192108268

http://samsungsports.net/Story/globalReportView/?idx=1025

http://100.daum.net/encyclopedia/view.do?docid=b08m1697b001

4. 베가 번스의 전설
– 자신만의 고유한 스윙 찾기

1) 줄거리 요약

영화 〈베가 번스의 전설〉은 미국 시골마을의 천재 골퍼인 '래널프 주너'가 전쟁에서 돌아온 후 마음의 상처를 입고 살아가던 중 우연히 골프 조언자를 만나면서 새로운 인생을 찾게 되는 과정을 그린 작품이다. 원작은 스티븐 프레스필드(Steven Presfield)의 동명작인『베가 번스의 전설』이다. 골프 조언자를 자청하며 어디선가 나타난 '베가 번스'는 오랜 방황으로 삶의 의욕과 사랑을 잃어버린 주너에게 힘과 용기를 주고, 모든 것은 자연과 정신의 조화에 달렸다며, 그가 자신만의 고유한 스윙을 찾도록 지켜본 후, 마지막에 어디론가 사라져 버린다.

영화를 보면서 골프에 대한 부정적 인식도 사라지고 골프도 스포츠 정신을 실현시킬 수 있는 좋은 종목이며, 자신에게 페널티를 주는 유일한 스포츠로서 어쩌면 스포츠 정신이 더욱 필요한 종목이라는 생각을 했다. 골프를 통한 한 인간의 트라우마 극복과정은 많은 생각거리를 준다. 동시에, 골프와 어우러진 사랑 이야기도 감동적이다.

2) 영화 속 이야기

'하디 그리브스'라는 노인이 자신이 왜 골프에 열광하게 되었는지 회상하면서 영화는 시작한다. 1928년, 조지아의 사바나. 그 마을의 영웅은 타고난 골프천재 래널프 주너이다. 골프와 주너에 대한 하디의 열정은 남달랐다. 골프와 주너의 관한 잡지나 기사를 빠짐없이 읽을 정도이다. 주너는 모든 대회를 석권했으며, 사바나 최고의 갑부의 딸인 '아델 잉버고든'의 연인이었다. 그러나 평온한 생활은 오래가지 않는다.

전쟁이 발발하자 주녀를 비롯한 마을 남자들은 앞 다퉈 자원입대했고, 그들은 조국의 영광만을 생각했으나 전쟁은 상상 이상으로 참혹했다. 전우들이 죽어가는 현장에서 살아남은 주녀는 행방이 묘연해진다. 그러나 주녀와 달리 아델은 세계 최고의 골프장을 세우려는 아버지의 사업을 도우며 야망을 불태운다.

세월이 흘러 하디가 10살이 되던 해 주녀는 귀향했으나 사람들 앞에 나서지 않았고 사람들의 기억에서 점차 사라진다. 이후 1년이 지나지 않아 대공황은 시작되었고, 사람들은 궁핍한 생활을 이어간다. 그런 와중에 아델의 아버지는 골프장을 개장한 후 자살한다. 설상가상으로 아델은 아버지의 죽음을 슬퍼할 겨를도 없이, 골프장을 처분하려는 투자자들을 설득해야만 했다. 결국, 자신이 변통할 수 있는 최고금액을 걸고 현존하는 최고 선수 '바비 존스'와 '월터 헤겐'의 시범경기를 개최한다는 계획을 세운다. 투자자들은 바보 같은 행동이라며 그녀를 비웃지만, 두 선수는 크루 골프장에 시범경기를 하러 온다. 자신의 뜻대로 일이 진행되지 않자 네스칼루사는 언론을 자극해 시합 유치를 방해했을 뿐만 아니라 사바나 출신선수도 출전을 시켜야 한다고 주장한다. 이 말을 들은 하디는 주녀를 추천하고 모여 있는 사람들은 모두 그가 적임자라고 입을 모은다. 이에 하디는 그를 찾으러 가지만, 주녀는 예전의 천재 골퍼의 모습은 사라지고 술과 도박에 빠진 인생 낙오자였다.

하디는 방문 목적을 설명하다가 비웃음만 당하지만, 굴하지 않고 아버지가 했던 말로 주녀를 설득시키려 한다. 어느새 마을사람들도 그를 찾아온다. 그러나 주녀는 출전하지 않겠다는 입장을 고수한다. 결국, 고집을 꺾지 못한 사람들은 집을 나가고 하디만 남는다. 이때, 소리 없이 들어온 아델은 그를 유혹해서라도 시합에 내보내려 한다. 그러나 감을 잃었다는 말만 반복하며 출전을 거부하는 주녀의 모습에 아델은

🎬 전쟁터에서 돌아온 후 도박과 술에 빠진 채 살아가는 주너

실망한다. 홀로 고민하던 주너는 깊은 밤 골프채를 잡고 연습에 몰두한다. 그러던 중 한 남자가 홀연히 나타나는데 마치 주너의 마음을 읽는 듯 캐디를 자청하고, 그 대가로 5달러만 요구한다. 자신을 베가 번스라고 소개한 남자는 캐디가 되고, 주너는 대회에 나가기로 결심한다.

존스와 헤겐이 오는 날, 사바나는 공휴일로 지정되고 많은 유명기자들이 사바나를 방문한다. 아델은 개회식에서 존스와 헤겐, 주너의 경력과 과거를 이야기한다. 이에 주너는 겁을 먹고 도망가려 하지만, 이를 모르는 사바나 사람들은 차를 타고 마을을 벗어나려는 그에게 환호하며 응원한다. 사람들 때문에 마을을 떠날 기회를 놓치자, 결국 그는 대회에 참가한다. 이런 사정을 모르는 하디는 빗속에서 베가 번스를 훔쳐보다가 눈에 띄어 포어 캐디가 된다. 베가는 코스를 측정하고, 잔디에 관한 지식과 자신만의 스윙을 찾는 법을 하디에게 가르쳐 준다. 하

🐘 하디를 포어 캐디로 임명하고 악수하는 베가 번스

디는 처음에는 이해 못했지만 베가의 지도로 조금씩 깨닫는다.

드디어 결전의 날, 사바나는 문전성시를 이룬다. 경기는 토요일 36홀, 일요일 36홀의 강행군이며 존스, 헤겐, 주너 순으로 진행된다. 그러나 주너는 기대에 부응하지 못하고, 사람들은 베가가 캐리를 잘못하고 있다고 떠들어댄다. 그리고 나서 주너에게 실망한 대부분의 사람들이 집으로 돌아간다. 첫날은 헤겐과 존스가 동점, 주너는 그들과 12점차로 경기가 끝난다. 이런 상황에서 힘들어하는 주너에게 베가는 자신의 스윙은 사라지지 않는다고 말하면서 어디론가 사라진다. 라커룸에 놀러 온 하디에게 주너는 골프가 재미있냐고 묻는다. 이에 하디는 재미있고 어렵지만, 자신에게 페널티를 주는 유일하고 근사한 경기라며 작은 일렁임을 선사한다. 그러나 주너는 여전히 점수의 격차를 줄이지 못한다. 베가는 자신만의 고유한 스윙, 즉 모든 것과 하나가 되서 느끼라는 조언을 해주고, 주녀는 그의 말대로 물아일체의 경지를 느끼며 멋진 샷을 보여준다. 원래의 주녀가 돌아왔다. 그는 계속 홀인원에 성공하고 2회전이 끝날 무렵에는 8타차까지 따라붙는다.

경기가 끝난 후, 헤겐은 시범경기 투어를 제안하지만 주녀는 생각해보겠다며 거절의 뜻을 밝힌다. 다음날 경기에서 베가의 조언을 따른 주녀는 승승장구한다. 첫 홀부터 이글로 벌충해 2홀에선 존스를 1타 앞서고, 3홀에선 헤겐에게 2타 앞선다. 이런 모습에 마을은 축제 분위기가 된다. 존스에겐 3타, 헤겐에겐 2타로 따라붙은 주녀를 보러 많은 사람들이 다시 경기장으로 몰려든다. 3회전 결과, 이제 불과 1타 차이. 존스와 헤겐도 긴장하기 시작한다.

마지막 라운드, 모두 동타인 상황에서 주녀는 베가의 조언을 듣지 않고 욕심을 부리다 실수를 반복하며 3타 차이로 벌어진다. 매우 실망하면서 자신감을 잃어가던 중 숲에 빠진 공을 치러 갔을 때, 그는 전장에서 겪었던 공포를 이기지 못하고 힘들어 한다. 베가는 주녀에게 이제 짐을 내려놓으라며 충고하고 다독인다. 이에 주녀는 자신만의 스윙을 하며 위기를 극복한다.

17번째 홀에서 세 사람은 다시 동점을 이룬다. 원래 일몰이 되면 경기를 연기할 수 있었지만, 선수들은 경기를 강행한다. 최선을 다해 경기에 임하던 주녀는 실수로 공을 살짝 건드린다. 하디와 주녀 외에는 공의 움직임을 본 사람이 없으며, 딱히 신경 쓰는 사람은 없었지만 그는 스스로 벌타 1타를 받는다. 이런 주녀의 모습을 본 베가는 만족한 표정으로 더 이상 자신이 필요 없다며 5달러를 받은 후 하디를 캐디로 임명하고 어디론가 떠난다. 존스와 헤겔은 2타째라 누군가 공을 넣으면 주녀의 패배는 확정된다. 그러나 하겐, 존스 모두 실패한다. 결국, 주녀가 친 공이 기적적으로 홀 안으로 들어가며 세 사람 모두 승리자로 경

🎞 베가 번스의 도움으로 경기력을 회복한 주너

기는 끝난다. 관람객들은 찬사를 아끼지 않았고, 선수들은 만족한 듯
미소 짓는다. 이 경기가 존스의 은퇴경기였으며, 헤겐은 그 후 시범경
기만 했다. 주너와 아델은 다시 연인이 되었다는 설명을 마치면서, 하
디는 멀리서 손짓하는 베가 쪽으로 걸어간다.

3) 해석적 이해

이 영화를 보면 골프가 단지 필드에 놓인 공을 구멍에 굴려 넣는 단
순한 스포츠가 아니라, 베가의 말처럼 자연과 공과 자신이 하나가 되는
자신만의 스윙을 찾아야 함을 알게 된다. 자연과 하나라는 의미는 자신
이 자연의 작은 부분인 동시에 자연이기도 하다는 뜻이다. 자신과 하나
가 되라는 것은 나를 들여다보고 자신을 찾으라는 말과 같다. 모든 운

동이 건강한 정신을 함양한다고 하지만, 골프만큼 자신에 대해 깊이 성찰하는 스포츠도 흔치 않다. 주녀가 겪는 어려움 중 하나인 '타인의 시선'에 대해 생각을 해보면, 우리는 타인의 시선을 끊임없이 신경 써야 한다. 그러나 우리는 타인의 칭찬과 비난에 너무 민감하게 신경을 쓰면서 사는 것 아닐까? 경기에서는 이길 수도 질 수도 있다. 얼마나 양심적으로 최선을 다했는가에 따라 승자와 패자 모두에게 박수를 보내야 한다. 하지만 사바나 사람들은 주녀가 좋은 성적을 내면 환호하면서 성적을 내지 못하자 실망하며 화내는 모습을 보인다. 이러한 기대는 당연할 수 있다. 하지만 주녀 자신은 사람들에게 흔들리지 않고 경기를 계속해야 한다. 그는 마지막에 양심을 속이지 않으면서 다른 사람들의 시선이 아닌 자신의 내면에 집중한다. 이런 그의 행동에서 지금까지 우리가 눈앞에 보이는 성적이나 남의 시선에 연연하지 않았는지 돌이켜 볼 필요가 있다. 결국, 골프와 마찬가지로 인생도 자신만의 스윙을 찾고 주어진 환경과 조화를 이루어야 한다.

4) 윤리적 탐구

(1) 주인공 래널프 주녀의 인생에서 '골프'는 무엇을 의미하는가?

전쟁 전 주녀에게 골프는 천부적인 재능을 살릴 수 있는 직업이며, 흥미로운 운동이었다. 그러나 전쟁을 겪은 직후에는 단순한 직업으로 인생에서 없어도 무관하며, 남들 앞에 나서지 않기 위해 희생해야 하는 기회비용이었다. 하지만 12년이 지나서 그를 찾아온 대회출전 제의는 그에게 행복했던 과거로 돌아갈 수 있는 수단이었다. 시범경기에서 12 타나 처지며 사람들의 비웃음과 경멸을 받으면 그에게 골프는 부담을 느끼는 족쇄가 되지만, 베가의 조언대로 자신의 스윙을 찾고 공과 하나 되는 경지를 경험하며 골프는 더 이상 도구가 아니라 인생 그 자체가 된다. 즉 12년을 뒤처진 인생처럼 12타가 뒤졌지만, 그 격차를 만회할 수 있는 것이 골프이고 인생이다. 골프를 통해 밝은 미래를 꿈꿀 수 있고, 사랑하는 아델을 만났으며, 행복한 인생을 살게 된 것이다.

전쟁 후에 피폐해진 인생을 살면서 골프는 주너에게 마지막 자존 심이었을 것이다. 대회 참가 기회가 찾아왔을 때, 결국 참가를 결정하는 것은 어렴풋하게 남은 자존심 때문 아닐까? 무언가 집중할 수 있는 것이 필요했던 주너에게 골프만큼 좋은 운동도 없었다. 그에게 골프는 자신을 추스르고 되돌아보며 정신을 집중해 희망을 찾아갈 수 있는 유일한 수단이었다. 골프는 주너에게 한 번 더 도전할 수 있는 최후의 보루가 아니었던 것이다.

(2) 인생에서 짐은 누구에게나 있다. 래널프 주너에게 '인생의 짐'은 무엇이며, 그는 이를 어떻게 극복하는가?

주너에게 인생의 짐은 전쟁에서 겪은 고통과 죽음에 대한 충격, 그리고 다른 사람들, 특히 그에게 좋은 성적을 기대하는 마을 사람들의 시선이었다. 동료들의 죽음을 목격한 그는 12년 동안 골프를 할 수 없었으며, 자신이 가지고 있던 명예와 연인까지도 버리고 그를 도망치게 만들었다. 게다가 전쟁에서 겪었던 심한 정신적 외상과 자극을 술과 도박이라는 또 다른 자극으로만 해결하려고 했다. 이는 외상후증후군의 대표적인 증상이다. 물론 주너는 이를 극복할 의지도 없이 자기 내부로 숨어버린다. 골프선수로서 생활하다 전쟁의 참혹함을 경험하고 겨우 돌아와 인생의 의미를 잃어버린 것이다. 마치 밝게 빛나던 전구가 한 순간에 꺼져버린 듯이. 그런 그에게 인생의 짐은 바로 '기억'일 것이다. 그는 술을 마시며 이런 얘기를 한다. "술은 처음 마실 때는 슬픔을 느끼는 뇌세포가 죽는다. 그래서 이유 없이 실실 웃게 된다. 다음엔 점잔을 빼는 뇌세포와 겸손세포가 죽어 잘난 척한다. 마지막으로 기억세포만 남는데 이것은 잘 안 죽는다." 정작 술과 담배로 죽이고 싶은 '기억세포'는 잘 안 죽는다는 말이다. 전쟁의 외상을 그는 지우고 싶었을 것이다. 기억을 지우고 싶은 마음과 지우지 못하는 현실, 지워야 하는 의무감이 커다란 짐이었을 것이다.

영화가 진행되면서 그는 베가 번스의 도움으로 스스로 짐에서 벗어난다. 죽은 동료의 기억과 비겁자라는 꼬리표는 숲에서 공을 밖으로 빼낼 때 사라진다. 그 자리에서 기권해도 상관없었지만, 그는 극복할 수 있다는 베가의 말을 들으면서 스스로 극복한다. 그리고 베가의 조언대로 주너는 자연과 물아일체가 되고 욕심을 버리면서, 마지막에는 승리에 연연하지 않고 스스로의 양심을 지키면서 이를 극복한다.

(3) 골프 캐디 베가 번스는 래널프 주너가 인생의 짐을 극복하는데 어떤 역할을 하였는가?

베가는 주너에게 절대자가 아니라 조언자다. 그는 짐을 들어주려고 노력하지 않았다. 다만 인생의 짐을 어깨에서 내려놓는 방법에 대한 힌트를 주고 그 방법을 알려줬을 뿐이다. 베가는 짐과 세월에 억눌려 잠들어 있던 스윙에 대한 감각을 주너가 찾을 수 있도록 조언한다. 즉 골프 실력을 회복하는데 필요한 자신감을 불어넣고 잠재력을 꺼낼 수 있도록 도와준다. 그리고 사람들의 시선을 의식하는 그에게 사람들의 시선과 과거 영광의 기억에 얽매이지 말고 매순간 경기에 집중할 수 있도록 도와주었다. 그리고 골프에서 난관에 봉착할 때마다 옳은 판단을 할 수 있도록 도움을 준다. 그의 최고의 진가는 마지막 경기에서 공이 숲으로 들어갔을 때 나타난다. 전쟁터에서의 기억과 고통을 생각하며 괴로워하는 주너는 경기를 포기하고 싶어 주저앉는다. 그러나 베가는 할 수 있다는 용기를 북돋아준다. 마지막까지 무엇인가를 직접 해주는 것이 아니라 주너가 스스로 깨달을 수 있도록 돕는 것이다. 즉 주너에게 있던 인생의 짐을 직시하고 그가 스스로 그 짐을 내려놓고 홀가분한 마음으로 걸어갈 수 있도록 뒤에서 도와주고 한 발짝 뒤에서 지켜보는 것이 그의 역할이었다.

(4) 베가 번스가 강조한 "자기만의 고유한 스윙을 찾기 위해서는 '자연과 하나'되는 스윙이 필요하다"는 의미는 무엇인가?

　자연과 하나 되는 스윙은 도교에서 말하는 물아일체의 정신과 일맥상통한다. 물아일체란 바깥 사물(事物)과 나, 객관(客觀)과 주관(主觀), 또는 물질계(物質界)와 정신계(精神界)가 어울려 한 몸이 되는 것을 말한다. 이렇게 내면에 집중하면 정신을 다른 곳에 분산시키지 않고 온전히 공과 자신에게만 집중할 수 있다. 골프는 다른 스포츠와는 달리 가장 자연과 가까운 환경에서 치루는 경기이다. 그렇기에 내면에 잠들어 있는 자신만의 고유한 스윙을 찾기 위해서는 물아일체가 꼭 필요하다.
　스윙 자체가 사람마다 똑같을 수 없다고 생각한다. 개인마다 성격이 다르고 잘하는 부분이 다르듯이 스윙에서도 각자 스타일이 있을 것이다. 따라서 이를 위해서는 자신을 잘 알아야 하는데 인간도 자연의 일부이기 때문에 자연과 하나가 되어야 자신의 내부를 가장 정확하게 알 수 있다. 그 열쇠는 바로 자신의 몸과 마음, 정신, 나아가 우주와의 모든 조화이다. 그 조화 속에서 우리는 자기 자신을 찾을 수 있고, 자신만의 스윙을 날릴 수 있다. 우리에게는 배우지 않아도 아는 선천적인 것이 있다. 그것은 자연과 조화를 이루며 사는 평화롭고 고요한 자신이다. 그러나 살다보면 욕심, 이기심, 절망감 때문에 그 조화를 깨뜨린다. 잊고 사는 것이다. 자신을 조화 속에 모두 맡겨버리고 모든 것을 비우고 집중하는 순간, 깊은 곳에서 잊혔던 자연스러운 '스윙'이 나온다는 사실을 말이다. 베가는 그 스윙, 고요한 자아를 찾으라고 한 것이다.

(5) 골프 경기에서 래널프 주너의 '진정한 승리'는 무엇인가?

영화는 세 선수가 서로 동점을 이루면서 훈훈하게 끝난다. 만약 주너의 승리가 점수로만 나타난다면, 이 영화는 주너의 아슬아슬한 역전승으로 마무리되었을 것이다. 그러나 영화 내용은 그렇지 않다. 그렇기에 주너의 진정한 승리는 점수와는 무관하다는 사실을 알 수 있다. 그럼 그가 이 경기에서 이룬 것이 무엇일까? 먼저 그가 전쟁과 족쇄처럼 느꼈던 사람들의 시선에서 인생의 짐을 내려놓았다는 점이다. 그의 진정한 승리는 자기 양심과의 싸움에서 거둔 승리다. 자기 자신과의, 특히 자신의 양심과의 싸움은 정말 어렵다. 만약에 벌타 1타를 받지 않았다면 그는 승리할 수 있었다. 그러나 그는 양심을 지키고 정정당당하게 공동우승을 한다. 게다가 그는 무의식적으로만 알고 있던 자신의 스윙을 확실히 하는 방법, 즉 자신의 것으로 만드는 방법을 알아냈다. 값진 것을 세 가지나 얻었으니 바로 이것들이 그의 진정한 승리다.

(6) 경기 막바지에 래널프 주너가 철저히 규칙을 지키며 경기
에 임했던 이유는 무엇인가?

그는 자신이 하는 경기를 부끄럽지 않게 만들고 싶었을 것이다. 하
다가 그에게 말했던 골프는 스스로에게 패널티를 주는 유일한 경기라
는 말이 귓가에 계속 맴돌았을 것이다. 양심을 속이며 얻은 승리는 가
치가 없다고 판단했고, 비겁한 승리에 집착하지 않기로 결심했을 것이
다. 비겁한 승리는 환호를 받을 수 있지만, 인생의 짐이 되어 계속 그를
괴롭힐 것이다. 인생에 큰 짐을 스스로 내려놓고 세상으로 나왔는데 작
은 속임수로 또 짐을 지고 싶지 않다는 생각도 했을 것이다. 그리고 자
신을 영웅으로 생각하며 끝까지 믿어준 어린 하디에게 부끄러운 모습
으로 기억되고 싶지 않았을 것이다. 당당한 사람이 되어야 한다는 의무
감이 생겼고 그것이 부정을 막았을 것이다. 다른 사람이 어떻게 보든,
어떤 상황이 그에게 오든, 중요한 것은 자신이 보았다는 사실이기 때문
이다. 그렇기에 그는 철저하게 규칙을 지키며 자신의 페널티를 인정했
다. 그는 골프가 스포츠로 끝나는 것이 아니라, 바로 자신의 인생이며
인생에 대한 태도라는 것을 알았다. 이는 앞으로 살아갈 인생에 임할
자신의 의지와 태도를 표명한 것이다.

(7) 베가 번스가 경기가 끝나기 직전에 래널프 주너를 떠난
이유는 무엇인가?

주너가 자신의 짐을 벗어던졌으며 번데기에서 아름다운 나비가 되
었기 때문이다. 만약 그가 양심을 속이는 행동을 했다면 베가 번스는
계속 남아서 그를 질책하고 가르침을 다시 주거나 실망해서 떠났을지

모른다. 그러나 주녀는 정정당당하게 자신의 잘못을 인정하고 페널티를 받는다. 승패보다 중요한 것이 무엇인지 깨달은 주녀를 보면서 베가는 더 이상 자신이 지도할 것이 없음을 알게 된 것이다. 그래서 기쁜 마음으로 떠난 것이다. 그가 없이도 이제 잘 해낼 수 있으리라 믿었기에. 그것은 '언제나 누가 옆에서 그를 도와주는 것이 아니라 중요한 결정은 결국 스스로 책임지고 해야 하는 것'을 일깨워주기 위한 행동이었다. 베가를 신으로도 해석할 수 있지 않을까? 자신이 창조한 인간들이 전쟁이라는 참혹한 비극을 낳았고, 그 비극 속에서 절망스러운 삶을 살았던 주녀에게 다시 기회를 주고 싶었던 것 아닐까? 베가 번스는 주녀를 통해 인류 전체에게 메시지를 전하고 싶었던 것이다. 다시는 이런 비극을 만들지 말고 정말로 중요한 게 뭔지 생각해 보고 그것에 따라 행동하라는 메시지를. 그것은 바로 '조화', 자신 내면에 있는 것과의 조화, 자연과의 조화, 우주와의 조화이다. 그것을 주녀가 깨달았으니 베가 번스는 더 이상 머물 이유가 없었을 것이다. 자신이 창조한 인간이라는 존재가 그것을 깨닫는 순간 엄청난 힘을 발휘해 희망의 불꽃을 온 세상에 퍼지게 할 수 있을 것이라는 사실을 베가는 알고 있었다.

(8) 최근 국내에서 사회적으로 골프가 확산되고 있는 상황을 어떻게 평가하는가?

골프는 부자만 할 수 있다는 편견이 점차 사라지고 있다. 박세리, 김미현 등 우리나라 여자 골프선수들이 미국 LPGA에서 좋은 성적을 거두면서 우리나라의 골프 위상도 높아졌고 사람들이 골프에 대해 관심을 갖기 시작했기 때문이다. 대중이 이용하기 쉬운 골프연습장, 스크린 골프 등의 시설이 생기면서 국내에서도 골프가 확산되고 있다. 그러나 아직도 골프는 부자들의 스포츠, 권위 있는 사람들의 스포츠란 인식이 대부분이다. 그리고 이런 인식을 부채질하는 곳이 바로 골프장과 해외원정 골프다. 골프장은 아름다운 자연경관을 비롯한 많은 볼거리를 갖추고 있어 스포츠와 관광의 이미지가 강하고, 다른 스포츠처럼 스펙터클한 요소가 부족해 게임 중 많은 시간을 소모한다. 또한, 이런 아름다운 경관을 관리하기 위해서 골프장 운영에 많은 비용이 든다. 반면에 동남아 골프 비용은 항공료, 숙박료를 포함해도 국내에 비해서 훨씬 싼 편이다.

또 다른 이유는 골프가 접대에 많이 사용되기 때문이다. 이는 미국이나 유럽, 일본 등 선진국에서도 널리 이용하는 방법이지만 많은 사람들은 아직도 골프 접대에 부정적이다. 스크린 골프장이나 골프연습장 등 가볍게 골프를 즐길 수 있는 시설에 대한 홍보와 문화센터의 골프 강좌 개설 등을 통해 골프 기초를 배울 수 있는 여건 확립, 그리고 국가를 대표하는 골프 선수들의 꾸준한 육성과 스폰서 문화 확립, 건전한 골프 문화에 대한 홍보 등 남녀노소가 즐길 수 있도록 골프 문화에 대한 인식 전환이 필요한 실정이다.

(9) 가장 기억에 남는 장면이나 대사는 무엇인가?

"자연과 하나가 될 때까지"는 베가가 하디를 데리고 코스 길이를 재면서 하는 대사이다. 그는 태양에 따라 변하는 잔디의 결까지 아는 캐디였다. 그는 자연과 하나 되고, 순응하는 중요함을 알려주면서 공을 갖지 않은 상태에서 눈을 감고 공을 쳐보라고 말한다. 공이 없는 하디에게 자연에 동화되어 자연과 하나가 될 때까지 눈을 감고 계속 쳐보라는 베가의 말에서 골프에서 자연과의 일치가 중요함을 알게 되었고 더 나아가 우리 모두 자연 속에 동화되어 하나가 되어야 함을 알려주는 대사라서 인상 깊었다.

5) 스포츠의 이해 : 골프

(1) 개요

다수의 홀을 갖춘 경기장에서 정지된 공을 클럽으로 쳐서 홀에 넣는 경기로, 홀에 들어가기까지 걸린 타수가 적은 사람이 경기에 이긴다. 경기는 1번 홀부터 18번 홀까지 차례로 규칙에 따라 공을 치는데, 공을 친 횟수가 적은 사람이 승자가 되며, 18홀 경기를 1회전 경기라고 한다. 걷는 거리는 약 6㎞, 소요시간은 3시간 30분에서 4시간이 일반적이다.

(2) 경기 방법

규칙에 따라 연속적인 스트로크로 볼을 쳐서 홀(Hole)에 넣을 때까지 플레이하는데, 크게 스트로크 플레이(Stroke Play)와 매치 플레이(Match Play)가 있다.

① 스트로크 플레이(Stroke Play)
　　정해진 수의 홀에서 총타수의 다과로 승부를 정하는 방법으로서 많은
　　인원이 참가해도 단시일에 승부를 결정할 수 있으므로, 대부분 공식경
　　기에서는 이 방법을 채택하고 있다.

② 매치 플레이(Match Play)

각 홀마다 승자를 결정하고, 18홀을 끝낸 다음 이긴 홀수가 많은 사람을 승자로 결정하는 방법이다. 현재는 대개 스트로크 플레이가 대세지만, 근대 골프가 발생할 당시는 매치 플레이로 경기를 했다. 원칙적으로 플레이어 두 사람이 1대1로 경기하는데, 1홀 이겼을 때 1업(Up), 1홀 졌을 때 1다운(Down), 그리고 무승부는 하프(Half)라고 부르며, 승수가 같으면 올 스퀘어(All Square)라고 한다.

(3) 용구

① 클럽

골프 클럽은 기본적으로 우드 1, 3, 4, 5번, 아이언 3, 4, 5, 6, 7, 8, 9번, 피칭 웨지, 샌드웨지, 그리고 퍼터를 포함한 14개의 클럽을 풀 세트로 이용한다. 클럽의 하프 세트는 우드 1, 3, 아이언 3, 5, 7, 9번, 샌드웨지, 그리고 퍼터를 주로 이용한다.

② 공

골프 규칙에는 공의 중량도 45.93g 보다 무겁지 않고, 직경은 42.67mm 보다 작지 않도록 규정하고 있다. 골프공의 선택 기준은 공의 크기, 공의 구조, 경도 등이다. 공의 구분은 공의 크기에 따라 직경이 41.15mm인 작은 공과 42.67mm인 큰 공으로 구분된다. 골프공의 표면에는 많은 홈이 패어져 있는데, 이것은 단순한 장식이 아니라 딤플(Dimple)이라고 해서 공기 저항을 없애고 공을 올리는 힘을 높게 하는 작용력이 있다.

③ 골프복

골프복은 무엇보다 스윙하기 편한 활동적인 옷이어야 한다. 그리고 잔디 위에서 자연과 더불어 경기가 이루어지므로, 안전을 위해 주위 사람들의 눈에 잘 띄는 원색적인 옷도 선호된다. 비옷이나 겨울철의 찬바람을 막기 위한 옷도 필요하다.

④ 골프화

골프장에서는 반드시 골프화를 착용해야 하는데, 골프화는 잔디를 보호하고 스윙을 할 때 몸의 균형을 유지하는데 필요한 스파이크가 달린 신발이다.

⑤ 골프장갑

골프장갑은 손바닥에 물집이 생기거나 공을 칠 때 그립이 미끄러지는 것을 방지하며 일반적으로 오른손잡이의 경우 왼손에만 장갑을 착용한다.

[참고문헌]

1. '골프', 네이버 지식백과(스포츠 백과)
   http://terms.naver.com/entry.nhn?docId=384592&mobile&categoryId=1430#TABLE_OF_CONTENT7
2. '골프', 네이버 지식백과(한국민족문화대백과)
   http://terms.naver.com/entry.nhn?docId=523434&mobile&categoryId=1641

참고문헌

고재홍. 1999. 『현대사회심리학연구』. 서울 : 시그마프레스.

경제사회연구회. 2004. "사회적 갈등 해소방안." 한국환경정책평가연구원.

권오륜. 2001. "영화와 스포츠." 서울국제학술대회 초록집 8월 23-25일.

김원옥·강현숙. 2005. 『내러티브 분석』. 서울 : 군자출판사.

김학덕·이형일. 2007. "철학을 통한 스포츠영화 읽기." 『한국체육철학회지』 제15권 제2호. pp. 63-76.

김현남. 2004. "영화로 읽는 무용교육 이야기." 『한국체육학회지』 43(5). pp. 757-766.

김형석. 2009. "영화 분석." 월간 《스크린》.

남중웅. 2002. "스포츠의 사회윤리학적 고찰." 『한국체육학회지』 41(2).

박대권·박창범. 2009. "영화 '코치카터'의 교육적 함의." 『한국체육과학회지』 제18권 제4호. pp. 731-743.

박남환·송영석. 2004. 『문화로서의 스포츠』. 서울 : 도서출판 무지개사.

박중길·김현남. 2004. "영화로 읽는 교육 이야기." 『예술교육연구』 제2권 제1호. pp. 1-11.

박창범·임수원. 2006. "영화 〈신데렐라맨〉을 통해서 본 스포츠 영화의 사회적 기능 : '가족'의 의미를 중심으로." 『한국체육학회지』 45(4). pp. 757-766.

박호성. 2002. "국제 스포츠 활동과 사회통합의 상관성, 가능성과 한계." 『국제정치논총』 42(2). pp. 93-110.

서사연. 1985. 『갈등의 사회이론』. 서울 : 학문과 사상사.

서재철. 2005. "영화를 통한 체육사 연구의 가능성 탐색 : 내러티브 진화과정, 스포츠 이데올로기, 스포츠 일상을 중심으로." 『체육사학회지』 16. pp. 91-109.

송형석. 2011. "스포츠를 통한 사회통합, 그 가능성의 고찰." 『한국체육학회지』 제50권 제2호. pp. 31-44.

육정학·김홍식. 2007. "영화 〈댄서의 순정〉에 표현된 움직임의 미." 『한국스포츠리서치』 제8권 3호, 통권 102호. pp. 385-394.

이기천. 2006. "스포츠 영화 속에 나타난 양성평등의 교육적 의미 탐구." 『한국스포츠교육학회지』 13(4). pp. 163-181.

이보영. 2001. "한국 영화속에 비춰진 체육교사상의 분석." 『제39회 한국체육학회 학
　　술발표회 발표집』. pp. 274-282.

이아영. 2005. "스포츠저널리즘과 사회통합에 관한 문헌 고찰 연구." 미간행 석사학
　　위논문. 서울 : 중앙대학교 대학원.

이윤희. 2003. "월드컵 길거리 응원의 축제 공동체적 특성." 『사회화 이론』 3. pp.
　　125-156.

임수원·송은주. 2007. "영·호남 지역감정 극복과 스포츠 교류." 『한국체육학회지』
　　46(2). pp. 105-115.

이천희·이학준. 1999. "영화를 통한 스포츠의 이해." 『한국스포츠·무용철학회지』
　　7(2).

이학준. 2008. 『영화로 읽는 스포츠 문화사』. 서울 : 북스힐.

이학준. 2006. "영화 속의 스포츠 읽기." 『한국체육학회지』 45(4). pp. 41-48.

이학준. 2003. 『스포츠의 사회윤리 : 현대스포츠의 도덕성 회복방안 모색』. 서울 : 북
　　스힐.

이훈구. 1995. 『사회심리학』. 서울 : 도서출판 법문사.

조길예. 1999. 『영화』. 서울 : 문학과 지성사.

조성식·황미경. 2011. "영화에서 나타난 춤의 사회저항적 담론 분석 : 〈발리 엘리어
　　트〉를 중심으로." 『한국체육학회지』 제50권 제5호. pp. 129-137.

정영근. 2003. 『영화로 읽는 교육학』. 서울 : 문음사.

주미사. 2008. 『영화분석 입문』. 서울 : 한나래.

최동철. 2001. "미디어 스포츠의 사회통합 기능에 관한 연구." 미간행 박사학위논문.
　　강원대학교 대학원.

최정은·이루지. 2003. "스포츠 영화에 나타난 여성 스포츠 이데올로기." 『한국스포츠
　　사회학회지』 16(2). pp. 447-463.

최성욱. 2006. 『스포츠를 읽어라』. 서울 : 스포츠인코퍼레이션.

한규석. 2003. 『사회심리학의 이해』. 서울 : 도서출판 학지사.

스포츠 영화의 윤리적 이해

발행일 1쇄 2014년 11월 30일
2쇄 2015년 7월 20일

지은이 이기천

펴낸이 여국동

펴낸곳 도서출판 인간사랑

출판등록 1983. 1. 26. 제일 - 3호

주소 경기도 고양시 일산동구 백석로 108번길 60-5 2층

물류센타 경기도 고양시 일산동구 문원길 13-34(문봉동)

전화 031)901 - 8144(대표) | 031)907 - 2003(영업부)

팩스 031)905 - 5815

전자우편 igsr@naver.com

페이스북 http://www.facebook.com/igsrpub

블로그 http://blog.naver.com/igsr

인쇄 인성인쇄 **출력** 현대미디어 **종이** 세원지업사

ISBN 978 - 89 - 7418 - 331 - 8 93690

이 도서의 국립중앙도서관 출판시도서목록(CIP)은 서지정보유통지원시스템 홈페이지(http://seoji.nl.go.kr)와 국가자료공동목록시스템(http://www.nl.go.kr/kolisnet)에서 이용하실 수 있습니다.(CIP제어번호: CIP2014034511)

본문에 수록된 영화와 관련된 사진은 인터넷에 게재된 내용을 인용하였으며, 교육 및 연구의 순수한 목적을 위해 사용되었음을 밝힙니다.